KB219689

근현대 한일관계 연표

한일역사공동연구위원회 한국측위원회 제3분과

景仁文化社

- 한일역사공동연구위원회 한국측위원회 제3분과

이만열(국사편찬위원회위원장)
정재정(서울시립대학교 교수)
김도형(연세대학교 교수)
김성보(연세대학교 교수)

근현대 한일관계 연표   정가 : 18,000원

2006년 7월 27일   초판 인쇄
2006년 8월 7일   초판 발행

편   자 : 한일관계사연구논집 편찬위원회
회   장 : 한 상 하
발 행 인 : 한 정 희
발 행 처 : 경인문화사
          서울특별시 마포구 마포동 324-3
          전화 : 718-4831~2, 팩스 : 703-9711
          http://www.kyunginp.co.kr 한국학서적.kr
          E-mail : kyunginp@chollian.net
등록번호 : 제10-18호(1973. 11.8)

ISBN : 89-499-0419-5 93910
* 파본 및 훼손된 책은 교환해드립니다.

□ 발간사

　본 '근현대 한일관계사 연표'는 일본의 '역사교과서 왜곡 사건'을 계기로 한일 양국의 정상이 합의하여 설치한 한일역사공동연구위원회의 한국측 위원회 제3분과(근현대사)가 수행한 프로젝트의 성과물이다.

　한일 양국 위원회의 제3분과는 출범 직후의 합동회의에서 공동으로 이런 형태의 연표를 작성하여 간행하기로 합의한 바 있다. 한국측은 위원회의 짧은 활동기간 중에 이런 작업이 과연 가능할 것인가 의문을 품고 난색을 표명했지만 일본측의 적극적인 주장으로 이 작업을 수행하기로 동의했다. 그런데 시간이 지나면서 일본측의 의욕이 감퇴하여 원래 목표로 삼았던 공동 작업이 이루어질 수 없게 되었다. 이에 한국측은 그동안 쏟아온 정열과 노고가 너무 아까워 단독으로라도 작업의 결과를 이렇게 발간하게 되었다.

　연표를 만드는 작업은 극도로 세심한 고증과 선별이 필요한 고역 중의 고역이다. 기존에 나와 있는 연표를 적당하게 정리하여 만들어질 수 있는 것도 아니었다. 특히 한일관계를 중심으로 정리해야 한다는 점에서 이에 대한 구체적이고 세심한 사전 조사가 있어야 하였고, 또한 이 관계사가 한국과 일본의 역사 속에서 상관관계가 드러날 수 있어야 하였다.

　그리하여 본 분과에서는 다음과 같은 원칙을 정하였다. ① 한국의 근현대를 중심으로 하되, 한일관계와 일본의 역사를 포괄할 수 있도록 하고, ② 연표의 시작은 고종이 즉위한 1864년에서 한일 간에 국교가 정상화되는 1965년까지의 100년간으로 하며, ③ 한일관계가 1910년 이전, 식민지 하, 그리고 해방 후의 분단 상황에서 각기 다른 구조로 전개되었던

iv

점에서 이를 잘 드러낼 수 있도록 내용을 분류하며, ④ 일본이 일찍부터 양력을 사용하였으므로 한일 간의 역사를 상호 비교하기 위해서는 처음부터 모두 양력으로 표기하기로 하였다.

막상 작업을 시작하였지만, 결코 용이한 작업은 아니었다. 처음에 한일관계사 관련 작업은 한국측 연구위원의 보조연구원이었던 김현철, 소진형, 장신, 이계형, 김은경, 이연식 등이 기초 작업을 담당하였고, 이후 이를 바탕으로 연세대 대학원의 홍동현, 김재은, 이신우, 박인영, 유승희 등이 마무리 작업을 도왔다. 이들의 도움이 없었으면 연표의 출간은 불가능했을 것이다.

한일역사공동연구위원회는 활동기간이 3년에 불과하였다. 그리고 그 사이 제3분과 연구위원에도 많은 변동이 있었다. 결국 마무리 작업은 정재정, 김도형, 김성보 연구위원이 담당하게 되었다. 짧은 위원회의 활동 기간과 작업 기간으로 이번에 발간한 연표가 결코 완벽하다고는 할 수 없을 것이다. 다행히 한일역사공동연구위원회가 다시 활동하게 될 것이므로 부족한 부분은 앞으로 여러분의 질정을 받아 보완해나갈 수 있을 것이다.

끝으로 짧은 작업 기간에도 불구하고 이런 모양으로나마 책으로 발간할 수 있게 된 것은 한일역사공동연구위원회 한국측 사무국의 뒷받침과 경인문화사 관계자의 노고로 가능하였다. 특히 편집의 형태나 책의 판형을 여러 차례 바꾸었음에도 불구하고 이를 묵묵히 처리해준 신학태 부장 이하 편집진에 고마움을 전한다.

2005년 5월   일
한일역사공동연구위원회 한국측위원회 제3분과
간사 정재정

□ 목 차

발간사

1. 조선 말 · 대한제국기 한일관계 연표

2. 일제강점기 한일관계 연표

3. 해방 후 한일관계 연표

1864 ~ 1910

조선 말·대한제국기
한일관계 연표

1864년 高宗 1	정 치	사회·경제·문화

1월	16. 철종 승하로 흥선군 李昰應의 제2
	  자 命福을 제26대 왕으로 결정.
	17. 흥선군을 대원군에 봉작.
	21. 고종즉위. 대왕대비 수렴청정. 흥
	  선대원군으로 서정을 총괄케 함.
		17. 최제우 체포됨.

2월		23. 예천에 민란. 24. 내수사에서 징수하던 幸州 강변과 각 邑浦의 무명잡세 폐지.

3월	17. 1720년(숙종46) 이래 중지되었던 8
	  도의 量田 실시(김좌근 건의).
	18. 비변사와 의정부의 사무 한계를
	  규정하여 비변사는 외교, 국방, 치
	  안 만을 담당하게 함.
		10. 청국의 밀무역선이 와서 西海邊民
		  과 潛蔘하는 일이 빈번하므로 개
		  성유수와 평안, 황해 관찰사에게
		  이를 엄금토록 함.

4월	4. 러시아인들이 두만강변에서 경흥
	  부사에게 통상 요구(지방관이 자
	  의로 할 수 없다는 회답을 받고
	  돌아감).
	18. 각 도의 독자적인 방곡령 엄금.
	25. 이항로, 좌의정 조두순의 천거로 6
	  품직에 임명됨.
		7. 동학교조, 최제우(1824~1864) 혹
		  세무민의 죄로 대구 감영에서 처
		  형됨.
		25. 오가작통법을 성주에서부터 시행
		  (이원조 건의).

5월	12. 철종의 장례식 거행(고양 睿陵).
	18. 宗親府 관제를 다시 정함.
	27. 서원, 鄕賢祠, 生祠堂 등과 이에 소
	  속된 결총, 보액 등을 보고하도록
	  함(서원철폐 시작).	

6월		9. 대왕대비 실록 편찬을 독려. 27. 화재로 불타버린 종각을 재건하고 중단되었던 人定, 罷漏를 복설.

7월	9. 대원군의 궁성 출입 편의를 위해
	  운현궁과 금위영 사이에 대문 하
	  나를 특설.	

8월	12. 인조 이후 禍를 입은 종친 등 100
	  여명을 신원.
		31. 각 궁방의 노비문서 중 아직 남아
		  있는 것을 모두 태우도록 함.

한일 관계	일본(元治 1)
12. 前濟州牧使 鄭岐源이 표류한 일본인 20명의 陸路歸還을 요청하는 狀啓를 올림. 조선, 이들을 東萊府에서 데려오도록 조치. 22. 1866년으로 예정된 파일 통신사 고빙 기간을 10년간 연기함.	27. 프랑스공사 로슈 부임.
	2. 武田耕雲齋 등 尊攘派 筑波山에서 거병 (天狗黨의 난). 30. 영·미·불·란, 下關 通航, 橫濱 鎖港에 관한 각서를 막부에 통고.
26. 대마도주 平義達, 철종 승하를 조위하는 사절을 파견했으므로 京接慰官 선임.	20. 禁門의 變. 25. 막부, 영·미·불·란에 파리 약정 폐

	28. 의정부로 하여금 각 서원, 향사의 존폐를 결정, 품정토록 함.	
9월	17. 사액서원의 전결 등은 법전에 있는 정액에 준할 것, 祠·院을 빙자하여 평민을 괴롭히는 일을 엄금할 것 등 祠·院의 陋習을 없애도록 함.	20. 능력없는 의관과 역관이 많아 해당 관서의 提調로 하여금 이를 조사, 정리할 것을 명함. 22. 무주 적상산사고 수호사찰인 안국사 중수를 위해 공명첩 300장 발행을 전라 감영에 명함.
10월		
11월		3. 조두순의 건의에 따라 시중 米價의 고저 변동을 조작하는 좌우포도청의 행위를 엄금함.
12월		1. 태백산사고 수호사찰인 각화사 중수를 위해 공명첩 400장 발행을 경상감영에 명함. * 이달 교리문답 등 8종의 천주교 서적 간행. * 이해 김정호 『大東地志』 완성.

	기를 선언.
	2. 장군, 長州蕃 征討를 제후에 명령(제1차 長州 征伐). 5. 4개국 연합함대 17척이 下關 공격을 개시(下關戰爭). 14. 長州蕃, 4개국 함대와 강화 5조 체결.
	20. 장주번, 막부에 공순하게 사죄하기 위해 기병대 등의 해방을 告諭.
29. 일본 고종즉위축하사절 陳賀大差, 부산 왜관에 도착. 접무관에 金斗欽을 임명.	8. 막부, 프랑스 공사에게 제철소 건설의 원조를 요청. 19. 막부, 4국과 橫濱 거류지 각서 12조 조인.

1865년 高宗 2	정 치	사회·경제·문화
1월	28. 삼군수군통제사를 높여 외직의 대장직으로 삼음.	
2월	16. 閔奎鎬, 이조참의에 임명.	
3월	29. 김병학, 좌의정이 됨.	6. 대왕대비, 의정부 건물의 중건을 명하고 錢 2만 兩을 戶曹에 보내어 소요 경비에 충당케 함.
4월	10. 이 해 식년시 때 응시한 璿派人들을 傍末에 並付하게 함. 23. 비변사를 의정부에 병합. 26. 대왕대비, 경복궁 중건을 명함. 27일에 중건 역사를 대원군에게 위임하고, 營建都監 설치, 조두순, 김병학을 도제조에 임명. 29. 경복궁 영건사업을 위해 원납전을 낸 土民에게 爵賞하기로 함.	11. 大典通編 이후의 수교, 품주, 정식, 조례 등의 증감된 것을 모아 철종실록 편찬 이후 새로이 법전을 편찬하기로 함(『大典會通』).
5월	7. 경복궁 중건 공사 시작. 27. 營建都監, 원납전이 830,636兩임을 廟堂에 보고(이후 매월 초 전월의 원납전 수집액을 보고).	11. 농번기를 당하여 경복궁 중건에 부역했던 농민들을 귀향시킴. 27. 作農의 失期를 우려, 근기민의 경복궁 중건 自願赴役을 일체 엄금하고 이를 전국에 알림 / 유앙, 브르트니에르, 보뢰, 도리 등 신부, 비밀리에 충청도 內浦에 상륙.
6월	2. 대원군 이하응을 國太公에 봉함. 19. 訓局新營, 南營, 馬兵所및 五營晝任之所를 합쳐 三軍府라 부름. 24. 임헌회, 만동묘 철폐를 반대.	
7월		1. 영건도감의 건의에 따라 각 능원 내의 거목도 벌채하여 중건 공사에 사용토록 함. 5. 『철종실록』『순조실록부록』『철종실록부록』 등을 완성. 10. 敎式纂輯所를 설치『대전회통』편찬사업 시작.

한일 관계	일본(慶應 1)
	13. 長州藩士 高杉晋作 거병하여 馬關을 습격 (이후 양이파가 실권 장악). 28. 高杉晋作 재차 공격.
	5. 막부, 4국 공사에게 배상금 지불 연기를 요구하고 下關개항은 곤란하다고 함.
	5. 막부, 和歌山 번주 德川茂承을 征長先鋒總督에 임명(제2차 長州 征伐).
	3. 土佐藩, 尊攘派 처형.

		23. 경복궁 중건에 쓴 목재를 벌채한 공지에 나무를 심도록 함.
8월	* 경상도 연일 해반에 漂着한 미국인 3명 청국으로 호송.	
9월	10. 宗正卿의 계급을 勳府君例에 따라 정함. 15. 충청도 유생 김건수 등 833명, 만동묘 철폐 반대 상소 올림.	
10월	9. 옹진부 羅里 近浦에 서양인을 태운 중국선박이 1척 와서 曆書와 聖書를 주고 간 사실이 있었으므로 이양선의 감시를 철저히 하도록 명함. 21. 三南과 海西 지방의 防穀을 금함. 25. 비변사 副提調 제도를 永減함.	24. 여름의 풍수해로 쓰러진 兩南, 湖西지방의 목재를 이용, 大小 선박을 건조하도록 監兵水營에 명함. 27. 충청도의 綿農 흉작으로 布를 錢으로 대납케 함. 31. 폭풍우로 피해입은 제주도에 內帑金 2천양을 하사, 이어 곡식 1천석도 수송하도록 전라도 관찰사에게 지시.
11월	22. 宗親府와 儀賓도 朝班의 東班에 入參하게함.	1. 스코틀랜드 선교사 R. L. 토머스, 서해안 답사 시작(약 2개월 반). 14. 『대전회통』 吏·兵典 중의 각종 조례를 따로 수집하여 『兩銓便攷』라 함.
12월	18. 러시아인 3명, 입국하려다 경흥부 校吏의 방지로 퇴거. 28. 러시아인의 빈번한 통상 요구 등에 관한 사항은 道伯을 통해 정부에 보고케 함.	

1866년 高宗 3	정　치	사회 · 경제 · 문화
1월	12. 성석청 등 경상도 유생 1,468명, 만동묘 철폐반대 상소 올림. 15. 萬東廟 철폐를 명함.	16. 『대전회통』『양전편고』 완성.
2월	18. 柳厚祚, 우의정에 임명됨.	
3월	21. 박규수, 평안도 관찰사가 됨 29. 대왕대비, 수렴청정을 거둠.	1. 천주교인 전 승지 남종삼 등 체포. 7. 프랑스 선교사 및 서학교도 처형 (이후 서학교도에 대한 대대적인 탄압: 병인사옥) / 서울은 20일, 지방은 한 달간 서학 서적 및 서학교도들을 철저히 색출하고 오가작통법을 다시 강화.
4월	12. 武斷土豪를 금하는 교서를 내림. 20. 閔致祿의 딸을 왕비로 정함.	19. 경복궁 영건 공사장에 큰 불.
5월		
6월		30. 프랑스 신부 리델, 교주 10여명과 천주교박해를 피해 국외로 탈출.
7월		
8월	16. 미국 상선 제너럴셔먼호, 기독교 선교사 토마스 등 서양인 4명, 19명의 청국인 및 말레지아인을 태우고 평안도 용강현 多美面 英珠浦口에 도착. 17. 서학교도 탄압을 빌미로 프랑스가 조선침공을 준비 중이라는 정보를 중국에서 조선에 알려옴. 21. 평양 관찰사 박규수, 제너럴 셔어먼호에 입국 목적을 묻고 퇴거를 요구. 선교사 토마스 상거래가 목적임을 밝힘. 22. 셔먼호 대동강 거슬러 만경대 부근 정박, 小船으로 평양 물정 살핌. 29. 상류로 올라온 셔먼호를 공격하여	20. 독일인 오페르트, 재입국(6일)하여 강화에서 통상을 요구했으나 거부됨.

한일 관계	일본(慶應 2)
18. 제주도 無注浦에 표류한 일본인 10명, 환송케 함.	
	7. 木戶孝允, 西鄕隆盛, 막부 타도를 위해 薩長동맹 성립.
	21. 막부, 학술 수업 및 상업을 위해 해외에 도항하는 것을 허가.
	25. 막부, 영·불·미·란과 改稅約書 조인.
	18. 제2차 征長 전쟁 개시.
	1. 벨기에와 수호통상조약 조인.

	양각도 하단으로 퇴거시킴.	
9월	2. 평양군민, 제너럴 셔먼호를 積柴 船으로 火攻(제너럴 셔먼호 사건), 영국인 선교사 토머스 등은 분노 한 군민들에게 타살됨. 9. 내포전 4만냥으로 연해지역 군비 강화에 사용하게 함. 11. 斥邪綸音 반포. 20. 프랑스 동양함대사령관 로즈, 군 함 3척을 이끌고 경기도 남양부 앞바다에 도착(丙寅洋擾 시작).	8. 洋貨를 무역하는 자는 효수하기로 함.
10월	13. 프랑스군, 강화 수역에 나타남. 16 일에 강화부를 점령하고 방화와 약탈을 자행. 20. 이항로, 양이배척, 토목공사의 중 지 등을 요청하는 상소. 22. 대원군, 의정부에 척화를 밝히는 글을 보냄. 26. 프랑스군 120여명, 강화부의 문수 산성을 점령. 쌍방 30여명의 사상 자를 내고 프랑스군 퇴거.	
11월	8. 양헌수 부대, 정족산성에서 프랑 스군 격퇴. 11. 프랑스군, 약탈한 대량의 서적, 군 기, 금은 보화를 싣고 강화에서 철수. 18일 조선 해역에서 완전히 물러남.	21. 전국에 천주교도 일제 수색령을 내리고 매 월말에 의정부에 보고 케 함.
12월	7. 강화도 방비를 위해 진무사를 外 登檀으로 시행하고 유수, 통어사, 의정부 당상을 겸임하게 함. 11. 청 예부의 제너럴 셔먼호 사건 조 회에 대해 영국선 1척이 대동강에 서 침몰했음을 알리고 서양인의 통상, 전교 등은 계속 엄금할 것 임을 알림.	1. 경원 주민 4명이 두만강을 건너 청으로 탈출. 12. 금위영에서 당백전을 주조하게 함 (김병학의 건의).

	29. 장군의 사망으로 長州 정벌 중지 칙령 을 막부에 내림.
	18. 막부, 흉작과 미가 등귀로 서민의 외국 미 수입을 허가.
	* 福澤諭吉, 『西洋事情』 초판 간행. * 이해 농민항쟁(一揆, 世直し) 극심.

1867년 高宗 4	정 치	사회·경제·문화
1월	23. 경흥부사, 경흥, 온성, 경원 등지에 침입한 러시아인 100여명과 접전.	
2월	18. 미국 군함 워투셋호 함장 슈펠트, 대동강 입구에 정박하여 제너럴 셔먼호 사건 해명 요구. 20. 훈련도감, 軍制變通別單 마련.	
3월		
4월	26. 김좌근, 지나친 군비확장을 비판.	
5월	16. 영종도를 防禦營으로 승격.	* 전염병 전국에 유행.
6월	24. 철원부 三防에 鎭을 설치.	1. 의제를 개혁, 비단 및 명주옷 사용 제한, 차림을 간소화. 16. 당백전 주조 중지. 17. 『六典條例』 반포.
7월		4. 역관에 의해 밀수입된 淸錢(小錢)의 통용을 합법화함. 12. 社倉節目 마련위해 각읍의 민정을 보고케 함. 31. 서민의 의복에 명주 사용 금지.
10월	6. 새로 만든 군선 및 水雷砲 시험.	
11월	* 상순. 경복궁 근정전 완공. 30. 禁軍과 龍虎營軍의 관제 복구.	
12월		

한일 관계	일본(慶應 3)
	15. 遣歐特使 德川昭武 프랑스로 출발.
8. 倭館의 일본인, 동래부 公米木의 연기 科外作錢·代錢相計 등의 개혁요청.	
11. 조선, 일본인 八戶順淑이 홍콩 신문에 기고한 정한론에 대해 항의. 후에 일본 으로부터 정한론이 流言임과 사신의 입송을 제의하는 답서 도착.	
24. 對馬島主 平義達, 사람을 보내 양국의 무역법규를 수정, 포총, 도검의 교역을 요청하였으나 거절.	
15. 일본 關白(막부의 장군), 출래한다하여 위무관 파견.	5. 막부, 大坂 부상 20명에게 상사 설립을 명함.
27. 동래부사 鄭顯德, 征韓說에 대한 일본 회답서를 보고. 조선, 東萊府使에게 명 하여 斥退케 함.	15. 薩, 長, 芸 3번, 거병 討幕을 약정. 29. 土佐蕃, 막부에 大政奉還을 建白.
	8. 薩摩, 장주에 討幕의 밀칙이 전달됨. 9. 德川慶喜, 大政奉還上表를 천황에게 전 달.
19. 동래부사 鄭顯德이 狀啓를 올려서 일본 關白 德川家康의 逝去訃告大差倭가 도 래함을 전함.	

1868년 高宗 5	정 치	사회·경제·문화
1월		
2월		
4월	10. 미국 군함 셰난도호, 제너럴셔먼 호 생존자 수색차 大同江口에 정 박(4.15 퇴거). 15. 삼군부를 복설, 김좌근 領三軍府事 에 임명.	
5월	31. 궁인 李氏, 고종의 아들 낳음 / 양 요에 대비하여 영종도에 別科특 설.	10. 독일 상인 오페르트, 프랑스 신부 페롱, 미국인 젠킨스 등과 충청 도 공주군에 來到. 남연군묘도굴 발각되어 퇴거(오페르트사건).
6월	1. 鄭元容 영의정이 됨. 13. 김병학이 다시 영의정이 됨.	
7월	12. 慶興府, 강 건너 초소를 설치한 러 시아에 항의하기로 함. 27. 삼군부를 정1품 아문으로 하기 위 해 時任三相이 도제조 겸하게 함.	
8월	19. 고종, 경복궁으로 移御. 21. 창덕, 창경 두 궁의 수리를 명함.	
9월	18. 원액 외의 중외서원 제생은 병적 에 귀속시키고, 미사액서원은 철 폐하도록 함.	
10월		
11월	23. 최익현, 토목공사, 원납전, 당백전 등의 중지 및 폐지를 상소.	
12월	1. 대원군, 부족한 營建役費를 충당 키 위해 民人과 家奴에 1인당 當 百錢 一葉을 원납케 함.	

한일 관계	일본(明治 1)
	1. 兵庫 개항, 大阪 開市. 3. 王政 復古 선포(왕정복고의 大號令). 27. 戊辰전쟁 발발.
	8. 신정부, 왕정복고의 국서를 각국에 수교, 회국과의 화친을 국내에 포고.
	5. 제정일치의 제도 부활. 6. 5개조의 誓文(명치정부의 기본 방침). 20. 神佛 혼효 금지(이후 전국에서 排佛毁釋운동). 25. 福澤諭吉, 英學塾을 芝로 이전하고 慶應義塾으로 개칭.
	3. 江戶城 開城, 討幕軍 입성, 慶喜 水戶로 퇴거. 22. 영국공사 파크스, 천황에게 신임장 제출(최초의 신정부 승인).
	17. 관제 개정, 政體書 발포.
	4. 일본, 新紙幣 5종 발행.
* 對馬島主 宗義達에게 加資하며 新印을 賜하고 외교사무를 관장. 書契左近衛少將對馬守 平調臣義達이라 함.	3. 천황, 江戶를 東京으로 하는 조서 발포. 22. 會津藩 항복.
17. 정부 유배지 機張縣이 일본통로의 요충지이므로 유배자를 타읍에 이송.	11. 天長節 제정(11.6 1회). 23. 明治로 改元.

1869년 高宗 6	정 치	사회 · 경제 · 문화
1월		
2월	18. 국왕, 사직단에서 祈穀大祭를 행함.	
3월		14. 경상, 전라, 평안도 觀察使에게 『大明律』『大典會通』『無冤錄』을 刊納케 함.
4월		1. 會寧開市가 끝났음을 북경에 알림. 19. 『大典會通』을 補修하도록 함. 27. 興仁門(동대문) 개축 완료.
5월		4. 전라도 光陽에 민란.
6월	5. 三軍府 都提調는 原任大臣이 겸하도록 함.	17. 淸 禮部에 鴨綠江越邊 淸國遊民의 침범을 엄단토록 요청.
7월		22. 江界沿邊 거주민의 犯越 행위를 엄금하도록 지시함.
8월		* 경상도 고성에서 민란.
9월	1. 영건도감, 대원군의 명에 따라 道, 都에 원납전 납입 독촉. 5. 홍문관, 예문관을 예조에서 독립시킴.	
10월		8. 종로상가에 큰 불, 종각 연소. 17. 文廟修理 완성으로 應製試를 실시.
11월	16. 평안도의 從捕 · 笘怪 · 馬馬海 · 楸坡 등 4鎭을 영구히 폐지함.	12. 경흥부, 아오지민 비류에 향응하여 가옥과 전토를 버리고 월경.
12월		

한일 관계	일본(明治 2)
31. 대마도에서 보내온 명치정부 성립 통고서를 일본 國書의 書式이 다르다 하여 수리를 거부함.	
	11. 觀音崎 등대 완공(최초의 양식 등대).
	2. 薩, 長, 土, 肥 4藩主 版籍奉還을 상주(5일 발표). 17. 조폐국 설치.
	3. 通商司 설치(개항장에서 외국무역 업무 관리). 9. 議定 岩倉具視, 조약 개정을 건의.
	9. 천황 동경에 도착.
	22. 출판조례 제정. 27. 戊辰전쟁 종료.
	25. 諸藩의 版籍奉還을 허가, 藩知事에 임명.
	6. 九段에 招魂社 창건, 무진전쟁 전사자를 제사(1879 6.4. 靖國神社로 개칭). 15. 관제 개혁.
	21. 정부, 瑕夷地를 北海道로 개칭.
	22. 해군조련소(후에 해군병학교) 설립.
6. 議政府, 東來府使에게 對馬島主의 書契가 전과 다르므로 改修하여 呈納토록 지시함.	12. 동경-경도, 동경-橫濱 등 철도부설 결정.

1870년 高宗 7	정 치	사회 · 경제 · 문화
1월		
2월		
3월	31. 금위영에 군관 설치.	
4월		
5월		26. 영의정 김병국에게 『弘文館志』 발문을 짓게 함.
6월		18. 국왕, 조속한 시일 내에 『大典會通』 『六典條例』 등의 교정 완료를 명함.
7월	16. 선혜청 훈련도감에서 조총을 제조하게 함. 27. 固城邑治를 통제영으로 옮기고 縣令은 판관 겸 종사관으로 함. 30. 훈련도감은 영의정이, 금위영은 좌의정이, 어영청은 우의정이 도제조를 예겸하게 함.	
8월	23. 北兵營 관하의 鎭將을 청의 邊官과 함께 러시아 국경에 보내 도망한 아오지 군민들 돌려줄 것 요구.	
9월		24. 이필제 일파 의금부에서 국문. 29. 궁궐 문에 큰 종을 달게 함.
10월		

한일 관계	일본(明治 3)
14. 일본 사신일행, 接待의 허용과 書契捧納을 청함. 議政府, 고쳐 정납토록 함. 24. 일본 외무성관리 사다 하꾸보, 모리야마 시게루, 사도 사까이 등이 조선 내정정탐을 위해 쓰시마관리로 가장하여 부산왜관에 들어옴.	26. 東京－橫濱간 전신 개통. 전신국을 두고 공중전보 취급.
	3. 大敎宣布의 詔勅.
	14. 樺太 개척사 설치.
23. 일본 외무성, 부산에 佑田白茅를 보내 국서수리를 교섭(조선불응).	15. 동경 築地에 제화공장 (구두 제조의 시작). * 和泉要助, 인력거 발명, 영업 허가.
15. 일본외무성 관리, 정탐임무 수행 후 귀국하여 조선 정벌 의견서 제출.	
2. 동경 주재 독일 공사 브란트, 일본외무성 쓰시마관리, 독일군함 헬타호로 부산에 와서 통상요구, 거절당하고 물러남.	26. 중의원 개원.
18. 일본외무성관리 구미열강들이 조선침략하기 전에 정복하자는 침략론 선동.	10. 동경에 소학교 6개교 개설.
	15. 大坂－神戶 간 전신 개통. 28. 동경에 중학교 개설.
	4. 藩制개혁을 포고. 13. 평민에게 姓의 사용을 허가.

1871년 高宗 8	정 치	사회 · 경제 · 문화
1월	30. 세자, 세손의 묘호를 園으로 승격.	14. 경원부 월경했던 주민 처형.
2월	9. 대원군, 운현궁에 銀器를 상납한 보은군수 趙東淳을 파직하고 전국에 뇌물 상납 엄금을 명함. 19. 璿派人의 대소종회를 복구.	28. 울산, 김해, 영해 등지에 砲軍 설치.
3월	15. 서울 및 주변 지역 군대에 2500여 명을 증원.	24. 훈련도감, 조총 160정 제작. 27. 웅천, 언양 등지에 포군 설치.
4월	10. 북경주재 미국공사 로우, 제너럴셔먼호 사건 진상을 알기 위해 내한하려는 의사에 거부 회신.	17. 밀양, 거제 등지에 포군 설치. 29. 영해 민란 (이필제 란).
5월	23. 청 주재 미국 공사로 아시아함대 사령관 로저스와 군함 5척을 이끌고 통상요구차 남양부 楓島 앞바다에 도착(신미양요 시작).	7. 문묘종사인 이외의 서원은 철거하고 1인에 대하여 중복 설치한 서원 재철거 지시. 9. 예조, 존치할 서원 47개소 발표. 14. 군정 폐단을 막기 위해 班戶는 奴名, 小民은 身軍으로 出布케 함.
6월	3. 임해군, 정도전 등 역대 종친, 명신 90여명에게 시호를 내림. 11. 미군 광성보 점령, 초지진장 이렴이 야습하자 모함으로 퇴거, 중군 어재윤 등 사망. 12. 대원군, 전국에 척화비 건립.	
7월	12. 강화도 진무영의 상비군 유지를 위한 沁都砲量米(결당 1두) 징수.	
8월		
9월	30. 서원철폐를 시행하지 않은 관찰사, 수령을 견책.	25. 이필제 조령에서 체포.
10월		
11월		

한일 관계	일본(明治 4)
	3. 징병규칙 공포. 28. 『橫濱每日新聞』 창간(최초의 일간지).
	14. 동경, 경도, 대판 사이 우편법 시행 포고.
29. 일본 橫濱에 와있던 미해군 루이지난드 하워스, 미국의 한국원정함대 J. H. 브로크에게 한국 정탐자료 인수서한을 일본외무성에 보냄.	11. 薩, 長, 土 3번의 병사를 징집하여 親兵을 편성.
	22. 호적법을 제정.
1. 일본외무성관리, 미국 특무 J. H. 브로크에게 한국침략 수법 등에 관한 정탐자료 인수 의사를 미국인 하워스에게 회답서한.	27. 新貨조례 제정(금본위제).
	1. 신사를 국사의 宗祀로 하는 社格·神官직제 제정.
29. 대마도주 宗重正의 世職을 면하고 外務大丞에 임명.	3. 황족 외 국화문양 사용 금지. 19. 하와이 왕국과 수호통상조약 조인. 29. 廢藩置縣의 조서 발표(3府 302縣).
16. 동래부사, 일본과 불법무역한 張尙元을 처형.	13. 청과 수호조규·통상장정·해관세칙을 천진에서 조인.
	7. 화족, 사족, 평민 간의 결혼 허가. 12. 천민 계급 폐지.
	20. 岩倉具視, 伊藤博文 구미사절단 파견.

1872년 高宗 9	정 치	사회·경제·문화
1월		
2월		
3월	30. 박원양의 아들 박영효를 철종의 부마(永惠翁主)로 결정. 12. 謁聖文武科, 경무대에서 실시. 문과에 金玉均 등 5명 試取.	2. 삼군부, 충청 및 경상 감영, 자인, 삼척 등지에 포군 설치.
4월	13. 국왕, 고려 태조 顯陵에서 奠酌禮를 행함. 12. 庭試文武科를 개성 만월대에서 시행(고려 후예로 地閥이 있는 자를 承文院 등에 수용토록 명함).	5. 충청수영, 영천, 강진, 나주, 유곡 등지에 別砲手 설치.
5월		1. 영동, 만경, 무장, 고창, 흥양 등지에 포군 설치.
6월	2. 경복궁의 북문 신무문의 改建을 명함.	5. 각 도 아전의 과거 응시 금지.
7월		
8월	7. 영혜옹주 죽음.	
9월		
10월	17. 경복궁 준공으로 영건도감 폐지.	20. 남양, 운동, 평산 등지에 포군설치.
11월	13. 홍순목을 영의정으로.	
12월		23. 음죽, 서천 등지에 포군 설치.

한일 관계	일본(明治 5)
* 일본 외무성, 특사 森山茂 등을 대마도 주의 世職罷免 통고하기 위해 파견, 특사는 초량의 왜관에 머묾. 訓導 安東晙 등은 접견 거절.	
	4. 동경재판소 설치(최초의 재판소).
	8. 최초의 전국호적조사 실시. 20. 遣歐 副使 大久保利通, 伊藤博文, 조약 개정교섭의 전권위임장을 구하기 위해 위싱턴 출발.
	16. 친병을 폐지하고 근위병 설치.
	28. 京都－大阪간 전신 개통.
20. 동래부사 鄭顯德의 서계 접수 거부로 왜관 체류 중인 일본외무성관리 왜관 철수. 국교가 일시 단절됨.	19. 岩倉에 조약 개정 교섭의 전권을 위임. 28. 천황, 중국, 서국 순행을 위해 출발.
3. 외무성, 초량 왜관 사무를 宗氏로부터 외무성으로 이관.	24. 岩倉 대사, 조약개정 교섭 중지를 미국에 통고.
21. 제주도에 표류한 일본인 8명, 전라도 장흥에 재차 표류하자 의정부의 啓言에 따라 帆木을 공급하게 함.	7. 대장성에서 전국에 지권 교부.
20. 일본 외무대승 花房義質과 森山茂 등 군함 2척에 표류 중이던 조선인 13명을 싣고 부산에 도착.	5. 學制 공포. 전국을 學區로 나누어 각 학구에 대학, 중학, 소학 설치.
	15. 橫濱－新橋 간 철도 개통(최초의 철도). 16. 琉球 국왕을 琉球藩主로 함.
	9. 태양력 채택(명치 5. 12. 3을 명치 6. 1. 1로 함).

1873년 高宗 10	정 치	사회·경제·문화
1월	1. 穆祖, 翼祖, 度祖, 桓祖의 자손과 열성조 자손 중 未封爵者를 종친부에서 조사, 봉작케 함. 18. 도감을 설치할 때마다 제조 중 한 사람은 반드시 종실에서 차출하게 함.	
2월	15. 훈련도감에서 대포를 새로 제작.	10. 밀도살을 엄금.
3월	30. 열조의 대군, 왕자, 적왕손 가운데 無後한 자에게 繼後케 함.	
6월		
7월		
8월	12. 대원군에게 '大老'의 존호를 올리자는 상소를 허락함.	16. 대원군을 '大老'라고 부름에 따라 여주에 있는 송시열 서원의 명칭을 江漢祠로 개칭.
9월		
10월		23. 무후한 대군, 왕자를 모두 계후케 하였으므로「璿源續譜」를 수정 간행케 함.
12월	14. 同副承旨 최익현, 대원군을 배척하는 내용의 시정 폐단을 논하는 상소를 올림. 국왕, 최익현을 호조참판에 特拜. 15. 좌의정 姜㳉, 우의정 韓啓源 등 최익현 상소를 반박하고 파직을 청했으나 불허. 22. 최익현, 再疏하여 대원군을 탄핵하고 국왕 친정을 요구. 국왕, 최익현 유배를 명함. 24. 국왕, 친정 선포. 대원군 실각. 30. 최익현 처벌을 주장한 홍순목, 강로, 한계원 등 파직. 31. 최익현을 제주에 유배.	

한일 관계	일본(明治 6)
	4. 神武天皇 즉위일, 天長節을 祝日로. 10. 징병령 포고.
	7. 신무천황 즉위일을 紀元節로 칭함. * 三川商會, 三菱商會로 개칭.
	11. 제일국립은행 설립(8.1. 영업개시).
	28. 지조개정조례 포고.
3. 참의 西鄉隆盛 각의에서 정한론 제출 (征韓論爭시작). 17. 각의 派歐大使 岩倉具視 귀국 후 西鄉을 조선에 파견키로 결정.	18. 木戶孝允 참의, 조선견사 반대. 내치 급요의 의견서 제출.
	13. 大使 岩倉具視 귀국.
24. 日皇, 岩倉의 주장에따라 사절파한을 무기 연기. 西鄉 사직(정한파 패배).	

1874년 高宗 11	정 치	사회·경제·문화
1월		
2월	6. 고종, 경복궁 화재로 창경궁으로 移御.	16. 한성부 전국인구 조사 발표(총 6,670,447명).
3월	25. 원자(후에 순종) 탄생.	22. 『승정원일기』 보수. 30. 만동묘 복설을 명함.
4월	10. 김옥균 홍문관 교리 임명. 25. 화양서원 복설 요청을 거부하고 이후 복원소청 봉입 못하게 함.	
5월		20. 경비부족으로 개성 축성공사 중단. 23. 어필을 새긴 선죽교 비각 준공.
6월	9. 포도대장이 의정부 당상을 예겸하던 것을 減下. 13. 궁중 파수군 신설 방침 마련.	18. 洋貨 수입 금지 조치를 완화하여 중국 광동산 洋木의 수입을 허가.
8월	2. 신설한 파수군을 무위소라 함. 7. 중국 총리아문에서 일본의 조선 침략 소문을 전하고 조선이 서양과 조약을 맥을 것을 권하는 자문을 보냈으나 거부함. 11. 李裕元과 朴珪壽, 일본과의 국교단절의 책임을 대원군에게 돌리고 訓導 安東畯 처벌, 일본 국정 탐지를 위한 역관 파견 건의.	
9	3. 진무영의 외등단을 혁파하고 강화 유사직 복구.	6. 弘文館의 諸般儀節은 모두 舊例에 따르도록 함. 7. 만동묘 중건 완료.
11월	28. 副司果 李彙林, 양주에 은거하는 대원군을 請還할 것을 상소하다 유배됨.	

한일 관계	일본(明治 7)
	17. 板垣, 副島 등 8인 민선의원 설립 건백서 제출. 이후 이에 대한 논쟁 진행.
	6. 각의, 유구민 살해를 이유로 대만 원정을 결정.
	4. 西鄕從道를 대만선지사무도독으로 임명.
	8. 일본, 대만 출병. 22. 西鄕軍, 대만 상륙.
7. 일본의 侵犯說로 인해 廟堂은 경계. 領議政 李裕元과 右議政 朴珪壽 등의 啓請에 따라 각 영에 경계지시. 14. 일본과의 국교단절 책임으로 전 경상도관찰사 金世鎬를 파면, 전 동래부사 鄭顯德을 유배.	
3. 부산에 온 森山茂, 일본국기·군함기 등의 표본을 주고 선박보호 요구. 19. 일본외무성 森山茂의 對馬島主 革新을 고지하였던 書契를 접수, 渡海譯官 일본파견 결정. 회보에 따라 국교문제 논의하기로 함.	
	2. 『讀賣新聞』 창간.

1875년 高宗 12	정 치	사회·경제·문화
1월	6. 전 掌令 孫永老, 대원군의 환거를 청하고 이유원을 논척하는 상소.	
2월		
3월	16. 제주에 유배된 최익현 석방. 25. 왕세자 책봉.	
4월		
5월		22. 울산에 민란.
6월		1. 慶科別試 殿試, 春塘臺에서 실시.
7월	1. 국왕 경복궁으로 옮김. 19. 유생 최화식 등 대원군 환거 상소. 24. 대원군, 운현궁으로 돌아옴.	12. 문란해진 籍法을 정리, 민호의 증감, 군정의 逃散을 살피도록 함.
8월		
9월	25. 인천을 防禦營으로 승격하고 永宗을 인천 防衛營에 이속. 敎를 내려서 永宗鎭 民人과 校卒에게 장례비용, 약물 등을 지급.	
10월	28. 인천방영에 이속했던 永宗鎭을 復設.	21. 조창 소속 제읍의 세곡 作奸을 엄금토록 三南道民에게 명함.
11월		22. 호부, 1년세입 50여 만냥에 대해 지출은 140~150만냥으로 국고가 고갈되었음을 보고.
12월	17. 좌의정 이최응, 영의정에 임명됨.	

한일 관계	일본(明治 8)
	8. 동경부, 천연두 예방 규칙 제정.
24. 日本國理事官 森山이 외무성의 新書契를 가지고 동래에 도착, 訓導 玄昔運 서계 접수를 불허하고 사본을 조정에 보냄.	13. 일본, 평민도 姓을 가지고 하고 無姓者는 새로 붙이게 함. 22. 愛國社, 立志社라는 이름으로 대판에서 결성.
12. 동래부사 黃正淵, 일본사신을 접대하고 서계 수정 후 접수의사 표명.	
9. 대원군 심복, 전 왜학훈도 안동준 처형.	14. 원로원, 대심원, 지방관호이니 를 설치. 점차 입헌정체를 세운다는 조칙.
25. 일본군함 雲揚號 등 3척, 부산에 입항.	7. 러시아와 千島, 樺太 교환조약 조인.
13. 국왕, 시원임대신, 정부 당상과 일본 서계의 접수여부 논의, 서계 격식이 전례와 다르다고 접수 거부키로 함.	3. 유구번에 청국으로의 사절 파견, 책봉 등을 폐지토록 명령.
	* 福澤諭吉, 『文明論之槪略』.
19. 강화도 수병, 草芝鎭 앞바다에 출현한 일본군함 雲揚號와 충돌. 운양호, 퇴각하며 永宗鎭을 포격, 陸戰隊를 상륙시켜 소요(雲揚號事件).	
	12. 板垣, 국회개설과 참의, 경의 분리를 건백.
9. 부산에 정박중인 일본해군, 草梁里에 난입 소요.	
12. 좌의정 李最應, 일본외무성 新書契에 대한 완화책 건의. 정부, 이를 수용하여 봉납을 명함. 26. 일본외무성 廣津弘信, 부산에 도착. 수호조약 체결 위한 대사 파견을 알림.	

1876년 高宗 13	정 치	사회 · 경제 · 문화
1월	1. 都賈의 중간 조종으로 물가 폭등, 각 시장, 포구의 도고를 폐지.	
2월	17. 崔益鉉, 도끼 들고 경복궁 광화문 밖에서 일본과의 강화반대 상소. 洪在龜·柳麟錫 등 유생 50여명 참여. 22. 부호군 尹致賢, 일본과의 조약체결을 주장. 24. 강화부 유수 趙秉式, 일본군의 철수를 보고. 崔益鉉, 斥邪疏(「持斧伏闕斥和議疏」)를 올리고 강화조약 교섭을 반대하여 흑산도에 유배됨.	
3월		

한일 관계	일본(明治 9)
15. 일본함대 7척, 강화도로 향하던 중 부산 입항.	
23. 부산에 정박중인 일본함대 일부, 강화도 침공을 위해 출발.	
27. 동래부사, 일본선의 강화 출발 보고 / 일본 特命全權辨理大臣 黑田淸隆·부사 井上馨, 수호조약 체결 위해 경기도 남양만에 도착.	
28. 일본군함 孟春號, 강화도 草芝鎭에 정박. 判官 朴齊近, 국법상 이양선 침입 금지 통고. 정부각료, 일본군함 출몰사건으로 대응책 강구.	
30. 어영대장 申櫶을 접견대신으로 尹滋承을 부관에 임명, 일본사신 접견.	
1. 역관 吳慶錫·부산훈도 玄昔運 등, 남양에서 일본외무성 森山茂와 회견.	
11. 한국측 대표 접견대관 申櫶 부관 尹滋承, 일본측 대표 全權辨理大臣 黑田淸隆, 副大臣 井上馨, 강화 연무당에서 제1차 朝日修好회담 시작.	
13. 접견대신 申櫶, 일본측이 제시한 13조의 조약등본을 올림.	
14. 정부, 일본국의 국교수호 진위여부를 논의. 정부, 반대여론에도 불구하고 일본과의 수호 결정.	
20. 의정부, 조약체결 제시조건 접견관에게 전달(양국 국호만을 사용·일본인 거주의 한계 문제 등을 제시).	
26. 朝日修好條規(丙子修好條約, 江華島條約) 조인.	
27. 접견대관 申櫶, 강화 연무당에서 일본 대표와 회동. 전문 12조관의 朝日修好條規 조인·비준서 전달.	
17. 일본 사신선박의 답례로 金綺秀를 일본 파견 수신사에 임명.	31. 三井은행 설립 허가(최초의 사립은행).

4월	11. 식년문무과시 실시.	24. 화재로 불탄 경복궁의 교태전, 자애전 등 개수 완료.
5월		
6월		
7월		31. 가뭄으로 곡식을 절약하기 위해 8월 1일부터 양조를 금지.
8월		1. 황해, 평안 양도에 흉년이 들어 이 지방 납곡은 각 해읍에 보관케 함.
9월		7. 경기·삼남지방, 가뭄과 서리 피해 극심.
10월		26. 가뭄과 서리로 세금 감면과 납포 거부운동 주동자를 참형하도록 지방관에 명함. ＊ 김기수, 『日東記游』撰進.
11월	21. 방곡을 금하는 명령을 거행하지 않는 수령들을 처벌하도록 함.	6. 경상도 지방의 흉작으로 社還米 3만 석을 시가에 따라 방출.
12월		19. 경복궁에 불이 나 문태전 36칸 등 총 830여 칸이 소실되고 여러 임금의 글, 유물들이 소실됨.

27. 修信使 金綺秀 일행, 서울 출발.	1. 남자 만20세를 성년으로 함.
22. 수신사 金綺秀 일행, 일본기선 黃龍丸으로 부산 출발. 25. 일본 對馬島主 직을 폐지하고 送使의 례를 폐지함에 따라, 對馬島主의 圖書를 東萊府에 환납함	6. 和歌山에 지조개정 반대하는 반란.
1. 수신사 일행, 明治 天皇과 만남 26. 京畿中營 淸水館을 일본 사신의 숙소로 정함.	2. 천황, 동북 순행을 위해 출발(~ 7.21).
22. 정부, 趙寅熙를 講修官에 黃鍾顯을 伴接官에 임명. 25. 일본 理事官 宮本小一, 朝日修好條規 비준서를 가지고 옴. 30. 일본이사관 宮本小一과 수행원 10명, 조일수호조규부록과 통상장정 강요목적으로 서울에 도착.	5. 신문, 잡지에서 國安을 방해하는 것은 발행 금지, 금지의 처분을 내린다고 포고.
1. 국왕, 일본이사관 宮本小一을 접견함. 7. 講修官 趙寅熙, 일본측이 제시한 수호조규부록안 駐京과 내지경과·개항 장遊步規定 등을 반대. 24. 조일수호조규 부록 및 무역장정 조인	
3. 禮曹, 일본사신 상주문제를 일본외무성에 조회.	
	24. 神風連의 난 발생.
7. 부산훈도를 辦察官으로 개칭. 10. 일본 외무성 7등出任 近藤眞鋤가 초량 왜관 관리관으로 부산에 주차.	19. 伊勢폭동 (三重縣의 농민들의 지조개정으로 인한 石代納 반대폭동). 27. 내무경 大久保利通, 농민 반란 해결을 위해 지조의 감액을 건의.

1877년 高宗 14	정 치	사회 · 경제 · 문화
1월		
2월	9. 전 우의정 박규수 사망.	2. 쌀값 등귀를 해결하기 위해 진휼 청의 쌀을 한성 내 빈민에게 발매 하게 함.
3월		
4월	23. 국왕, 창덕궁으로 옮김.	
5월	21. 문무과 정시를 시행.	18. 전 正言 金基龍, 庶孼禁錮法의 폐 지와 각 법전에 수록된 관련 조항 삭제를 건의.
6월		
7월		14. 삼남 각 읍, 세곡 상납 지체의 원 인인 貿遷을 금하는 조치. 19. 경상도 문경의 모반대역죄인 이병 연을 능지처참.
8월		29. 전라도 영암군 역모를 꾀하던 비 류 장혁진 등 34명을 체포. 29. 국내에 잠입한 조선교구 주교 리 델 및 두세 로베르 등 체포.
9월		
10월		

한일 관계	일본(明治 10)
30. 동래부사 洪祐昌, 駐부산항 일본관리관 近藤眞鋤와 釜山港 日人居留租界條約 조인.	4. 地租를 감하는 詔書. 24. 천황, 관서 순행을 위해 출발.
	15. 西鄕隆盛 등 거병(西南戰爭). 22. 西鄕軍, 熊本城을 포위.
5. 정부, 일본 潛商의 가족동반 입국 금지를 일본외무성에 요청. 9. 동래부사에게 일본선박의 왕래상황을 보고케 함. 24. 일본인 경영의 부산 제생의원, 매월 15일 종두실시를 고시.	
	12. 개성, 의학 두 학교를 합하여 東京大學 개설.
	3. 博愛社(뒤의 적십자사)창립.
	1. 만국우편업조약에 가입. 9. 立志社 총재 등, 국회개설 건백서 제출 (12일 각하). 17. 미국인 모스, 來日하여 동경대학에서 동물학 강의.
3. 동래부사 洪祐昌, 주부산 일본국관리 近藤眞鋤와 朝日漂流船取扱條約약정.	
	21. 京都−大阪 간의 철도 개통. 제1회 권업박람회 개최.
	24. 西鄕隆盛, 黑田淸隆이 이끄는 정부군에 패배. 西鄕 자결.
4. 일본대리공사 花房義質, 使臣駐留 문제와 2개 항구 개항을 협의하기 위해 부산에 도착.	17. 學習院 개교.

11월		8. 호서, 영남, 해서의 군포 중 병조 및 各營納은 1/5에 한하여 금전으로 대납케 함.
12월		12. 전라감영에 수감된 영암 역모범 장혁진 등 19명 처형.

25. 일본 대리공사 花房義質 입경하여 일본 사신의 駐京기한과 2개항의 개항장 선정문제를 협의하였으나 회담실패하여 귀국함. 20. 일본대리공사 花房義質이 탑승한 高雄丸號, 인천 월미도에 정박 / 일본대리공사 일행, 관소인 京畿中營에 도착. 개항장선정 · 외교대표 서울주재 등의 목적으로 서울에 옴. 21. 일본 花房전권공사, 한국주재공사 재임 시작 · 서대문 밖 百合池에 공사관을 정함. 일본사신의 駐京期限 · 2개 항구 개항장 문제 협의. 23. 예조판서 趙寧夏, 일본대리공사 花房義質에게서 외무경 寺島宗則의 서계 접수.	
20. 일본 花房 대리공사, 진도의 벽파진과 거문도 · 함경도 문천의 송전을 저탄장으로 강점하기 위한 저탄장설치약조를 강압하여 체결. 21. 禮曹, 일본대리공사에게 서계에 대한 회답문서 전달 / 伴接官 洪祐昌, 일본 대리공사의 公使駐京 · 개항지선정 등을 거절. * 이해 日本佛敎眞宗 大谷派 本願寺 개교사 奧村圓心, 부산에서 포교 시작(최초의 일본 불교 선교).	28. 동경주식거래소 설립 허가.

1878년 高宗 15	정 치	사회 · 경제 · 문화
1월		28. 한성부, 예조에 비치된 의궤, 호적 등 도난당함.
2월		
4월	3. 홍영식을 교리에 임명.	
5월		
6월	4. 리델 주교, 북경주재 프랑스공사와 청 예부 요청으로 석방, 송환결정.	3. 강원도 乾鳳寺 실화로 3,183칸 소 실.
7월	19. 가락국 김수로왕릉에 崇善의 殿號 를 내리고 능관을 두게 함.	
9월		
10월		23. 毓祥宮(궁정동 7궁) 실화로 123칸 소실.
11월		
12월	20. 연해 민간인 선박이 외양에 마음 대로 나가는 것을 금함.	

한일 관계	일본(明治 11)
	7. 외무경 寺島宗則, 관세자주권 회복을 위한 조약개정 방침 결정.
26. 일본외무성 寺島宗則, 일본사신 체류문제·통진항로개방·개항장 선정문제 등을 정부에 제기.	
7. 일본 天城號, 남서해안 불법 측량하기 위해 부산 도착. 24. 天城號, 원산만 수심 불법측량. 정부, 원산은 선왕의 능침이 가깝다는 이유로 天城號 퇴거시킴.	
8. 일본 第一銀行, 부산지점 설치.	
	22. 郡區町村편성법, 府縣會規則, 지방세규칙(三新法) 제정. 24. 1876년 1월 조사의 호적법 발표. 인구 3,433만명.
6. 정부, 부산에 세관을 설치, 수출입화물의 세목과 통행규칙 제정. 28. 부산 豆毛鎭에 세관 설치. 30. 천성호, 동·서해 측량 마치고 부산 입항.	
9. 일본관리관 山之城祐長, 동래부에 철세 요구. 일본상인, 동래부에서 세관설치 반대시위, 정부, 收稅를 명함.	
29. 일본공사 花房義質, 관세징수 철폐를 목적으로 부산 도착, 무력시위 / 일본상인, 동래부 난입시위 撤關 요구. 조선 정부, 부산세관의 收稅를 중지.	
19. 부산 두모진 세관 폐쇄, 수세 중지 / 일본, 손해배상 요구(釜山海關事件). 27. 일본대리공사 花房義質, 관리관 山之城祐長에게 해관세 철폐를 요청케 함.	5. 참모본부 조례 제정, 참모본부 설치.

1879년 高宗 16	정 치	사회 · 경제 · 문화
1월		4. 전국 조창의 폐해가 심해 都差 名 色을 폐지.
2월		
3월	1. 흑산도에 유배중인 최익현을 석 방.	
4월		
5월		31. 충청도 공주에서 체포한 프랑스 신부 빅토르, 도게트 등을 청으로 송환.
6월		15. 성균관 尊經閣 책자 312권 도난.

한일 관계	일본(明治 12)
	4. 효수형 폐지. 15. 문부성에 東京學士會院 설치. 23. 동경부, 區會규칙, 町村會規飭 布達. 25. 『朝日新聞』 창간. 29. 만국전신조약에 가입.
	20. 伊藤博文, 교육령안 기초.
	14. 松山에 콜레라 발생, 전국에 확산. 연말 까지 10여만명 사망. 20. 東京府會 개회(최초의 府縣會).
16. 일본 왜관장과 함장 야마사끼, 군관 60 여명을 이끌고 동래부청 습격. 23. 일본대리공사 花房義質, 개항촉진과 부 산세관의 관세징수에 항의 위해 군함 高雄號로 부산에 입항. 29. 花房義質, 경기 · 충청 · 전라도 연안 불법 해로측량.	4. 琉球藩을 폐지하고 沖繩藩으로 함(5.20 청국으로부터 항의. 琉球處分). * 植木枝盛, 『民權自由論』.
	4. 西本願寺大學 개교 (후의 龍谷大學).
6. 일본공사 花房義質, 군함 2척(高雄丸, 鳳 翔號)를 이끌고 경기도 永宗島에 정박. 제물포가 적합한 개항장이라고 통고. 11. 인천에 상륙 민가를 노략질한 일본인 처벌을 일본공사에 요구. 13. 花房義質, 30명을 이끌고 서울에 들어 와 경기 中營 淸水館에 머뭄. 16. 花房義質, 예조 방문, 일본외무경의 서 계를 제출. 인천개항, 부산관세 철폐 등을 강요. 18. 花房義質, 講修官 洪祐昌과의 회담에서 원산개항을 주장. 24. 講修官 洪祐昌, 花房義質 관소에서 제 물포개항 불허방침을 전달.	4. 동경 招魂社를 靖國神社로 개칭.

7월		* 德源, 安邊, 文川의 儒生들, 元山개항을 반대하다 유배됨. * 일본에서 전파된 콜레라 전국에 창궐. 동래부사 일본 관리관의 건의에 따라 절영도에 소독소, 避病院 설립허가 (정부는 조약 외의 일이라고 하여 병원 철거 지시).
8월	26. 청국 이홍장, 영·독·미·불과 통상조약을 체결하여 일본, 러시아 견제 권유. 정부는 시기상조라고 회답.	18. 인천, 부평에 포대와 鎭을 설치.
9월	30. 전 영의정 김병학 사망.	3. 콜레라 창궐로 부산항의 무역을 중지. 14. 重犯 이외에는 석방함.
10월		20. 부산 최초의 양식 건물인 일본 관리관청 준공.
11월		* 지석영, 부산 제생의원 원장 松前讓의 지도로 종두법 기술실습시작.
12월	27. 온양에 양전 실시. 호포 균일징수로 양반, 상민의 분쟁과 양반의 납포 거부 사태가 빈번하여 그 엄금을 지시.	* 이해 이동인, 성냥을 처음으로 소개.

7. 일본공사가 요구한 관세율 제정, 일본 화폐 통용, 등대설치 등을 허가. 8. 정부, 일본대리공사 하나부사에게 원산 개항을 허가하고 仁川개항은 거절. 정 부, 德原府 元山 개항을 일본공사에 통 고. 25. 일본대리공사 하나부사, 서해안 개항장 설정요구를 정부의 불허에 항의.	10. 동경대학, 법문이학부에서 처음으로 학 사 호칭 수여.
4. 講修官 洪祐昌과 일본대리공사 花房간 에 인천개항 문제로 논의 대립. 11. 일본공사 수행원 20여명, 관외 침입사 실을 일본공사에게 엄중 항의. 29. 일본대리공사 花房義質, 인천개항 교섭 시말을 일 정부에 보고, 禮曹判書 沈舜 澤에게 致書하여 退京 의사를 통보. 30. 講修官 洪祐昌과 일본대리공사 花房義 質, 원산개항예약 의정 조인 / 李東仁, 일본에 밀항함. 일본대리공사, 부산에 서 일본이사관에게 투석한 자의 처벌 요구.	
14. 일본공사 花房, 귀국(淸水館에 일본인 25명, 계속 잔류).	29. 학제 폐지, 교육령 제정.
16. 덕원부사 金綺秀, 일본공사 花房과 개 항 세목 협정. 23. 동래부사 沈東臣, 일본공사 花房 일행 이 덕원으로부터 回泊했음을 보고.	10. 육군직제 제정.
* 李東仁, 寺田福壽의 소개를 받고 福澤諭 吉과 교제.	
	8. 頭山滿 등 筑前共愛同家會 결성.

1880년 高宗 17	정 치	사회·경제·문화
1월		26. 유구인 6명 防踏鎭 앞 바다에 표류.
2월		
3월		
4월		
5월	4. 미국 해군제독 슈펠트, 수호조약을 체결하기 위해 부산항에 정박. 5일 동래부에서 거부.	24. 평안도 龜城에서 민란 발생.
6월	7. 병기 제조, 군사훈련 학습을 위해 청년들을 淸에 파견하기로 결정 (영선사). 16. 프랑스 함군 1척, 부산에 와서 통상을 요구했으나 거절당함.	
7월	2. 군기제조 학습과 청국 파견 유학생 선발 지시.	2. 정1품 무신 외에는 四人轎 사용을 금함. 31. 지석영, 痘苗제조법을 배우기 위해 수신사 김홍집을 따라 일본으로 건너감.
8월		

한일 관계	일본(明治 13)
	23. 橫濱正金銀行 설립면허. 28. 내각과 각 省을 분리. * 筑前共愛同家會, 최초의 민권파 헌법안 기초.
	23. 일본 동경외국어학교에 조선어학과 설치. 외무성 육해군의 위탁생과 일반 학생에게 조선어 교육.
17. 서울에 일본공사관 설치. 23. 近藤眞鋤, 부산 주재 일본 영사로 부임함. 부산주재 일본 초량공관을 부산영사관으로 개칭함.	1. 三菱爲替店(삼릉은행 전신) 개설. 5. 집회조례 제정.
1. 원산에 일본인 거류지 위치를 선정. 원산항에서 일본과의 통상 개시 / 禮曹參議 金弘集, 제2차 일본파견 수신사에 임명. 4. 동래부사, 일본 영사 近藤眞鋤를 통해 미국이 보낸 書契 접수 거부. 20. 원산주재 일본 영사관 개관, 원산 영사로 前田獻吉 부임.	12. 우유를 원료로 한 버터, 크림 등 발매 (長養軒)
3. 함경도관찰사 金炳地, 덕원부에 온 일본국총영사 前田 등이 板屋 40間을 세우고 있음을 보고 / 부산영사관에 일본 경찰서 설치. 10. 일본정부, 미국과의 통상을 권고하는 공한을 예조에 보내옴 .	1. 원로원에 민법편찬국 설치. * 내무경 松方正義, 「財政管窺槪略」 제출.
5. 수신사 김홍집 일행 서울 출발. 31일 일본기선 千歲丸으로 부산 출발.	
11. 수신사 金弘集 일행, 일본국 東京에 도착.	

9월		
10월	2. 김홍집 귀국 보고시 청국인 黃遵憲이 서술한 『私擬朝鮮策略』을 왕에게 바침. 25. 淸의 이홍장, 서양과 통상하여 러시아, 일본에 대비할 것을 권고.	
11월	3. 병조정랑 柳元植, 김홍집이 가져온 『私擬朝鮮策略』을 배척할 것을 상소.	
12월	13. 김홍집, 예조참판 승진. 15일에 講修官 겸 伴接官에 임명하여 일본 공사 접대.	* 이해 성냥, 석유, 洋梁科, 洋鐵 등이 수입되어 크게 유행 / 원산에 일본의 在外郵征局과 제일은행 부산지점 출장소 설치 / 원산에 永生病院, 서울에 日本館醫院 설치됨.

13. 김홍집, 일본외무성이 권한 미국과의 통상조약 거절. 16. 일본외무경 井上馨・辨理公使 花房義質, 수신사 김홍집 내방하여 군기제조 및 기계학습 등을 권고. 30. 수신사 김홍집, 赤坂離宮에서 일본천황을 예방.	
8. 김홍집 일행, 동경 출발 귀로에 오름.	12. 공격 法學社 개교(法政大學 전신).
2. 김홍집 일행 귀국, 李東仁 동행. 6. 밀사 李東仁을 일본에 파견하여 駐日淸國公使 何如璋에게 대미 수교 알선을 부탁함.	15. 群馬縣에서 농민 시위.
	5. 官營工場拂下槪則 제정. 30. 山縣有朋, 「隣邦兵備略」 상주.
13. 일본국 辨理公使 花房義質 일행, 인천 개항 문제 협의차 군함 天城號로 인천 도착. 17. 일본공사 花房義質, 최초의 정식 駐箚辨理公使 자격으로 入京. 27. 국왕, 일본공사 花房義質을 중희당에서 접견.	8. 明治法律學校(명치대학 전신) 설립. 14. 伊藤博文, 일헌정체에 관한 건백서 상주. 23. 집회조례 개정. 28. 교육령 개정(교육에 대한 통제 강화).

1881년 高宗 18	정 치	사회·경제·문화
1월	19. 삼군부를 폐지하고 통리기무아문 설치. 군국기무를 총괄. 21일 이최응을 통리기무아문 총리대신에 임명.	3. 각 아문 궁방 및 지방 각처에 정해져 있는 원래 절목 외 沿江 場市에서의 각종 수세 폐지. * 프랑스 신부 리델, 일본에서 韓佛字典 간행. * 오페르트, 영국 런던에서 한국을 소개하는 『금단의 나라』 발간.
2월	5. 통리기무아문 印信을 은으로 加鑄. 9. 朴定陽, 魚允中, 趙準永, 趙英植 등을 조사로 임명하여 일본에 파견. 신문물 제도 시찰케 함. (이른바 신사유람단. 민심을 우려하여 동래부 암행어사라 부름).	
3월	25. 경상도 유생 李晩孫 등, 천주교와 조선책략을 배척하는 만인소 올림. 26. 파일 수신사 김홍집, 종사관 윤태준 임명.	24. 경상도, 평안도에서 금·은이 산출되는 몇 읍을 통리기무아문에 소속시킴.
4월	21. 黃載顯, 洪時中, 조선책략 반대, 일본 및 기타 서양과의 통상을 반대하는 상소를 올림.	23. 황해도 장연에서 농민봉기.
5월	7. 신사유람단 부산 출발. 20. 별기군 창설.	
6월	11. 척사상소를 종식시키기 위해 斥邪綸言 발표. 7. 영국 군함 페가서스호, 원산에 와서 통상 요구.	
7월	3. 전 司憲府掌令 郭基洛, 외국과의 통상, 기술도입 등을 주장하는 상소.	
8월	30. 경기도 申櫶, 강원도 洪在鶴, 충청도 趙哲夏 전라도 高定柱 등 4도	3. 경상도 지방 폭우로 인명 피해 133명, 가옥 유실 1,530여호.

한일 관계	일본(明治 14)
1. 伴接官 金弘集, 일본 辨理公使 花房義質의 진헌품 소총 10종, 藥丸 등의 예물 세목을 보고. 28. 講修官 金弘集, 花房과 회동하여 20개월 후에 仁川을 개항키로 합의함.	12. 大隈, 伊藤博文, 井上, 黑田, 헌법의 대강을 협의하였으나 의견 불일치 * 明治法律學校 (뒤의 明治大學) 설립.
	* 頭山滿, 福岡에서 玄洋社 창립.
9. 통리기무아문의 건의로 총포, 선박 시찰을 위해 前府使 李元會, 參劃官에 임명, 參謀官 李東仁 등의 일본파견 결정.	11. 헌병조례 공포. * 大隈重信, 국회개설의견서 제출(伊藤博文 반대).
20. 정부, 別技軍 설치, 일본공병소위 掘本禮造를 군사교관으로 초빙. 25. 신사유람단 동경 도착.	4. 小學校敎則綱領 제정 (7.29 중학교. 8.19. 사립학교 교칙대강 제정). * 立志社, 「日本憲法見込案」 기초.
18. 일본외무성에 일본인 울릉도 잠입 벌목을 항의. * 別軍官 林泰慶, 李元淳, 金在愚 등 銅皮革造法을 배우러 일본 大阪에 파견.	30. 지조개정 사무국 폐지(지조개정 사업 완료).
4. 함경도 덕원부사 金綺秀, 일본총영사 前田獻吉과 (1880년에 약정한) 元山 居	

	의 유생, 개화정책 반대 상소. 김홍집, 수신사에서 면직(자원).	
9월	8. 김윤식, 영선사에 임명. 20. 외교문서에 사용할 國璽를 大朝鮮國寶로 새로 주조.	
10월	21. 安驥永, 權鼎鎬 등, 국왕을 폐하고 대원군의 서자 李載先을 추대하려다 밀고로 체포됨(이재선 사건). 22-24. 동래부 암행어사(신사유람단) 趙秉稷, 閔種默, 洪英植 등, 일본 국정 상황과 견문시찰기를 올림. 25. 이재선 자수 (10.27. 처형됨).	
11월	17. 영선사 김윤식, 淸으로 파견할 유학생 28명을 이끌고 서울 출발.	18. 재정 궁핍으로 機械司와 鑄所에 동전 주조를 명함.
12월	1. 어윤중, 일본에서 청국 상해로 출발. 이후 이홍장과 회담. 29. 통리기무아문 개편(12司를 同文, 軍務, 通商, 典選, 律例, 監工 등 7사로 줄임).	23. 선혜청 別倉 안에 주전소를 설치하여 주전 시작.

留地 地租約書를 조인함(거류지 지세를 불과 50원으로 규정).	
29. 수신사 趙秉鎬와 종사관 李祖淵 등, 일본으로 출발.	11. 어전회의에서 입헌정체에 관한 방침 등의 논의 중지. 大隈重信 파면(명치 14년의 정변).
22. 紳士遊覽團 일행 귀국. 23. 수신사 趙秉鎬, 일본 체류중인 魚允中에게 대미수호 결정방침을 통고하는 고종의 밀명 전달. 수신사 관세문제도 협의.	12. 국회개설을 명치 23년으로 하는 조칙 발표. 18. 자유당 결성회의. 21. 松方正義, 參議兼大藏에 취임(松方財政 시작).

1882년 高宗 19	정 치	사회·경제·문화
1월	10. 監工司와 武衛所에서 주전 시작. 18. 수신사 조병호 귀국.	
2월	7. 영선사 김윤식, 이홍장과 조미수 호조약 체결을 논의. 13. 5군영을 폐지하고 2營을 신설.	
3월		
4월		
5월	8. 淸 丁汝昌, 馬建忠 등, 조미수호조 약 체결 예비교섭 차 인천에 도 착. 12. 미국전권위원 해군제독 슈펠트, 조미조약 체결 차 군함 스와타라 호로 인천에 도착. 22. 조미수호통상조약 조인(신헌과 슈 펠트).	
6월	6. 조영수호조약 조인 (조영하와 윌 스. 비준 보류 '83. 11 재조인). 30. 조독수호통상조약 조인(조영하와 브란트, '83. 11 재조인).	
7월	19-24. 武衛, 壯禦 두 영의 군인들이 급료 문제 등으로 난을 일으킴. 별기군을 습격. 掘本 일본 교관. 순사 등 처단. 창덕궁 돌입하자 왕후는 長湖院으로 피신, 대원군 이 국정 장악(壬午軍亂). 24. 대원군, 시정개혁(통리기무아문 폐 지, 삼군부 부활 등) . 26. 이만손 등 유배자 887명 특사.	
8월	2. 김윤식, 어윤중 등 군란 진압을 위	

한일 관계	일본(明治 15)
6. 부산 일본 상인『朝鮮時報』발행 8. 통리기무아문 개편으로 交隣司를 同文司로 개칭했음을 일본외무성에 통고.	4. 軍人勅諭 반포.
	12. 大隈重信, 東洋議政會 결성.
	1. 松方 대장경, 화폐정리, 중앙은행 은립 등의 의견서를 대정관에게 제출. 3. 일본의 伊藤博文 등, 헌법 연구 위해 유럽 출장을 명령받음(14일 출발). 14. 동양의정회, 嚶鳴社와 합하여 立憲改進黨 결성.
* 일본에 村田銃 2만정을 주문함.	
	3. 大坂紡績會社 설립. 25. 樽井藤吉 등, 동양사회당 결성 (7.7 결사금지).
4. 통상세칙 작성을 토의하고 일본공사와 약정하기로 결정. 일본국과 稅則 의정을 위해 金輔鉉·金弘集을 전권으로 임명.	3. 집회조례 개정(정치결사의 지사 설치, 결사 간의 연합 금지). 16. 통계국,『日本帝國統計年鑑』창간. 27. 일본은행 조례제정(10.10 개업).
29. 임오군란으로 일본 공사 花房義質, 영국 측량선으로 仁川을 탈출. 일본에서 일본 거류민 보호를 위해 군함 파견 등을 제기. 30. 일본인의 울릉도 잠입행위와 벌목행위를 일본에 항의. 31. 일본 내각회의에서 한국정부의 사죄배상을 위해 전권위원 임명하여 육해군 호위할 것을 결정.	
5. 일본외무성 井上, 조선에 군함 파견과	9. 주일 청공사, 속방 보호를 위해 조선에

	해 淸에 파병 요청. 10. 淸의 장수 馬建忠, 丁汝昌 등, 군함 3척으로 인천 월미도 도착. 12. 미국 군함 모노카시호, 군란 후의 국정을 살피기 위해 인천 도착. 20. 오장경 등, 청군 4천여명, 김윤식 과 함께 남양에 도착. 26. 오장경 등, 대원군을 청국 군함으로 납치. 27일에 천진으로 호송 (9.2 천진 도착). 29. 청군, 이태원·왕십리의 군인 마을을 습격하여 수 백명을 살상. 군란 협의로 李景夏, 申正熙 유배.	
9월	12. 왕비 환궁. 16. 전국의 척화비 모두 철거. 28. 대원군, 淸의 保定府로 유폐됨.	4. 서북인, 송도인, 서얼, 의역, 서리, 軍伍 등의 출사 제한을 철폐. 7. 주전을 호조에서 專管하게 하고 각국과의 통상의 편의를 위해 금전, 은전 및 紋錢을 통용하게 함. 11. 孫順吉 등 3명, 일본공사관 침범혐의로 처형.
10월	4. 조영하, 김홍집, 어윤중 등이 중국 天津에서 朝淸商民水陸貿易章程 의정.	5. 임오군란의 주모자 김장손 등 8명 처형. * 지석영, 전주성 안에 우두국을 설치, 종두 실시.
11월	6. 願納錢 제도를 폐지. 12. 훈련도감을 혁파하고 궁궐 수비를 禁衛營, 禦營廳에서 맡게 함.	24. 舟橋司, 민간의 화륜선을 비롯한 각종 선척 구입을 허가.
12월	26. 統理衙門 신설. 외무에 관한 사무를 맡게 함. 27. 統理內務衙門 신설, 國利民福에 관한 사무.	* 이해, 閔謙鎬의 집을 외무고문 묄렌도르프에게 하사 (최초의 한식 건물을 양식으로 개축)

花房에게 보병 1개대대 지원을 명령. 12. 일본공사 花房, 군함4척, 운송선 2척, 호위병 1개 대대로 仁川 도착. 20. 일본公使 花房, 공사관 습격에 대한 회 답을 요구. 국왕과 면담. 처벌과 배상 금 지불 요구. 21. 대원군, 청국의 馬建忠에게 일본공사 요구조건을 서면으로 전달하고 入京하 여 조정해 줄 것을 요청. 27. 전권대신에 李裕元, 부관 金弘集 임명 30. 이유원과 花房義質, 제물포에서 회동, 일본군함 함상에서 일본에 대한 손해 배상을 주 내용으로 하는 濟物浦 條約 6款과 朝日修好條規續約 2款을 체결. 정부, 사망가족에 5만圓 지급하고 배 상금 50만圓 지불.	파병하고 일본공사관을 보호하겠다고 일본에 통보. 11. 일본 외무경대리, 일본은 조선을 자치 국으로 인정하며 공사관은 스스로 보 호하겠다고 청에 반박.
16. 朴泳孝를 수신사. 金晚植, 부사. 徐光範, 종사관에 임명. 18일 출발. 20. 일본 공사 花房義質, 明治丸으로 돌아 감. (朴泳孝・金晚植・徐光範 동승).	
13. 수신사 朴泳孝일행, 동경에 도착. 일외 무경 井上馨에게 예조판서 서계 전달. 일본측의 공사관 피해 사과. 27. 박영효, 井上馨과 회동, 填補金 50만원 상환기간을 10년 연장.	10. 日本銀行 개업. 21. 동경전문학교 개교(早稻田 대학 전신).
2. 특명전권대신 박영효, 윤치호, 朴裕宏, 朴命和, 金華元 등의 일본유학 부탁하 는 서한 일본외무경 井上馨에게 전달.	1. 동경 銀座에 처음으로 전등 점화. 11. 福島縣令 三島通庸과 자유당 河野廣中 대립(福島事件).
17. 일본, 정부에 17만원의 차관을 제공 18. 전권대신 朴泳孝, 일본 橫濱正金銀行과 17만圓 차관협정 조인. 28. 일본, 인천항을 통과하는 조선과의 통 상교역을 1883.1.1부터 허가 발표.	2. 宮內省編 '幼學綱要' 반포. 25. 大坂商船會社 설립 허가('84.5.1 개업).

1883년 高宗 20	정 치	사회·경제·문화
1월	12. 통리내무아문을 統理軍國事務衙門 으로, 통리아문을 統理交涉通商事 務衙門으로 개칭. 13. 묄렌도르프, 통리교섭통상사무아 문 協辦에 임명. 30. 삼군부와 기무처를 통리군국사무 아문에 통합.	
2월		5. 양반 천민 구별 없이 상행위에 종 사하여 부를 축적할 수 있도록 하 고 농공상민의 아들이라도 학교 에 입학할 것을 허락하는 윤음을 내림.
3월	2. 한성에 巡警部 설치. 6. 박영효가 고안한 태극기를 국기로 제정하고 이를 전국에 頒布.	26. 당오전의 주조 유통을 결정(묄렌 도르프 건의, 29일 주전소 설치, 6.8 통용 시작).
4월	3. 어윤중, 청의 陳本植과 中江通商章 程 체결. 23. 김옥균을 東南諸島開拓使 겸 管捕 鯨事, 박영효를 廣州留守에 임명.	
5월	10. 西北經略使 魚允中의 보고에 따라 평안도 沿江의 18鎭堡를 폐지. 13. 초대 주한미국공사 푸트(Foote) 인 천에 도착(20일 신임장 제정). 19. 민영목, 푸트와 조미수호조약 비 준 교환.	
6월	27. 機器局 설치. 박정양, 김윤식 등을 총판에 임명.	4. 李樹廷, 일본 동경에서 미북장로 교 선교사 G. 녹스에게 세례받음.
7월	1. 전 좌의정 姜㳓 임오군란 가담 협 의로 유배. 8. 미국파견 전권대신에 민영익, 부 대신에 홍영식을 임명(15일 인천 출발, 9.2 미국 샌프란시스코 도 착. 9.18 아서 미국대통령에게 국 서 전달).	

한일 관계	일본(明治 16)
6. 한일양국간 전설부설권 일본에 허가. 竹添進一郎, 일본공사 부임. 15. 竹添進一郎, 부산 해저전신조약 체결문제와 관련하여 협의할 것을 예조판서에 강요.	
17. 仁川港 개항. 일본 租界를 획정.	
3. 일본, 부산해저전신선조약 조인.	10. 淸朝鮮國在留日本人取締規則 제정.
1. 일본관리공사 竹添進一郎, 충청도 태안반도에서 해군연습 승인 요청.	12. 육군대학교 개교.
25. 閔泳穆, 일본공사 竹添進一郎과 韓日通商章程, 海關細目·日本人漁採犯罪 條規·日本人朝鮮國間行里程條約 체결. 金玉均, 차관교섭차 일본에 감.	2. 官報 제1호 발행.

8월	* 西北經略使 魚允中, 청국 관원에서 토문강 상류의 정계비를 근거로 간도 국경문제를 다시 조사 획정할 것을 요청.	
9월	20. 陳樹棠, 청국청판 조선상무로 부임. 남별궁에 머물며 상무 시작.	8. 성주에서 結價 歸正을 요구하는 민란. 13. 銅, 鉛을 밀무역하는 자는 私鑄律을 적용, 처벌할 것을 명함.
10월	16, 국왕, 미국공사 푸트를 접견하고 외교고문, 군사고문 파견을 요청.	25. 북관왕묘(북묘) 건립. 31. 『漢城旬報』 제 1호 발간.
11월	3. 국왕, 서북경략사 어윤중을 불러 兩邊 行役, 토문강 국경 분계, 西北開市 등에 관해 물음. 26. 전권대신 민영목, 조영수호통상조약 (1884. 4.3. 비준) 및 조독수호통상조약 (1884. 10. 1. 비준) 조인.	2. 외무고문 묄렌도르프, 청조선상무 陳樹棠과 輪船往來 상해조선공도합약장정 의정 조인(월 1회 청 招商局 상선이 상해, 조선, 일본 간을 왕래케 함).
12월	20. 해관세칙 반포.	18. 미국에 라이플 총 4천정 발주. * 이해 프랑스 신부, 서울 명동에 최초의 고아원 설립.

27. 경상, 전라, 강원, 함경 해안의 通漁權 일본에 허가.	3. 伊藤博文, 헌법 조사의 외유로부터 귀국.
30. 일본, 거류지역 규정한 인천조계조약을 정부에 강압. 督辦交涉通商事務 閔泳穆, 전권위원으로 임명·일본국 전권위원 竹添進 一郞과 인천국조계지거류조약 10개조 조인.	
8. 일본공사 竹添進一郞, 묄렌도르프와 교섭하여 海關稅收 업무를 日本 第一銀行 지점에 위탁하는 계약 체결함. 16. 大北部電信會社, 부산－長崎 간 해저전선 착공.	
	28. 鹿鳴館 개관식.
* 이해 일본 第一銀行, 인천에 출장소 개설함.	

1884년 高宗 21	정 치	사회 · 경제 · 문화
1월	14. 미국인 E. 프레이저, 뉴욕주재 조 선명예총영사에 임명됨. 18. 서울 이외 주전소 폐지.	27. 한성부, 전국 인구 조사 발표 (총 6,626,587명).
2월	2. 통리군국아문, 친군영에 광산 채 굴을 허가하여 그 이익으로 군비 를 충당하도록 함.	
3월	14. 묄렌도르프, 전환국총판에 임명됨.	* 최초의 근대인쇄소 廣印社 설립. (일본에서 연활자 수입, 음력 2월)
4월	2. 민영목, 陳樹棠과 仁川口華商組界 程 의정 조인 13. 조청상민수륙무역장정 제 4조 개 정(청상의 내지 통상을 허용) 28. 조영수호통상조약 비준 교환하고 영국 총영사 애스턴 부임.	22. 郵政總局 창설하고 總辦에 洪英植. * 전라도 康津縣 莞島 加里浦에서 농 민봉기 발생(음력 3월 상).
5월	8. 민영목이 상소한 海防策 7조의 실 시를 명함.	
6월	10. 주청 이태리공사 루카, 수호통상 조약 체결 위해 인천 도착. 26. 朝伊수호통상조약 조인.	* 미국상인 타운젠트, 회사 지점 설 치를 위해 인천에 옴(음 5월). * 견미전권공사 민영익 미국에서 소, 돼지, 양 등을 가져와 모범농장 개 설(음 5월). * 칼 월터, 세창양행 지점 설치를 위 해 인천 도착(음 5월).
7월	7. 朝露수호통상조약 조인. 8. 교섭통상사무협판 묄렌도르프 해 임.	3. 金玉均, 『한성순보』 26호에 「治道 略論」 발표(1882.12 완성). 22. 영의정 金炳國, 우의정 金炳德 등, 衣服制變更令을 거두도록 청함. 24. 전환국, 새로 주조한 당오전 유통. 31. 미국무역회사와 포 6문, 소총 1,000정 수입계약 체결.
8월	20. 徐載弼, 일본 陸軍戸山學校 졸업 후 조련국 사관장에 임명됨.	12. 미국 북감리교회 선교사 매클레 이, 육영사업의 허가 받음.

한일 관계	일본(明治 17)
12. 정부, 인천조계 확장을 승인. 24. 일본 第一銀行과 개항장 海關稅 취급약 　　정을 조인. * 일본육군중위 酒勻, 광개토왕릉비 탁본 　해 東夫餘永樂大王碑銘의 해석 발표.	
25. 부산－長崎 간 해저전선 개통.	26. 商法講習所, 동경상업학교로 바뀜 (뒤 　　의 一橋大學).
18. 일본국 공사사, 한성부 중부의 박영효 　　사제를 구입하여 이주.	1. 大阪商船 창립. 12. 해저전선보호만국연합조약에 가입. 26. 태환은행권 조례를 공포.
	6. 正倉院을 궁내성에 이관. 13. 群馬縣 하의 자유당원 봉기(群馬 사건).
	1. 천기예보 개시.
6. 일본, 원산에서 집세·수월세 철폐를 　　정부에 강요(정부, 거절). 18. 일본, 제주·울릉도에 침입. 島民의 어 　　업권을 침해(정부, 조일통상장정의 수 　　정을 요구).	7. 華族令 제정(공후백자남의 5등). * 녹명관에서 가장무도회가 성행.
	10. 有一館(자유당의 문무연구소) 개관.

9월		13. 남원 유생 吳鑑, '재판, 경찰의 법' 발표.
10월	15. 龍虎營, 금위영, 어영청, 총융청을 親軍諸營에, 軍器寺를 기기국에 합치고 海防總管을 강화유수가 겸하게 함. * 부산에 청국영사관 설치(음력 8).	
11월		18. 우정총국, 우정사무 시작.
12월	4. 金玉均, 朴泳孝 등 甲申政變을 일으킴. 국왕, 경우궁으로 옮김. 민영목, 민태호, 조영하 등 피살. 5. 개화당, 신내각을 조직하고 14개 혁신정강을 반포함. 6. 청국군의 창덕궁 공격으로 일본군이 패주. 김옥균 등은 일본공사관에 피신했다가 인천을 거쳐 일본에 망명함. 8. 새 내각, 갑신정변 중의 개혁을 없애고 김옥균 등에 체포령 내림. 17. 갑신정변 관련자 및 그 가족들의 관직 박탈.	22. 판소리 작가 申在孝 사망(1811~). * 이해 운송국, 海龍號·蒼龍號·顯益號 등 3척의 기선구입. * 궁중에 발전기 설치, 최초로 전등 사용. * 최초의 양옥으로 인천 世昌洋行 사택 건립.

	23. 茨城, 福島, 栃木의 자유당원 16인이 茨城縣 加波山에서 봉기(加波山事件).
3. 일본, 미, 영과 공모하여 불평등적 치외법권을 규정한 인천제물포 조계장정을 체결. 6. 일본의 요청으로 龍山을 楊花津 대신 각국 개시장으로 함.	29. 자유당 해산. 31. 埼玉縣秩父地方의 농민, 자유당좌파 井上傳藏의 지도에 의해 봉기(秩父事件).
2. 고종, 일본국판리공사 竹添進一郎을 소견. 일본 공사 竹添進一郎, 임오군인봉기의 배상금 잔액 40만 엔을 조선 정부에 돌려줌. 10. 조선 정부, 일본국 임시대리공사 島村久의 요청으로 일본국 상민에게 (조영수호통상조약에 준한 특혜권) 최혜국 대우를 허락하고, 미국 상민에게도 최혜국 대우를 허락함. 29. 협판교섭통상사무 김홍집, 일본국 판리공사 竹添進一郎과 인천·부산·원산 지방에서 일본인의 합법적 활동을 위한 在朝鮮間行里程約條附錄을 의정.	16. 인류학회 창립.
	6. 자유당원의 名古屋 鎭台 습격 거병계획 발각(飯田事件). 17. 大隈重信 개진당 탈당. 20. 華族 취학규칙 제정. 화족의 자제는 學習院으로. * 이 무렵부터 부인들의 양장이 성행.

1885년 高宗 22	정 치	사회 · 경제 · 문화
1월	21. 갑신정변 가담자 처벌을 위한 국청 설치. 28일 개화당 관련자와 그 가족 김봉균, 서재창 등 11명 처형.	* 황해도 초산에서 농민봉기.
2월		
3월	3. 고종, 경복궁으로 환궁.	* 여주에서 도결 폐지 주장하는 민란 발생(음 2).
4월	15. 영국 함대, 거문도 점령.	5. 미북장로회 선교사 언더우드, 미 감리회 선교사 아펜젤러 내한. 10. 미국공사관의 부속의사 알렌(安連)의 요청으로 廣惠院 설립. 26. 광혜원을 濟衆院으로 개칭. 27. 강원도 원주 농민, 환곡 폐단 개혁을 주장하며 봉기.
5월	16. 엄세영, 묄렌도르프, 정여창과 함께 거문도에 도착, 영국 함대에 항의.	1. 미 북감리교 선교사 스크랜튼, 부인과 함께 내한. 12. 갑신정변 때 파괴된 박문국을 광인사로 옮겨 한성순보 속간결정.
6월	2. 淸의 禮部에 土門江 구경계의 공동조사 요청. 19. 주조선영국총영사 애스턴, 영국의 거문도 점령이 일시적이라고 회답(7.6 군용석탄저장을 위한 잠정조치라고 성명).	21. 미 북장로교 의료선교사 J. 혜론 내한.
7월	7. 內務府 설치, 軍國庶務를 총찰. 17. 조청전선조약 조인. 22. 대원군의 귀국 및 청군의 계속 주둔을 용청하기 위한 陳奏使 민종묵, 조병식 청으로 출발.	

한일 관계	일본(明治 18)
6. 일본 특명전권대사 井上馨, 호위병을 이끌고 고종을 방문 갑신정변 구실로 회담 강요. (고종, 승인·김홍집을 전권대신에 임명). 7일에 회담. 9. 일본 특명전권대사 井上馨, 김홍집과 제3차 담판 진행하여 漢城條約 체결(군대주둔·배상금 지불 등).	
5. 특파대신 徐相雨·부대신 묄렌도르프 일본에 파견.	
17. 독일총영사 부들러, 조선 정부에 중립 선언 권고. 조선 정부 묵살.	16. 일본 福澤諭吉, 脫亞論 발표.
	18. 全權大使 伊藤博文, 청국 이홍장과 天津條約 조인(조선주둔 청일 양국군의 동시철수 등을 규정).
16. 통리교섭통상사무아문, 일본으로부터 수입되는 寫眞機械,樂種 등의 물품 면세케 함. 21. 일본임시대리공사 高平小五郞, 일본 육군참모부 히라이의 원산지방 여행을 보증하는 여권발급 강요.	
2. 일본파견 유학생들의 귀국 명함.	
17. 일본군대, 인천 출항. 18. 일본임시대리공사 高平小五郞, 조중전선조약에 의거한 경의선 전선 가설이 부산해저전선조약에 대한 위반이라고 간섭.	

	23. 駐天津大員 남정철, 이홍장의 밀함을 가지고 귀국(미국인 교관 초빙과 묄렌도르프 해임 권고). 27. 묄렌도르프 협판교섭통상사무 해임.	
8월		6. 내무부, 통리교섭아문, 전환국, 제중원 堂郞에 15-25세의 북학 학도 1명씩 채용케 함.
9월	4. 해관총세무사 묄렌도르프를 해임하고 인천세무사 스트리플링을 서리로 임명. 8. 청 예부의 疆界 조사 요청에 의해 안변부사 李重夏를 土門勘界使에, 조창식을 종사관에 임명. 18. 陳奏使 민종묵 일행, 보정부에 유폐 중인 대원군의 석방 환국을 요청하는 咨文을 청국에 전달. 20일에 귀국 허가. 25. 선혜청 別倉에 典圜局 造幣機器廠 설치.	11. 미국인 선교사 아펜젤러, 정동에 학교 설립(이듬해 미선교본부로부터 공인을 얻고 1887년 교명을 배재학당으로 하사 받음). 28. 淸의 한성전보총국 개국(華電局).
10월	5. 대원군, 淸으로부터 귀국. 14. 미국인 메릴 해관총세무사 임명. 조러수호통상조약 비준교환. 23. 영국 총영사 베이버, 5천 파운드에 거문도 매입 제의.	29. 평양 전보분국 개국.
11월	6. 土門勘界使 李重夏, 청의 德王과 土門勘界에 대해 회담. 17. 청의 袁世凱, 駐箚朝鮮總理交涉通商事宜로 부임. 21. 토문감계 문제를 해결하기 위해 조선측 대표를 3반으로 편성해 동북 국경을 공동답사함. 그러나 결렬.	6. 지석영, 전라도 우두교수관에 임명. 19. 의주까지 전선가설 완료(西路電線).
12월	* 이해 대일수입액 138만 달러, 대청 33만 달러.	* 이해 김옥균, 『갑신일록』 작성. 갑신정변 관계자 서광범, 서재필 등 渡美.

21. 청국 慶軍 4營 및 일본공사관 호위병, 전원 철수.	
20. 정부, 西路電線 가설은 해저전선조약에 위배되지 않음을 밝힘.	
2. 일본임시대리공사, 원산에서 짐세·수월세 철폐를 정부 측에 강요. 17. 일본임시대리공사, 경의전선 가설을 반대하여 제3차 간섭 항의. 일본, 서로전선 설치를 청에 허가한 대신에 경부간 전선가설을 요구.	
10. 부산에 일본재판소 설치(영사재판).	23. 일본, 조선에서의 쿠데타를 계획한 自由黨 大井惠太郞 등, 大阪에서 체포됨 (自由黨 大阪 사건).
21. 일본, 부산해저전선조약 속약 체결. 24. 일본외무성 栗野愼一郞 서기관, 망명자 인도협약 체결 위해 내한.	22. 太政官制度 폐지, 내각제도 설치(제1차 伊藤博文 내각 성립). 내각직권을 정함 (統帥權 독립을 법문화).

1886년 高宗 23	정 치	사회·경제·문화
1월	15. 총융청 폐지, 親軍營으로 이속. 20. 내무부, 五家作統節目 전국 반포.	2. 독일 상사 세창양행으로부터 은 10만냥 차관. 25. 漢城週報 발간.
2월		5. 노비 세습제 폐지
3월		24. 김윤식과 원세개, 서울－부산 전선을 淸 전보국에서 가설하기로 함. 31. 淸 상인의 한성 점포를 용산으로 옮겨 무역하도록 함.
4월	14. 영국, 타국의 거문도 점령 불허를 조건으로 철퇴 의사 발표.	5. 경상감영에 『大典會通』改刊을 명함. 14. 형조에서 「私家奴婢節目」 작성.
5월	13. 申箕善, 李道宰 등, 김옥균 일파로 지목되어 유배됨.	31. 미국 감리교 여선교사 스크랜튼, 여성교육기관 설립(11.17 왕후, 이화학당이라는 이름 하사). * H. G. 언더우드 고아원 형식의 언더우드학당 설립. 1905년 경신학교로 개칭.
6월	4. 朝佛修好通商條約, 附屬通商章程, 善後續條 등을 조인 (1887.3. 비준 교환).	14. 제중원의사 알렌에게 통정대부 부여.
7월	24. 朝伊修好條規 비준 교환.	12. 미국인 길모어, 벙커, 헐버트, 정부 초청으로 교육을 담당하기 위해 옴. 18. 育英公院 설립. 외국어와 양학 수업(9.23 개학). 11. 盧春京, H. G. 언더우드에게 세례 받음.
8월	9. 총리내무부사 沈舜澤, 러시아 공사 베베르에게 親露抗淸政策에 관한 국서 전달(한러밀약). 8.14 원세개, 밀약설을 추궁함. 16. 趙存斗, 金嘉鎭 등, 親露抗淸策을 도모한 죄로 유배됨 (7.25. 석방).	

한일 관계	일본(明治 19)
31. 김윤식, 일본공사와 부산 絶影島에 일본 해군 저탄소를 설치키로 함.	
17. 일본대리공사 高平小五郎, 공문에 한문을 쓰지 않고 일본어만 사용할 것을 통보.	5. 宮內省 관제 공포. 26. 公文式을 공포, 법령 등 형식 규정. 27. 各省官制通則을 공포.
	2. 帝國大學令 공포.
	10. 소학교령, 중학교령, 사범학교령 반포.
	10. 교과용 도서검정조례 공포.
	5. 만국적십자조약에 가맹.
18. 김옥균 암살에 실패한 池運永, 일본 정부에 의해 압송 귀국.	20. 지방관 관제 공포(府知事, 縣令을 知事로 통일).
20. 정부, 홍삼·미삼 수출금지령 실시기일 통고에 대해 일본측 요구에 동의. 李源競을 일본에 파견, 김옥균의 인도를 요청.	13. 登記法 공포.

	20. 袁世凱, 朝露密約 사건을 계기로 李埈鎔을 국왕으로 추대하려는 계획으로 李鴻章에게 파병 요청. 22. 러시아 공사 베베르, 조러밀약 관련인의 석방을 요구.		
9월	10. 徐相雨를 천진에 파견, 李鴻章에게 러시아와의 비밀교섭설 해명.		
10월		7. 미국선교회 스크랜튼, 병원을 개설. ('87. 6. 15 국왕 施病院으로 명명) 27. 南路電線架設 착공.	
11월	17. 김윤식, 원세개에게 土門定界를 논하고 본국 유민의 安置를 요청.		
12월	17. 러시아, 국경지대에 거주하는 한국인을 내지로 재이동시킬 법률을 제정. 30. 러시아 공사 웨베르, 본국 유민의 연해주에 유출을 엄금토록 요구.	* 러시아인, 양화진에 성냥공장 설립. * 일본인 의사 吉城梅溪, 개인병원 (贊化병원) 서울에서 개업.	

10. 일본정부, 김옥균을 小笠原島에 호송.

1887년 高宗 24	정 치	사회·경제·문화
1월		
2월		25. 서울의 상인들, 외국인의 용산 이주를 반대하여 폐점시위운동을 전개.
3월	1. 영국 군함, 거문도에서 철수.	20. 정부 독일 세창양행으로부터 각종 전선기재 외상으로 구입.
4월	27. 土門勘界使 李重夏, 淸의 대표 秦 煐과 함께 백두산정계비와 그 부근의 水源을 조사 / 鑛務局 설치	6. 조선전보총국(남전국) 설치. 18. 淸이 부산, 한성 간 육료전선 가설권을 조선 정부에 이양. 30. 아펜젤러, 貞洞敎會 창설(감리교).
5월	22. 갑신정변 혐의로 申箕善 義禁府에 구속되고 池錫永 등 유배됨. 31. 김윤식, 프랑스 전권위원 플랑시와 朝佛條好通商條約 비준 교환.	
6월		
7월	3. 강화부에 병영을 설치하고 親軍沁 營이라 부름.	
8월	18. 박정양을 주미공사, 沈相學을 영국, 독일, 러시아, 이탈리아, 프랑스 주재 겸임 공사로 임명.	
9월		
10월		
11월		12. H. G. 언더우드 새문안교회 창립. 15. 신라 味鄒王, 文武王, 敬順王을 崇惠殿에 배향하게 함.
12월	13. 전환국 조폐창과 기기국 기기창 준공.	4. 엘러스, 고아원 부대사업으로 여성 교육 착수(1895. 연동여학교로 개칭, 현 정신여자학교 전신).

한일 관계	일본(明治 20)
31. 守山 수령, 일본 상인 곡물에 과세. 일본상인 항의하다 지방민과 충돌.	
	2. 大日本婦人敎育會 창립.
25. 일본임시공사 杉村, 경상도지방에서 일상 곡물무역 금지조치 철폐에 강요.	3. 국가학회잡지 창간.
	20. 일본 수상관저에서 가장무도회 개최(歐化主義라고 비난받음).
2. 督辦交涉通商事務 金允植, 일본임시대리공사 高平小五郎에게 인천 – 부산 간 電線通聯工事 준공 기일 연기를 통보함.	
	1. 衛生試驗所 관제 공포.
31. 閔泳駿을 주일공사로, 金嘉鎭을 同參贊官에 임명함.	
19. 駐韓日本公使 近藤眞鋤 부임.	
12. 일본어선 6척, 제주목 摹瑟浦에 상륙하여 가축을 침탈 인명 살상.	3. 後藤象二郎, 民間有志를 결집, 丁亥俱樂部를 결성(대동단결 운동). 10. 高知縣 대표, 三大事件建白書를 원로원에 제출.
29. 일본공사 近藤, 수산자원 약탈 강화하기 위해 조일양국통어장정 및 어세기한 수정보충을 정부에 강요.	25. 保安條例 공포(비밀결사, 집회 금비). 26. 반정부인사 570명 東京 30리 밖으로 추방.

1888년 高宗 25	정 치	사회 · 경제 · 문화
1월	7. 경상감사, 방곡령 실시.	
2월	25. 경상감사, 방곡령 해제.	6. 鍊武公院을 창설. 22. 이화학당, 최초로 주일학교 시작.
3월	19. 평해군 소속 越松萬戶로 울릉도 島長을 겸임케 함.	30. 남로전선 가설공사, 영국인 핼리팩스 감독 하에 동래 착공 시작.
4월	10. 군사교사로 초빙한 미국인 육군소장 W. 다이 등 4명 입국.	
5월	29. 군제 개편, 통위영(中營) 장위영(左營) 총어영(右營)의 3영을 둠.	
6월		
7월		6. 남로전선 준공. 電報章程 반포. 14. 박문국이 통리교섭통상사무아문에 소속되면서 한성주보 폐간됨.
8월	20. 朝露陸路通商章程 조인(경흥 개시).	7. 北靑府民, 함경도 병마절도사 이용익의 부정을 들어 연명 상소 (7. 17. 이용익 파직).
9월		
10월		
11월		
12월		* 한성부, 전국인구 조사 발표 (총 6,567,038명).

한일 관계	일본(明治 21)
19. 일본공사 近藤, 평남 방곡령실시 항의. 25. 朴泳孝, 일본 명치학원에서 영어학 공부하고 橫濱의 미국교회에 들어감.	3. 三宅雪嶺 등 政敎社 결성, '日本人'창간. 25. 市制, 町村制 공포(89년 4월 1일 시행). 30. 추밀원관제 공포.
16. 외무독판 趙秉式, 일본공사 近藤에게 영미어채장정의 예에 따라 일본 어선의 어세 年納을 요구. 28. 정부, 어업특허장안전(전 9조) 일본공사에게 전달.	
	1. 동경천문대 설치.
10. 趙秉式, 일본대리공사에게 조일통상장정이 발효 후 5년이 경과하였으므로 개정할 것을 요구. 29. 일본에 망명중인 김옥균, 小笠原島에서 북해도로 옮김.	
23. 일본 정부와 辨理通聯萬國電報約定書 체결(부산에서의 양국 전신 연접 방법에 관한 조약).	
	24. 조선과 淸 주재영사 재판규칙 반포.
17. 駐日公使에 金嘉鎭을 임명함.	30. 멕시코와 통상조약 조인 (일본 최초의 대등한 조약).
19. 일본대리공사, 울릉도연안 일본잠수회사 불법어로작업 금지조치에 항의.	

1889년 高宗 26	정 치	사회·경제·문화
1월		
2월		* 서울의 육주비전 등 상인들이 외국 상인의 철수를 요구하며 철시.
3월	23. 원산에 러시아저탄소 설치를 허가 (부산 절영도는 거절).	
4월	* 러시아 太平洋捕鯨會社에 동해 포경권과 포경 근거지를 허가.	21. 화폐남발로 물가폭등, 주전소 폐지.
6월		
7월		
8월	30. 大朝鮮國寶 등 6개 종류의 御寶를 만들게 함.	
9월		
10월		11. 전라도 광양에서 농민 봉기.
11월		9. 水原府에서 농민 봉기. 12. 제주도 어민 한일통어장정 반대 항쟁.
12월	19. 봉조하 金尙鉉, 英宗 묘호를 追擧하여 祖로 부를 것을 청함. 26일 英祖로 개정.	* 유길준 『서유견문』 완성. * 한성부, 전국인구 6,510,955명 발표.

한일 관계	일본(明治 22)
10. 정부, 일본상인의 白木 매매행위 금지를 일본공사에 요구. 일본공사 불응. 25. 일본 부산근해에 불법어망설치·정부 항의.	22. 徵兵令 개정(호주의 징병유예를 폐지).
	11. 대일본제국헌법 반포. 皇室典範, 衆議院議員 선거법, 貴族院令 반포.
17. 일본간상배, 탈세행위 감행·정부, 일본상선 마포기항 제한하는 마포행선 장정 실시.	
17. 일본공사 近藤, 大同江 연안 측량 요청. 26. 일본공사, 황해도 방곡령 철폐와 일상에게 몰수한 곡물 반환 요구.	
8. 趙秉稷, 일본의 대동강연안 측량협조 요구를 거절.	1. 東海道本線 新橋-神戶間 개통.
7. 정부, 인천해안 일본인 어업활동 규정한 인천해면포어장정 연기를 승인. 11. 일본공사, 청국상인 내지행상을 구실로 일상 내지행상 허가 요청. 정부 거절, 청상 내지행상 금함.	
24. 정부, 인천·부산·원산의 관세를 담보로 일본제일은행 인천지점에서 銀貨 3만圓 차관.	
18. 함경도관찰사 趙秉式의 보고에 따라 10(음)부터 1년간 미곡 수출금지 통보.	* 일본 大畏重信, 피습으로 부상. 미일수호통상조약 개정 중지.
7. 일본공사 近藤眞鋤, 방곡령 철폐 요구 12. 일본공사, 원산항 방곡령 실시 항의하고 일본상인의 손해배상 요구 / 韓日通漁章程 의정.	30. 일본 地組條例 개정 반포.
	* 일본 北里柴三郎, 파상풍균의 순수배양에 성공. 일본 北里柴三郎, 독일 베링, 혈청요법 발표

1890년 高宗 27	정 치	사회·경제·문화
1월	8. 정부, 함경관찰사 趙秉式에게 방곡령 철폐를 훈령. 趙秉式 거부함. 27. 방곡령 통보에 불응한 조병식을 감봉 처분.	
2월	1. 朴齊純, 조신희의 후임으로 독일·영국·러시아·이탈리아·프랑스 주재 공사에 임명됨.	27. 總稅務司 및 일본우편국의 전보를 官報로 취급하도록 華電局, 南電局에 시달.
3월		
4월	15. 내무협판 D.데니, 고용 기간 만료로 해임됨.	
5월	9. 미국공사 겸 총영사 A.허어드 부임.	30. 도량형 통일, 개항지의 균평회사 폐지.
6월	4. 대왕대비 趙氏(翼宗 비) 사망.	
7월	9. 미국공사 서기관 H.N.알렌, 공사대리가 됨.	29. 양화진에 외국인 공동묘지 설치 인가
8월		5. 淸, 마적단 수백명이 端川鑛所에 난입
10월		15. 프랑스 신부 뮈텔 조선천주교 8대 주교에 임명.
11월		
12월		* 커피, 홍차 등의 茶類, 궁중에 처음 소개.

한일 관계	일본(明治 23)
27. 함경도 방곡령 철회 / 일본공사 황해도 방곡령 철폐 요구. 31. 정부, 청일 상인 침해로 袁世凱와 일본공사에게 양국 상인 용산철거를 요구.	11. 경도미술협회 창립. 21. 자유당 결당.
11. 駐箚日本辦事大臣 金嘉鎭, 귀국하여 일본의회 설립, 군무재정 상황 등 일본정세 보고.	1. 『國民新聞』 창간. 10. 裁判所構成法 공포. 28. 伯子男爵議員選擧規則 多額納稅者議員 互選規則 공포.
	15. 琵琶湖疎水 준공(최초의 수력발전소)
	19. 遞信省, 電話交換規則 공포. 21. 민사소송법 공포. 26. 商法 공포.
11. 일본대리공사의 함경도관찰사 趙秉式 처벌 요청을 방곡령안 타결 종료와 내무간섭이라 하여 거절.	5. 동경에서 愛國公黨조직대회 개최. 17. 府縣制·郡制 공포.
3. 李鶴圭, 일본에 파견하여 관리대신의 임무를 서리케 함. 16. 일본, 대동강하구 철도의 개항을 강요.	6. 大日本勞動者同盟會 결성. 10. 제1회 귀족원 多額納稅議員 선거. 30. 행정재판소법 공포.
25. 일본대리공사, 부산·인천에서 독점적 상권확보를 위해 25개 객주 철폐강요 26. 客主·居間規則 제정, 개항지에 시행했으나 일본의 반대로 철폐.	1. 제1회 총선거 실시. 10. 제1회 貴族院伯子男爵議員互選 선거 실시.
5. 정부, 일본선원의 제주도 난입 살해사건을 일본공사에게 엄중항의.	2. 위생국시험소, 동경위생시험소로 개칭. 25. 은행조례·저축은행조례 공포.
	20. 원로원 폐지. 24. 伊藤博文, 초대귀족원 의장에 취임. 30. 천황, 敎育勅語 발표.
	22. 國學院 창립. 25. 제1회 의회 소집.
1. 일본 어선 제주도근해에서 불법어업 감행·정부의 단속에 권한이양 요구.	9. 神戶 상업회의소 설립. 27. 상법시행연기법 공포.

1891년 高宗 28	정 치	사회 · 경제 · 문화
1월	28. 전환국, 평양에 주전분소를 설치.	24. 日記廳, 361권의 『承政院日記』 개수 완료
2월		4. 海關稅入의 증가로 각 개항지의 외국인 顧聘官의 品階를 승진시킴.
3월	9. 이용익, 함경도병마절도사에 임명. 24. 淸과 北路電線合同 체결.	
4월		
5월		1. 시카고 만국박람회 理事 고와아드 來韓. 9. 제주도민 일본의 통어 철폐 요구하며 소요.
6월	19. 귀국한 주일공사 김가진의 조속 귀임을 명함.	
7월	27. 北路電線(한성, 원산 간) 준공.	25. 漢城府에 일본어학당 개설.
8월		
9월		29. 강원도 고성군에 농민 봉기주모자 權煥, 鄭尙鎔 등 4인을 처형.
10월		
11월		
12월	17. 평양 일대의 탄광을 저당으로 沿岸警備用 군함을 구입키로 결정 (영국에 발주).	5. 한때 통용을 중지한 銀 · 銅貨를 다시 주조 통용케 함.

한일 관계	일본(明治 24)
21. 閔種黙과 일본공사간에 月尾島基地租借條約을 체결함	9. 內村鑑三, 敎育勅語排札 거부(不敬事件).
	24. 도량형법 반포. 28. 海軍造兵廠조례 공포.
6. 일본공사관, 일본상인도 청국상인과 같이 평안·황해도연안에서 무역 허락을 요청.	1. 郡制 시행 개시.
2. 梶山鼎介 신임 朝鮮駐箚公使로 착임 9. 일본과 합의하여 통어장정 시행을 연기, 일본인 제주도출어 허가를 6개월 연기하여 11월말로 함.	6. 제1차 松方내각 성립. 11. 大津사건 발생(방일중인 러시아 황태자 傷害사건).
21. 일본어선 수십척, 제주도 健入浦에서 불법어업, 이를 저지하는 제주민 任順伯 등 16인을 살상.	1. 이등박문, 추밀원 의장에 취임. 19. 제6국립은행 영업 정지.
29. 외무독판 閔種黙, 일본 공사에게 조회하여 朝日通商章程 개정을 요구함.	1. 府縣制 시행개시. 27. 육군성 관제개정 공포.
5. 정부의 朝日通漁章程 개정 요구를 일본공사가 불가를 통고해 옴.	
6. 朴用元을 參議交涉通商事務에 임명, 제주에 파견하여 일본어민 침탈사건 조사. 30. 內務協辦 李仙得(리젠드르)을 일본에 파견하여, 일본어선의 濟州 漁採 금지와 韓日通漁章程의 개정 교섭케 함.	1. 일본철도, 上野－靑林 間 개통.
23. 주일본공사 金嘉鎭, 귀국하여 일본정세를 보고.	15. 자유당대회, 代議士 중심의 黨則 개정. 28. 濃尾지방 대지진 발생.
14. 일본국 杉村濬, 일본공사관서기관 겸 한성영사에 임명하여 부임.	17. 小學校敎則大綱 제정. 21. 제2 의회 소집.
8. 일본공사 梶山鼎介, 일본외무상 훈령에 따라 함경도 방곡령에 대한 손해배상금 147,168원을 요구.	14. 중학교령 개정(高等女學校의 명칭 사용).

1892년 高宗 29	정 치	사회·경제·문화
1월	28. 왕자 堈을 義和君에 봉함.	
2월		1. 명동성당 착공(음 8 정초식, 1898. 5 준공).
3월		13. 시카고 만국박람회에 참석 위해 樂人 李昌業 등 10명 출발.
4월	1. 영국공사 N.R.오코너 부임.	6. 함흥부에 농민봉기. 20. 육영공원 교사 벙커에 호조참의. 26. 덕원부 봉기 주동자 엄익조 처벌.
5월	10. 영국인 모르건 인천해관세무사에 임명.	25. 永化學校, 인천에 설립.
6월	18. 雲峴宮 폭파음모 발생, 프랑스군 함·일본군함 내항. 23. 주일공사 동경에서 朝墺修好通商 條約, 附屬通商章程 및 稅則章程 체결 조인.	
7월		
8월		
9월		14. 醴川郡民 광산 개발 금지에 항의 하여 봉기한 주모자 처벌.
11월		24. 朝淸輪船公司 창설하여 인천, 한성 간의 한강 수로로 청 상인의 화물 과 조세미 운반.
12월		19. 동학교도, 전라도 삼례집회에서 교조신원, 교도 탐학 금지 호소.

한일 관계	일본(明治 25)
	28. 予戒令 공포(選擧大干涉 개시).
	15. 제2회 중의원 총선거, 정부의 선거간섭으로 정쟁 격화.
8. 일본, 평양개방과 해관관리의 일본인 임명 요구 / 일본어민들, 제주도 정의현 城山浦에 상륙하여 살해 자행.	25. 문부성, 敎科用圖書檢定規則을 개정, 檢定規準 강화.
27. 일본어선 禾北浦에 상륙, 주민 살해, 부녀자 겁탈. 28. 일본어선, 頭毛里에 상륙, 살해행위.	
7. 정부 일본공사에 침어행위 금지 요구. 9. 일본공사, 부산일본영사관을 총영사관으로 승격 통고 / 정부, 내수충당 위해 일본 제일은행 인천지점에서 은 5천元 차관. 18. 일본공사 방곡령 손해배상 이행 요구.	10. 新聞用達會社와 時事通信社 합병하여 帝國通信社를 창립. 14. 중의원, 선거간섭 問責결의를 가결함. 31. 중의원, 예산안 가운데 軍艦建造費를 삭감하기로 결의.
21. 일본공사, 仁川捕魚章程에 규정된 일본어선 증가 요구(7.5 거절). 24. 일본인, 제주도 명월진 두모포에 침입 재산약탈.	17. 小包郵便法 공포. 21. 철도건설법 공포. 27. 地震豫防調查會官制 공포.
15. 일본공사, 일본인의 제주도 어업행위 금지조치 취소할 것을 요청. 4. 일본어민의 제주도민 살상에 배상 요구 / 閔種默, 방곡령 손해배상액 은화 60,774圓을 일 공사에 통고.	21. 철도청, 내무성에서 체신성으로 이관. 8. 제2차 伊藤博文내각 성립.
	25. 제1회 전국상업회의소연합회, 京都에서 개최.
17. 일본공사, 황해도 방곡령 손해배상금을 정부에 요구. 24. 鄭秉夏, 청국에서 庫平銀 10만냥 차관하여 日本 第一銀行과 미국인 타운센드로부터 차관한 14만여圓을 상환.	1. 『萬朝鮮』 창간. 6. 동양자유당 결성.
20. 일본에서 銀貨 25만圓을 차관하여 인천에 전환국을 신축키로 함.	

1893년 高宗 30	정 치	사회 · 경제 · 문화
1월		
2월		
3월	22. 강화도에 해군사관학교 설치키로 함(교관 영국인 칼드웰). 31. 면천군에 유배된 김윤식을 향리로 放逐.	10. 상해의 영국 匯豊銀行에서 은 5만 원 차관. 29. 東學교도 朴光浩, 孫秉熙 등 40여 명이 교조신원을 위해 광화문에 서 3일간 伏閤上疏함. * 斥洋, 斥倭를 주장하는 동학교도의 벽보가 서울에 나붙어 민심을 자 극, 주한외교관 본국 정부에 군함 증파를 요청.
4월		9. 평안도 咸從府 농민봉기. 12. 동학 疏頭의 검거를 명하고 나머 지를 설득하여 해산시킴. 19. 미국군함 페트렐호, 영국군함 세 번호, 일본군함 2척, 동학농민군 진압하기 위해 인천 도착. 25. 동학교도 보은군 속리면 帳內에서 반봉건, 척왜양 요구하며 집회.
5월		11. 양호선무사 어윤중, 보은 장내에 가서 동학교도의 해산을 설득. 17. 동학교도, 보은집회 해산.

한일 관계	일본(明治 26)
17. 趙秉稷, 일본공사의 황해도방곡령 손해 배상액 상환을 반박. 25. 주한 일본공사 梶山鼎介에서 大石正己 로.	
1. 趙秉稷, 일본공사 大石正己에게 일본어 민의 어획물 몰수 배상청구액 중 50元 의 배상을 통고. 20. 일본공사 大石正己, 羅州·金海 지방의 방곡령 철폐, 몰수미곡의 상환요구. 28. 日本公使 大石正己, 趙秉稷에게 영국, 미국, 중국 등 과 같이 일본 商人의 가 옥, 상점소유를 인정 요청.	4. 取引所法 공포. 29. 寶田石油 설립.
9. 趙秉稷, 일본공사가 요구한 함경도 방 곡배상액 17만 5천여원에 대해 元利 47,575元이 적정액임을 통보. 10. 일본공사 大石, 趙秉稷 면담하고 함경 도 방곡령 손해배상액 거부. 27. 일본선박 억류로 인해 大豆 損失에 대 한 손해배상 요구하는 사건 발생.	22. 내각에 행정정리위원회 설치. 25. 法典調査會規則 공포.
11. 일본공사, 동학교도 진압 위해 군함 1 척 파견을 일본정부에 제기. 14. 일본공사, 趙秉稷에게 동학도의 동향을 조회하고 일상의 안전보장 요구. 17일 에는 동학도 처벌 요구. 22. 일본 참모차장 川上操六·육군소좌 田 村怡與造 등, 시찰 위해 부산도착.	22. 농상무성, 임시제철사업조사위원회 설 치.
4. 일본공사, 국왕 알현하고 함경도·황해 도 방곡령 배상안에 대한 답변 요청 / 고종알현사건에 대해 한국인 통역이 사형선고를 받음. 9. 趙秉稷, 일본공사가 함경도 방곡령 배	19. 주한공사 大石, 일본정부에 방곡령배상 문제를 해결하기 위해 조선에 군함을 파견하고, 세관을 점령하자는 강경책 을 주장. 22. 戰時大本營條例 공포.

6월	6. 원세개, 청국에 발주한 대포 8문과 소총 900정, 탄약이 천진에서 운송될 것임을 통보해옴. 30. 미국 공사 헤로드 부임.	6. 어윤중, 금구집회 해산 종용.
7월		26. 인천부 이교병민 수백명, 監理署 습격. 30. 방곡령사건 배상금 1차분 상환 위해 청으로부터 은 35,000원 차관.
8월	30. 淸 상해에 상무위원을 주재시키고 察理通商事務라 칭함.	5. 전라도 興陽縣 黃提島에서 일본어민 타살사건 범인체포를 명함. 18. 正言 安孝濟, 북관묘 무녀 眞靈君 처벌을 상소.
9월	23. 親軍武南營 설치.	21. 황해도 재령, 충청도 황간의 농민 봉기에 안핵사 김기수 파견. 26. 電報總局을 電郵總局으로 개칭.
10월	12. 미, 영, 불. 러 등 각국 대표, 알현 때 청국 공사에게만 궁정 내에서의 승마를 허가함에 반발, 參內를 거부.	4. 양호선무사 어윤중, 공무 집행 중 공정을 기하지 못했다는 죄로 연일현에 유배. * 미국인 에비슨, 국왕 典醫가 됨.
11월		3. 中林洞에 藥峴聖堂 준공(최초의 洋式 성당).
12월		23. 前縣監 金炘 등 개성부민 봉기. * 이해 시카고 박람회에 1,140달러 수공품 출품. * 최초의 전화기 도입. * 최초의 시계포, 서울 구리개에 개업(주인 李鍾愚).

상안으로 국왕 알현 요청하자 거절함. 14. 金思澈이 駐日公使에 임명됨. 18. 南廷哲, 일본공사와 함경도·황해도 방곡안과 포도청의 생삼 몰수안의 배상으로 銀 11만원 상환 협정.	23. 일 각의, 강경책을 버리고 원세개에게 알선을 부탁하기로 결정.
7. 주일공사 權在衡, 한일수호통상조약상의 치외법권 철폐에 관한 일본측과 교섭 성과 없었음을 보고.	
19. 일본, 주청특명전권공사 大鳥圭介가 駐朝鮮公使 겸임을 통보. 22. 閔泳敦, 일본상인 절영도 가건물 설치사건 문책.	
	12. 문부성, 「키미가요」를 국가로 제정.
28. 일본 특명전권공사 大鳥圭介 착임 (1894. 10. 17. 까지 재임).	
5. 국왕, 일본국특명전권공사 大鳥圭介 소견하고 국서를 받음. 18. 외무독판 남정철, 각 공사에게 1개월 후에 방곡령 실시 통보(일 공사 항의).	1. 대일본협회 설립, 대외강경론. 31. 文官任用令 공포.
6. 일본공사, 부산 원산 인천항의 양곡수출 금지조치를 받아들임.	7. 일본郵船, 봄베이 항로 개시(최초의 遠洋항로).
1. 부산, 원산에 방곡령 실시. 5. 일본공사, 부산·원산·인천항의 양미 수출 금지조처를 수락.	29. 大日本協會에 해산 명령. * 정부, 중의원 해산명령.

1894년 高宗 31	정 치	사회·경제·문화
1월		
2월		15. 전라도 고부군민, 전봉준의 지도 하에 古阜 관아 점령함(고부민란).
3월	25. 金玉均, 일본인 이름으로 변성해 神戶에서 상해로 향함. 28. 김옥균, 홍종우에게 암살당함.	21. 朴源明을 고부군수, 李容泰를 안핵 사에 임명.
4월	14. 정부, 청에서 들어온 김옥균 시신 에 다시 刑戮을 가함(일본측이 형 륙을 가하지 말것을 요청하였으 나 거부)	18. 고부 농민봉기 해산. 25. 농민군, 재차 봉기. 무장에서 창의 문 공포(농민전쟁 시작). 30. 전봉준, 백산에서 4대 강령 발표.
5월	6. 홍계훈 양호초토사에 임명. 21. 김학진 전라감사에 임명.	8. 농민군, 법성포에 통문을 돌려 吏 胥들의 참여를 호소. 11. 농민군, 황토현 전투 승리. 27. 농민군, 장성 황룡촌에서 홍계훈 의 京軍 대파. 31. 농민군, 전주 점령.
6월	1. 민영준이 고종의 내락을 받아 원 세개에게 借兵案을 제의. 2. 借兵案을 원세개에게 전달하고 이 를 시원임 대신 회의에서 논의. 5. 제독 葉志超, 清軍 1500명 이끌고 인천 도착. 7. 김가진과 유길준, 민영준의 청군 차병 규탄. 8. 清軍 선발대, 總兵 聶士成 인솔하 에 충청도 아산 상륙. 13. 정부, 袁世凱에게 청병 철수를 요 청.	8. 농민군 홍계훈에게 폐정개혁안 제 시. 9일에 휴전 제의. 10. 농민군과 정부군 사이에 전주화약 성립. 11. 농민군 전주성 철수. 14. 농민군 14개조의 폐정개혁안 제 시. 23. 농민군, 김학진에게 13개조 폐정 개혁안 요구. 김학진, 6개항의 수 습방안을 제시.

한일 관계	일본(明治 27)
4. 일본, 전환국에 1만 5천원 貸付.	
27. 한성부 거주 일본인 安達讓藏 등, 『한성신보』 간행.	6. 神官, 승려의 정치활동을 금지.
	1. 제3회 임시 총선거. 14. 전국取引所동맹회 설립.
24. 李逸稙, 權東壽 등, 일본에서 朴永孝를 암살하려다 일본 경찰에 체포됨.	6. 문부성, 고등사범학교규정을 공포. 13. 이민보호규칙 공포.
8. 일본임시대리공사 杉村, 청나라 세력 구축과 갑오농민 탄압 위해 군함 파견을 일본외무성에 요구. 21. 일본국, 순양함 쯔꾸시호를 군산에 파견 / 대리공사, 출병준비 제기.	26. 외국수출綿絲 海關稅면제법 공포. 31. 중의원, 내각 불신임안 가결.
8. 일본공사, 李鶴圭를 방문 일본이 조선에 군대파병함을 통고. 9. 趙秉稙, 일본공사에게 일본국의 군대파견 중지를 요청. 10. 일본공사 大鳥圭介, 호위병 400명, 대포 4문 인솔하고 서울 도착, 일본 해병대 500명, 인천 상륙. 11. 趙秉稙, 일본 호위병 철회를 일본공사에게 요구, 일본 거절. 12. 일본육군 혼성여단 선발대 800명, 인천 도착. 13. 청측의 요구로 원세개와 일본 大鳥圭介 간 철병문제 토의. 16. 일본 외무대신 陸奧, 주일청국공사에게 조선내정개혁안 전달. 23. 일본 대본영, 인천 대기중인 일본혼성여단 서울침입 명령과 대량부대 파견 명령. 25일 입경.	7. 주일청국공사 汪鳳藻, 일본외무대신에게 청국이 조선에 원군파병을 통고. 8. 일본 상비함대사령관 해군중장 伊東祐亨, 군함 松島. 千代田 2척 인솔하고 인천에 도착. 15. 일본 내각회의, 청나라와 협상이 파괴되는 경우에도 군대 철회할 수 없다는 방침을 결정 / 조선에 내정개혁을 추진시킬 대책 강구.

7월	9. 김학진 집강소 설치에 대한 수습 방안 제시. 13. 정부, 폐정개혁 위해 校正廳 설치. 17. 김학진, 농민군의 집강에 협조하라는 공문을 각 군현에 보냄. 23. 일본군 경복궁 점령, 민씨정권 축출하고 대원군 정권 수립 / 유배되었던 김윤식, 이도재 등 석방. 25. 韓淸通商各章程의 철폐를 일본공사 강요로 청에 통고. 27. 軍國機務處 설치, 총재관 金弘集(甲午更張 시작). 30. 군국기무처, 중앙관제 개혁안 및 사회제도 개혁안 의결 반포.	23. 내각 관보과, 『官報』 제1호 발행. 31. 開國紀元 사용(고종 31년=개국 503년).
8월	6. 김학진과 전봉준, 전주에서 일본군의 경복궁점령과 관련하여 논의. 12. 향회 설치에 관한 議案, 銓考局條例, 命令頒布式, 選擧條例 등 반포. 15. 新官制에 위해 제1차 金弘集 內閣 성립.	2. 안동에서 徐相轍 의병 봉기. 10. 조세금납화 법령 반포. 11. 은본위제의 新式貨幣發行章程, 度量衡器 제정. 한성부의 모든 家戶에 문패를 달게 함. 15. 농민군 전라도 남원에서 농민군 대회 개최. 28. 학무아문에서 소학교 교과서를 편찬하게 함.
9월	28. 警務使 李允用, 대원군 계열과 개화파 계열의 갈등에 연루되어 해임됨.	4. 대구 농민 수백명, 일본병과 충돌하여 본국인 6명 사상. 8. 경상도 永川郡에 농민봉기. 11. 천안에서 일본군 6명, 동학도에게 살해.

26. 일본공사 大鳥圭介, 국왕에게 내정개혁을 건의 / 일본외무대신, 주일청국공사에게 조선정부가 안정되기 전에 철병할 수 없다고 통고 28. 일본공사 大鳥圭介, 정부에 대해 청국의 종주권으로부터 이탈선언 요구.	
3. 일본공사, 趙秉稷에게 내정개혁안 5개조 제시하면서 조선의 내정개혁 강요함. 11. 내무독판 申正熙, 일본공사 大鳥圭介와 노인정에서 내정개혁안 협의. 15. 정부, 일본군의 철회 요구함. 16. 일본공사 大鳥 강요로 정부가 공문으로 내정개혁에 대한 회답, 공문에서 일본군 철수를 요구하고 개혁은 스스로 진행할 것임을 통보. 18. 일본공사 大鳥, 내정개혁 단독적으로 강제 실시하겠다고 통보. 23. 일본군 경복궁 침략. 24. 일본공사, 고종 강박하여 내정개혁안 접수시키고 선포케 함. 25. 일본군함 풍도 앞바다에서 청 군함 격침시킴(청일전쟁 시작).	16. 日英 新通商航海條約 조인(치외법권 철폐, 관세률 인상 등). 25. 아산 풍도에서 청일전쟁 발발. 29. 일본군 혼성여단장 大島義昌, 청국 聶士成부대와 成歡에서 접전, 청국군대를 격파하고 아산에 진격.
6. 일본에 망명했던 朴泳孝, 귀국함. 9. 주일공사, 金允植에게 일본의 대청선전을 통보해옴. 20. 일본과 韓日暫定合同條款 체결(경부, 경인철도 부설, 군사용 전신선확보 및 전라연해 1항구 개항 등 규정). 26. 金允植, 일본공사 大鳥圭介간에 朝日양국맹약(攻守同盟) 체결함.	1. 청, 조선에 대한 속방 보호와 일본군 축출을 골자로 한 선전포고문 발표.
15. 일본군 평양성 전투에서 청군에 승리. 19. 일공사, 내정개혁의 반성을 촉구하는 일본정부 명의의 공함을 보내옴. 26. 일공사, 金允植에게 일본병이 문경에서 농민군 약 600명과 접전사실 통보.	1. 중의원 총선거. 3. 일본국 西園寺公望을 聘問大使에 임명하여 서울에 파견. 12. 일본군 名古屋師團, 인천에 도착. 15. 일본군, 평양전투에서 승리.

		15. 罪人連坐律制度 폐지.
		16. 평양시민, 일본인들의 전승 방문을 찢어버림.
10월	16. 일본군, 농민군 진압을 위해 정부 협조 요청. 19. 金允植, 일공사가 요청한 동학도 토벌 위한 일본군 파견에 동의. 20. 전라감사 김학진 파면. 21. 홍주목사 이승우 전라감사 임명.	1. 東學農民軍, 日軍 축출을 위해 각지에서 재봉기함. 16. 동학농민군 삼례역에서 집결 / 최시형, 농민군과 연합하여 무력봉기할 것을 선포함. 27. 일본군, 하동·진천의 농민군 진압.
11월	6. 일본공사관, 동학교도 토벌 위해 일본군 파견을 통보. 18. 대원군, 정계 은퇴. 20. 井上馨, 2차 내정개혁안 20개조 제안. 21. 군국기무처 폐지하고 중추원 신설, 제2차 김홍집 내각 수립.	3. 동학군, 利川驛에 주둔한 1,600명의 정부군과 일본군을 격파. 9. 전봉준, 경군과 충청감영에 보내는 통문 발표. 13. 농민군, 노성 논산에 집결. 전봉준 충청감사 박제순에게 항일의병 참여 촉구. 15. 일본군, 안성·평택·아산 등지에서 농민군 진압. 18. 관군·일본군, 木川 細城山에서 동학농민군 패배시킴.
12월	9. 軍國機務處와 承政院을 폐지하고 中樞院을 설치함. 17. 제2차 金弘集 內閣이 성립됨(박영효 참여).	5. 농민군 우금치 전투에서 참패 뒤 후퇴. 9. 김개남이 이끄는 농민군, 전주로 진격하다 일본군에게 패퇴. 28. 전봉준, 순창 피노리에서 체포 서울로 압송. 29. 김개남, 태인에서 체포(전주감영에서 처형).

28. 외무대신 金允植, 일공사에게 각부 아문의 사무를 자문할 일본인 고문 파견을 요청.	17. 청국 북양함대와 일본 연합함대가 압록강 어구 大東溝 앞바다에서 충돌 대접전, 일본 승리.
5. 외무아문, 일본공사의 요청으로 경기·충청·경상도에 공문발송하여 일본 군용의 전선절단 엄금케 함. 11. 일본 西園寺의 내한 답례로 의화군 堈을 일본보빙사로 파견. 19. 일본공사 大鳥圭介, 일본국으로 귀임. 26. 신임 주한일본공사로 井上馨 부임함 (1895. 9. 까지 재임). 27. 일공사 井上馨, 김윤식에게 일본육군이 九連城 점령을 통보.	4. 일본병 16명, 청국인 체포 빙자하여 槐山郡衙 습격. 24. 일본군 제1군, 압록강 도하 개시.
12. 외무대신 金允植, 일공사에게 공주의 일본군 계속 주둔을 요청. 16. 金允植, 일공사 요청으로 일본군대 軍需專辦員 및 통역원 파견. 20. 井上 공사 내정개혁 요구. 29. 일공사, 동학군 심판에 일본영사 공심케 할 것을 요구.	8. 연합함대, 대련 점령. 12. 주일미국공사, 청의 요청으로 일본에 강화 조건을 제의. 21. 일본군, 청의 旅順 점령. 22. 청의 강화 제의 / 日米통상항해조약 조인.
3. 일본공사, 일본군대 철회 통고 8. 일본공사, 정부에 500만원 차관 제의 13. 일본공사관 서기관 杉村濬, 徐光範 등의 원직 회복을 요청 30. 주일공사에 이준용	

1895년 高宗 32	정 치	사회·경제·문화
1월	7. 홍범14조와 독립서고문 반포. 11. 의정부를 내각이라 개칭함. 12. 왕실의 존칭 主上殿下를 大君主陛下로 변경.	17. 일본군, 전남 우수영 진도농민군 진압. 19. 손병희의 북접부대 충주에서 해산. 20. 장흥지역 농민군 이방언 채포. 26. 김덕명 채포.
2월	11. 청국·미국유학 갔던 윤치호 귀국. 23. 인재를 등용함에 문벌과 지방에 구애받지 않고 능력있는 자를 추천하여 등용하게 함.	6. 일본군, 홍양지방 농민군 진압. 26. 학교 설립과 인재 양성에 관한 조칙 발표.
3월	29. 보부상 관리 관청인 商理局과 任房 혁파.	30. 경기도 포천에 농민봉기. * 迎恩門 毀撤(음 2).
4월	4. 내무아문, 사회·경제·정치 등 각 부문에 걸친 개혁조항 훈시. 18. 법무아문, 金鶴羽 등 요인 암살과 관련되어 반역음모죄로 이준용을 구속, 특별 법원을 설치하여 심문. 19. 裁判所構成法 포함, 行政과 司法이 최초로 분리됨. 26. 궁내부관제 반포.	6. 각종 환곡 명목을 社還이라 개칭 함. 7. 계동에 日語學堂 개설. 23. 全琫準, 손화중 등 동학농민군 지도자 처형. 24. 회계법 반포. 25. 유길준, 『西遊見聞』 발간(동경).
5월	18. 감옥서 설치령 반포. 23. 民·刑訴訟에 관한 규정, 경무청관제 반포.	1. 의주를 비롯한 서북지역에 콜레라 만연. 2. 덕수궁에 최초로 전등 사용. 6. 法部養成所 입학시험 실시(국문, 한문, 역사, 지지 등). 10. 한성사범학교 관제 반포.
6월	6. 창덕궁 후원에서 獨立慶祝園遊會를 개설하고 내외국 귀빈 초대. 15. 운산금광 광업권을 미국인 모스에	2. 외국어학교 관제 반포. 14. 부산 開城學校 설립(부산상업고등학교의 전신).

한일 관계	일본(明治 28)
12. 일본공사 井上, 일본고문 50여명 정부 요직에 배치, 내정개혁 단행.	
13. 일본공사, 조선 정부 통치 회유책으로 500만원 차관을 외무상에게 제기. 23. 金允植, 일공사에게 신군제 편성을 위한 일본인고문 요청 수락. 27. 일본, 관세 담보로 300만원 대부.	2. 연합함대 威海衛 점령. 12. 청의 북양함대 사령관 정여창, 일본 함대에 항복.
1. 金允植, 일공사에게 일본군대가 차용한 公錢 1만 2천 5백 45냥의 상환요구. 23. 정부, 三井物産과 홍삼위탁판매계약 체결. 30. 정부(魚允中), 일본은행과 300만원 차관 조약 체결.	20. 청 이홍장과 일본의 伊藤博文, 시모노세키에서 강화 회담.
4. 일공사 요청으로 경인지역 일본인 어류공급 위해 포어선 30척을 배가함. 11. 金允植, 본국유학생 100명의 일본유학 시에 중도 지체 금지를 지시. 19. 金允植, 일공사에게 일본군대 일부잔류를 요청.	17. 일본, 청국과 시모노세끼강화조약 체결. 23. 독·프·러시아, 일본에 요동반도 청에 돌려줄 것을 요청(삼국간섭).
3. 미·영·독·러 공사, 인천항 일본조계 확장 및 철도 전신공사에 항의. 24. 농상공부주사 손영길, 李允景 등, 일본 박람회 시찰 위해 일본에 파견 / 일어 학교 학생 및 각 도의 청년 28명, 일본 동경 慶應義塾에서 유학하게 함.	4. 일본 내각회의에서 요동반도 포기를 결정. 25. 대만 인민 반란.
4. 金允植, 작년 수원부에서 일본군이 차용한 미곡대금 상환을 일공사에 요구. 15. 金允植, 일본공사에게 일본인의 울릉도	7. 臺北 점령. 8. 일·러 통상항해 조약 조인.

	게 허가. 21. 지방제도 개정으로 전국 23부 관찰사 임명. 27. 朴定陽 신임총리대신에 임명됨.	18. 인천항에 일어학교 분교 설립.
7월	2. 개항장재판소와 지방재판소 개설에 관한 건 반포. 6. 국왕, 왕비 암살 음모 혐의로 박영효 체포를 명함. 7일 박영효·이규완·신응희 등 일본망명.	4. 검역규칙 반포. 6. 虎例刺病 예방규칙 반포. 18. 社還條例 반포, 국내 우편규칙 반포, 우체사 관제 반포. 22. 한성·인천 우편사업 재개.
8월	5. 법률기초위원회, 형법, 민법, 상법, 소송법 등의 법률을 기초하게 함. 24. 제3차 金弘集 內閣이 성립.	21. 성균관 관제 반포.
9월		7. 소학교령 반포. 10. 金元喬, 祥原에서 의병을 일으킴. 11. 한성사범학교 및 부속소학교 규칙. 16. 한성부 내 관립소학교 설치 구역과 개학 일시 광고.
10월	1. 민비일파, 친일파 제거하고 친러·친미파들로 내각성원 교체. 8. 일본낭인 경복궁에 난입하여 명성황후 시해(乙未事變). 왕비를 폐하여 庶人으로 한다는 조칙 발표. 10. 시위대를 훈련대에 이속 편입함.	22. 각군 세무장정, 세무시찰관장정 등 반포. 26. 태양력 사용하기로 하고 음력 1895. 11. 17을 양력 1896. 1. 1로 하기로 함.
11월	26. 왕후 민씨를 복위시킴. 28. 春生門事件(친러·친미파의 李範晉 등이 국왕을 移御하고 김홍집 내각을 타도하려다가 실패).	15. 종을 쳐서 통행금지 해제 및 시간을 알리던 제도를 폐지. 정오와 자정에만 종을 치기로 함. 23. 종두 규칙 반포.
12월	25. 상무회의소 규칙 반포. 28. 왕후시해사건 관련자 이주회, 박선 등 교수형 선고. 30. 斷髮令을 단행함. 춘생문 사건 관련자(임최수, 이도철 등) 사형.	1. 濠洲宣敎會에서 一新女學校 설립(동래여자중고등학교의 전신). 18. 鄕約辦務規程 및 鄕會條規 발표.

난입사건 엄금 요구. 19. 일본대리공사 杉村濬, 청국에 파견한 　　한국경하사 일행 도착사실 추궁.	
24. 전 일본육군중장 三浦梧樓, 駐箚朝鮮特 　　命全權公使에 임명됨. 9.1 부임.	
27. 金允植, 일본공사에게 毛瑟槍彈丸 30만 　　개 구매해 줄 것을 촉탁.	6. 육군성, 대만총독부조례 제정.
11. 일본공사 三浦, 청일전쟁시에 일본군대 　　가 차용한 2,085圓의 청산 통고. 16. 李載純, 특파대사에 임명 일본에 파견.	22. 구세군 일본지부 발족.
4. 李載純, 일본 보빙사로 파견. 10. 일본국, 왕비시해사건 조사차 일본외무 　　상 정무국장 小村壽太郎 파견. 18. 李埈鎔, 일본유학 명함. 19. 乙未事變을 주도한 군부고문 일본인 岡 　　本柳之助·柴四郎 외 30명, 왕비시해 　　사건과 관련 退韓 명령이 내려짐. 31. 일본위문대사 井上馨, 서울에 도착.	13. 無斷朝鮮渡航 금지령 반포. 17. 민비시해의 주범 三浦梧樓의 소환귀국 　　을 명함 / 小村壽太郎을 주한관리공사 　　에 임명. 24. 을미사변 주모자 楠瀬中佐, 구속되어 　　일본廣島헌병대에 송치. 26일에는 전 　　일본공사 三浦梧樓 등 4명, 일본국에 　　의해 음모죄로 구속(1896. 1. 21 증거불 　　충분으로 무죄 석방).
	8. 요동반도還付條約·付屬議定書에 조인 　　(보상금 3000만엔). 30. 일본 郵船, 유럽정기항로 개시 결정.
26. 李埈鎔, 왕명으로 일본유학.	7. 日本精糖 설립.

1896년 建陽 1	정　치	사회·경제·문화
1월	1. 건양연호·태양력 사용. 서재필 미국에서 12년만에 귀국. 8. 神武門 밖에서 관병식 거행.	2. 내부대신 유길준, 단발 이행 훈시. 7. 노응규, 안의에서 의병을 일으킴. 11. 국왕, 단발령 이행을 강조하는 조칙 / 무관학교관제 반포. 김윤식 등, 建陽協會 결성. 17. 김복한·김도화, 각각 홍주·안동에서 의병 봉기. 20. 이소응, 춘천에서 의병 봉기. 30. 민용호, 강릉에서 의병 봉기.
2월	11. 이범진·이완용 등 親露派, 고종 및 왕세자를 貞洞 露公使館으로 移禦케함(俄館播遷). 총리대신 김홍집, 농상공대신 鄭秉夏 군중에게 피살. 유길준 등 일본 망명. 13. 국왕, 政勢 安定後 還御한다 포고. 16. 국왕, 更張의 계속을 선언. 17. 魚允中, 龍仁에서 群衆에게 被殺. 23. 국왕, 을미사변, 춘생문사건 관계자의 재판의 불공정 시정 지시. 25. 主事 尹孝定, 民心 安定을 위해 환어할 것을 상소.	3. 전환국 관제 반포 / 유인석, 제천 창의대장에 추대. 15. 日本東京에서 유학생들이 最初의 雜紙인 『親睦會會報』를 創刊. 18. 내부대신 박정양, 단발이 강제가 아님을 알림. 의병 해산을 권유. 국왕, 의병 해산권유 조칙 반포. 28. 利川義兵, 南漢山城 점령.
3월	4. 親衛隊 2개 大隊增設에 관한 件 공포. 29. 미국인 모스, 京仁鐵道 敷設權을 얻음.	9. 金昌洙(金九), 治下浦에서 王后殺害 보복으로 陸軍中尉 土田讓亮을 살해.
4월	1. 러시아 特命全權公使 閔泳煥, 尹致昊 등과 러시아로 출발. 17. 미국인 모스, 雲山金鑛 採掘權 얻음. 후에 그 권리를 동양합동광업회사에 양도. 19. 세무시찰관장정 폐지. 지세·호포전 수납 군수와 관찰사 담당케 함. 22. 러시아인 니시켄스키, 咸鏡道 慶源·鍾城의 金鑛採掘權을 얻음.	1. 賊盜處斷例 반포. 7. 서재필, 한글·영문판 『독립신문』 창간. 17. 관립 러시아어 학교 개교. 20. 藥峴 천주교당에서 처음으로 한국인 신부 임명.

한일 관계	일본(明治 29)
3. 외부대신 金允植, 일본판리공사 小村壽太郎에게 친위대, 진위대 양성을 위한 일본인 교관 24명 초청 의뢰 25. 조선에 일본헌병대 창설(1903.12 한국주차헌병대로 개칭)	17. 전국신문기자동맹대회 개최.
1. 김가진, 주일공사 부임. 18. 외부대신 李完用, 일본판리공사 小村壽太郎에게 임시 주둔소 반환을 요청. 25. 일본외무상대리 西園寺, 짜르러시아공사와 조선주재공사에게 조선문제에 관한 러일협상 기본방침을 지시(고종을 왕궁에 돌려보낼 것, 러일 양국이 새정부 조직할 경우 민비살해사건 가담자 극형에 처하지 말 것 등).	
2. 정부, 日本公使에게 三軍府의 返還과 義兵鎭壓을 위해 各處에 派遣된 日兵의 撤收를 요청. 30. 정부, 日本公使에게 開城·漢城間 線路 및 北路全線(京元間)의 早速返還 요구.	1. 진보당 결성. 24. 造船獎勵法·항해장려법 공포. 30. 면화, 羊毛 수입세 면제. 31. 拓植務省 설치. 대만총독부 조례 공포.
2. 日本軍, 安東部에 放火(民家 1千餘戶 燒却).	8. 이민보호법 공포. 20. 日本勸業銀行法·農工銀行法·은행합병법 공포.

5월	1. 金炳始, 國王의 俄館으로부터의 還御를 上訴로 청함. 20. 閔泳煥, 러시아 外相 로바노프와 會談(經濟軍事援助 등 5개項).	22. 미국 공사로부터 테네시 박람회 초청 받음.
6월	1. 경의철도 부설권과 1개처의 광산 채굴권 허가를 프랑스측에 통보. 16. 조선은행창립발기회 개최.	
7월	3. 프랑스인 그리유에게 경의철도 부설권 허가. 15. 國內鐵道規筋公布施行.	2. 독립협회 결성. 23. 전보사관제 반포. 31. 학부, 銅峴·安洞에 각각 관립소학교 설립.
8월	4. 1895년에 반포된 지방제도와 지방관제 및 관련 제반 칙령 폐지(23부를 13도제로). 7. 각 개항장 知事署를 폐지. 監理를 복설하는 관제와 규칙 반포. 10. 각 개항장의 경무서 설치 반포. 26. 충주·홍주·상주·원주에 지방대 설치령 반포.	11. 정부에서 징수하는 세 이외의 각종 잡세를 혁파하라는 조직 반포. 17. 淸露銀行員 포코틸로프 등 財政實態 調査차 來韓.
9월	24. 내각을 폐지하고 다시 의정부제도로 환원. 의정원 관제 공포.	1. 호구조사규칙 반포. 9. 러시아에 茂山, 압록강 유역과 울릉도 삼림 채벌 및 養木權 허가. 17. 지방공립소학교 위치령 반포.
10월	21. 러시아特命全權公使 閔泳煥, 歸國하여 國王과 러시아 事情을 問答 24. 러시아 푸티아타 大領, 來韓.	
11월	1. 韓露密約作成. 15. 재정결핍으로 1년 동안 外國人에게 鐵道敷設을 不許할 것을 선포.	21. 독립협회, 독립문 정초식 거행. 30. 독립협회, 『大朝鮮獨立協會會報』월2회 발간 결의.
12월		

12. 日人, 京釜鐵道 株式會社 創立發起人會를 構成하고 政府에 京釜鐵道敷設權 청구.	14. 日本公使 小村壽太郎과 露公使 웨버, 覺書에 조인.
	3. 李鴻章과 로바노프·비테 間에 條約調印(淸露密約). 日本의 攻擊에 大韓 共同 防衛를 密約. 9. 로바노프·山縣有朋, 모스크바에서 協定에 조인.
7. 신임일본공사 原敬 부임. 23. 독립신문, 서울 거류 일본인수가 1,075 名임을 보도.	21. 일·청 통상항해조약 조인.
10. 京釜線 鐵道敷設을 日人 實業者委員2名에게 許可해줄 것을 일본측이 요청. 18. 러시아공사, 정부에 仁川月尾島 南端. 租借 결약서 제출.	
	8. 日蘭通商航海條約 조인. 18. 제2차 松方내각 성립.
4. 日本公使 原敬 귀국하고 加藤增雄이 대리공사가 됨.	14. 육군중장 乃木希典, 대만총독에 취임. 19. 제1회 農商工高等會議 개최.
	18. 고등교육회의규칙 공포.

1897년 光武 1	정 치	사회·경제·문화
1월	7. 의정부, 민비 시호를 文成으로, 능호를 洪陵으로 함. 11. 국왕즉위기념일 1.15을 慶興節로 함 / 민명환 유럽파견 특명전권공사에 임명. 31. 韓耆會, 李根鎔 등, 국왕의 환궁 강행음모로 濟州道 流配 15년.	7. 『대조선독립협회회보』 제2호 간행.
2월	20. 國王, 러시아 公使館으로부터 慶運宮으로 옮김. 28. 민명환을 영국 빅토리아여왕 즉위 60주년 행사에 참석케 함.	2. 아펜젤러, 교회 신문 『조선그리스도인회보』 창간. 19. 김종한 등 한성은행(현 조흥은행 전신) 발기. 1903. 12 영업개시.
3월	2. 민비 시호를 明成으로 바꾸어 올림. 23. 중추원에 校典所 설치.	16. 민상호, 만국우편회의 대표로 워싱턴으로 출발.
4월	7. 러시아公使, 淸國의 朝淸電線條約 草案의 수정을 재차 정부에 요구.	1. H. G. 언더우드. 『그리스도 신문』 창간(주간). 6. 러시아公使, 端川·三水鑛山 採掘 許可를 外部에 要請(삼수鑛山만 許可키로 함).
5월		1. 관립漢語학교 설립. 8. 美國모스會社와 京仁鐵道讓受結約 조인. 23. 독립협회, 慕華館을 개수하여 협회 사무실로 사용(독립관).
6월	3. 史禮所 설치.	
7월	16. 정부 대신을 제거하고 조정을 장악하려던 宋鎭用, 洪顯哲을 처형. 17. 美國公使代理 알렌, 公使로 승진. 19. 獨逸東洋艦隊 디아드리크스, 士官 20餘名을 引率하고 궁궐 견학. 28. 軍隊敎鍊敎師로 招聘한 러시아 군인 13명 입국함.	3. 政府, 木浦와 鎭南浦를 開港키로 決定(10.1. 개항).

한일 관계	일본(明治 30)
5. 日本佛敎 淨土宗 傳來.	
	26. 대만총독부, 특별회계법 공포.
9. 일본, 小村壽太郎・베베르 覺書와 山縣 有朋・로마노프 議定書 傳達. 政府, 자주권 침해라고 항의.	24. 신문지조례 개정 공포. 29. 금본위제 확립, 화폐법 공포. 관세정율법 공포.
14. 日本銀行借款金 3백만원 중(1897.3.借款) 1백만원 상환을 통고.	1. 전염병예방법 공포(국내방역제도 완성). 2. 원양어업장려법 공포.
4. 京仁鐵道引受組合(日人) 발족. 15. 日本公使, 咸鏡道 鍾城의 防穀令撤回를 요청.	29. 北海道에 區制, 1・2級町村制 공포.
1. 日本公使, 全羅道 地方 防穀令撤回를 요청.	15. 萬國郵便條約에 조인. 22. 제국대학을 동경제국대학으로 개칭, 경도제국대학 신설.
	4. 職工義友會를 母體로한 노동조합기성회 결성.

8월	14. 年號를 光武라고 고침(8.16.시행) / 前 駐美公使 徐光範, 美國에서 죽음.	12. 斷髮令 取消. 13. 독립협회 주최 개국505주년 기원절 기념식을 독립관에서 거행. 18. 政府, 美國公使에게 美國 오마하市에서 開催되는 國際博覽會에 參席 않을 것을 通告. 29. 독립협회 제1회 토론회(주제: 조선의 급선무는 교육).	
9월	2. 러시아公使 스페이에르 부임. 6. 러시아군인 14명을 軍士顧問으로 하여 새로 軍隊를 編成. 29. 金在顯 등 상하관료 716명 帝位에 오를 것을 상소.		
10월	1. 舊南別宮에 원구단을 築造케 함. 3. 국왕, 황제에 즉위하라는 대신들의 의견에 따를 것을 선포. 11. 국호를 大韓帝國으로 결정. 12. 皇帝卽位式. 園丘壇에서 거행. 王后를 皇后, 王太子를 皇太子로. 14. 政府, 皇帝卽位와 國號를 大韓帝國으로 개정했음을 각국 대표에게 통보. 20. 황태자 垠 출생(궁인 엄씨 소생) 25. 정부, 러시아人 알렉시예프를 財政顧問 兼 해관총세무사에 任命하고 브라운을 解雇.	2. 부보상의 상무사 복설. 10. 미국 장로회 선교사 베어드, 평양에 숭실학교 설립.	
11월	7. 度支部대신 朴定陽, 러시아人 알렉시예프를 財政顧問에 초빙한 것에 반발 사임.	4. 獨逸商業使節團 입경. 21. 明成皇后 國葬擧行.	
12월	20. 金允植·李承五, 乙未事變 관련혐의로 제주로 終身流配.. 27. 總稅務士 브라운의 解雇를 抗議하기 위하여 벌트 提督 인솔로 英國 軍艦 8척, 인천에 입항.	2. 皇帝卽位日인 10월12일을 繼天紀元節로 정함. 6. 漢城·全州間의 전신개통. 13. 정부, 중추원 고문 서재필 해고를 미국 공사에 통고. 24. 손병희, 동학의 제3대 교주가 됨. 31. 美國의 스탠다드 석유회사, 인천 月尾島에 석유탱크 건립.	

20. 오세창, 東京商業學校 附屬 外國語學校 韓語敎師로 도일.	2. 일본 권업은행 개업.
	1. 拓植務省 폐지.
16. 美·日·獨·露·佛 등 各國代表와 木浦·鎭南浦居留地規則 조인.	17. 大阪港 築港 기공.
13. 정부, 일본은행 借款金 3백만원 중 2次分 1백만원 상환.	
1. 京仁鐵道 資金難에 빠져 日本正金銀行에 저당(1899.1.31.일본인 회사 소유권 획득. 사장 澁澤榮一). 4. 일본공사, 충청도 각지의 防穀令撤回를 요구. 政府, 철회를 통고.	25. 중의원, 내각 불신임결의안 상정 / 중의원 해산 명령.

1898년 光武 2	정 치	사회 · 경제 · 문화
1월	12. 採鑛權 · 鐵道敷設權을 외국인에게 許可치 않겠다는 勅令 반포. 14. 경흥감리에게 러시아人의 豆滿江邊 경흥간 電線架設 企圖를 막으라고 지시.	18. 외국인 콜브란 · 보스트위크, 漢城電氣會社 설립. 電氣鐵道 · 電燈 · 水道 · 電話敷設權 계약체결. 26. 협성회 회원, 최초의 일간지 『매일신문』 허가 받음(4.9 창간). 28. 궐내에 전화 설치 (각 아문 및 인천 감리와 통화).
2월	6. 러시아, 絶影島의 購買를 申請. 22. 獨立協會, 러시아의 干涉에 의해 軍士 · 재정 · 인사 등 國權이 침해된데 大韓 외인배척운동전개. 英國總領事館, 공사관으로 승격. 25. 外部, 釜山絶影島 租借를 러시아에 허가.	9. 만민공동회 개회. 러시아의 한로은행, 재정, 군사고문 비판. 22. 흥선대원군 사망. 27. 독립협회 임원 개편(회장 이완용).
3월	1. 한성 새문안에 韓露銀行 설치. 2. 外部大臣 李道宰, 絶影島를 러시아에 租借해준 外部大臣署理 閔種默의 처사에 反對하고 辭職. 10. 獨立協會, 鐘路에서 萬民共同會를 열고 러시아세력의 排斥을 결의. 12. 러시아 公使에게 러시아 軍人의 敎官과 顧問의 解任을 통보. 21. 獨立協會員 135명, 러시아의 絶影島 租借를 반대하는 上訴.	
4월	24. 미국공사 알렌, 외부대신에게 美西戰爭 통보. 28. 政府, 美西戰爭에 中立을 선언.	
5월		29. 서울 종현(명동) 성당 낙성식.
6월	10. 親衛騎兵隊 창설. 23. 전국 43개 군의 광산을 궁내부에 이속시킴.	3. 外部, 許可한 釜山 絶影島 外國居留地 取扱을 留保한다고 發表. 16. 尹致昊, 독립협회 회장이 됨.

한일 관계	일본(明治 31)
	12. 제3차 伊藤내각 성립. 20. 元帥府 설치. 22. 교육총감부 설치.
	1. 청국, 배상금 지불의 연기를 요구하였 으나 일본정부, 이를 거절함. 24. 일본철도회사 동맹 파업.
19. 日外相, 露公使에게 滿韓交涉을 通告 / 度支部, 日本銀錢의 통용을 폐지.	15. 중의원 총선거.
25. 日 외상 西德二郞과 러시아 공사 로젠, 韓國에 관한 議定書에 조인(니시-로젠 협정).	5. 일본철도 矯正會 결성.
26. 일본의 요구로 성진·群山·마산의 開 港과 平壤을 開始場으로 할 것을 정하 고 絶影島의 各國租界도 정함.	7. 청국, 일청전쟁의 배상금 지불을 완료.
	22. 자유당, 진보당 합동하여 헌정당으로 결합. 30. 최초의 정당내각, 大隈重信내각 성립.

7월	6. 양지아문 직원 및 업무규정 반포. 鐵道司관제 반포. 대한철도회사, 경의철도 부설권 획득. 9. 大韓靑年愛國會의 투서로 廢王陰謀嫌疑 발각됨. 內部大臣 朴定陽과 宮內部特進官 閔泳駿 등이 逮捕되고 안경수는 일본으로 망명. 19. 외국공사관 근무의 통역은 한국인이 할 수 없도록 함.	1. 『독립신문』 일간으로 발행. 7. 보부상들, 황국협회 창립. 18. 동학교주 최시형 교수형 선고. 21. 동학교주 최시형(1827~1898) 사형당함. 27. 화폐제도를 금본위제로 개정함.
8월		8. 『제국신문』 창간. 13. 1896년에 편찬한 『法規類編』 석간.
9월	11. 金鴻陸 毒茶事件 발생. 15. 外部顧問 그레이트 하우스, 皇室保護를 위해 外人部隊 30명을 이끌고 들어옴.	5. 장지연, 남궁억 등, 『대한황성신문』 인수하여 『황성신문』으로 간행.
10월		2. 배화학당 설립. 11. 독립협회와 황국중앙총상회, 심순택, 신기선 등 7대신 성토하는 상소 올리고 연좌 농성. 17. 서대문·홍릉 간 단선전차 궤도 부설공사 기공. 29. 관민공동회, 헌의6조 상주.
11월	2. 중추원 관제 공고.	3. 政府, 萬國郵便協約 비준. 4. 독립협회 해산을 명령. 독립협회 지도자 검거. 5. 만민공동회 독립협회 해산과 지도자 체포 항의 집회. 21. 황국협회, 보부상 수천 명을 불러들여 만민공동회 습격. 22. 독립협회 복설 허가. 24. 민영환 등 興化學校 설립.
12월		23. 계속되는 만민공동회를 군대를 동원하여 탄압하고 25일 민회 해산을 명령.

12. 仁川駐在 日本領事官, 日本圓銀의 통용을 공포.	1. 山口은행 설립 / 일본미술원 창립 취지 발표.
30. 日本公使 加藤增雄 歸國, 伊藤博文 京釜鐵道敷設許可 지원을 위해 내한.	10. 제6회 임시총선거. 31. 대만총독부, 항일투쟁을 탄압하기 위한 연좌제로 保甲條例 제정.
8. 韓日間 京釜鐵道條約締結, 일본인 佐佐木淸에게 부설권허가.	
	1. 東京, 京都, 大阪 3개 시의 특례를 폐지하고 일반 市制를 시행. 7. 사회주의연구회 결성.
	3. 憲政本黨 결성. 8. 제2차 山縣내각 성립.
	28. 酒造稅 개정 공포. 30. 지조조례 개정.

1899년 光武 3	정 치	사회 · 경제 · 문화
1월	1. 宋秉稷, 全秉薫, 鄭煥直 등, 독립협 회 폐지를 상소. 14. 청국과 通商條約事宜를 議訂하기 위해 박제순을 전권대신에 임명. 30. 한청통상조약 의정차 청국전권대 사 徐壽朋 내한.	20. 황국협회, 『時事叢報』 창간. 23. 여성단체 찬야회 발족. 30. 대한천일은행(후에 상업은행- 우 리은행) 창립.
2월		1. 전북 홍덕에서 농민봉기. 24. 전주 · 임피군 등지에서 均田 문제 로 농민봉기. * 제주도 농민봉기(房聖七亂).
3월	15. 주미공사에 민영환, 주러 · 불 공 사에 이범진 임명. 29. 러시아 케이제를링과 울산 등지의 포경권 허가.	7. 濟生醫院(종합병원으로 산부인과, 소아과, 내과, 안과 등) 진료 시작. 24. 의학교관제 반포. 28. 官立醫學校 설립(교장 池錫永). 31. 영국공사 J.N.조오단, 1901년도 글 래스고우 만국박람회에 한국의 출품을 요청.
4월		4. 중학교관제 반포. 12. 관공립학교 교원 서임시 시험규칙 반포. 14. 商務會社, 한글 『商務會社』 창간. 27. 유교 진흥에 관한 조서 반포. 학교 교육 진흥에 대한 조서 반포. 29. 訓鍊院, 각 외국어 학교 연합 대운 동회 개최.
5월	22. 창원, 성진, 옥구, 평양에 재판소 설치. 30. 재판소구성법 개정 공포(재판소를 지방, 한성 및 각 개항장, 순회, 평 리원(고등재판소), 특별법원의 5 종으로 구분).	4. 한성전기회사, 서대문 · 청량리간 전차궤도 완공으로 시운전 행함. 17일에 개통식. 13. 상무소를 상무회사로 개칭. 15. 경인철도회사 설립. 19. 鄭翼西 등 英學黨, 斥洋排日을 주 장하며 古阜, 興德 등지에서 봉기. 31. 보부상 수천명, 노량진에 집결하 여 혜상국 복설을 요청.

한일 관계	일본(明治 32)
31. 일본 경인철도 인수 조합, 미국인 모스로부터 180만원에 경인철도부설권 인수.	
	13. 소득세법 공포. 14. 해항검역법 공포. 23. 철도국유조사회규칙 공포. 24. 부동산등기법 공포.
15. 주일공사에 金錫圭.	2. 특허법, 意匠法, 상표법 공포. 8. 선박법·선원법 공포. 16. 國籍法 공포. 28. 문관임용령 개정.
	6. 비료취체법 공포. 20. 外債모집에 관한 법 공포.
9. 주일공사에 李夏榮 임명. 24. 仁川, 元山, 木浦, 鎭南浦 등 각 海關에 氣象觀測器를 設置하고 日本과 氣象通報를 交換키로 함.	

6월	8. 신기선·조병식 등의 대신 자택에 폭발물 투척 사건 발생(9일에도 발생). 21. 정부대신 집에 폭탄을 투척했던 高永根, 崔廷植 등 日本으로 망명. 22. 元師府 관제 반포. 23. 校正所를 설치하여 일정한 법규를 의론하여 제정하게 함.	1. 영국인 엠벌린, 『독립신문』 사장에 취임. 5. 궁내부 철도용달회사 설립. 8. 在日韓國留學生 親睦會, 帝國靑年會로 개칭. 11. 국내철도용달회사(박기종)에 경성, 원산, 경흥간 철도부설권 허가. 24. 상공학교 관제 반포.
7월	4. 表勳院 관제 공포 시행. 27. 독립협회 회원 崔廷植을 교수형, 李承晚을 종신형에 처함.	3. 프랑스인 그리유에게 허가한 경의철도 부설권, 계약기간 내에 착공하지 않아 취소. 7. 호구조사규칙 개정 공포. 8. 경의철도부설권, 대한철도회사(박기종)에게 허가.
8월	3. 朝臣의 복장을 개정키로 함. 17. 大韓國國制 반포.	16. 창원항에 우체사 설치 / 전염병예방규칙 반포 / 박기종에게 허가한 경의철도 부설권 취소(일본 방해). 23. 평안북도 각 군에 폭우 / 콜레라 예방규칙 공포. 25. 장티푸스 예방규칙 공포. 30. 발진티푸스 예방규칙 공포.
9월	11. 韓淸通商條約 締結(淸國과 對等한 입장에서 맺은 最初의 조약. 12.14. 批准).	6. 천연두 예방규칙 반포. 12. 해주부·함흥부 전보사 설치. 18. 인천·노량진 간 철도 33.2km 완성(한국 최초의 철도). 27. 영국상회에 은산금광 채굴권 허가.
10월	10. 駐韓 各國公使와 馬山, 群山, 淸津의 居留地規則 조인.	2. 한성의학교 개교.
11월	12. 사도세자 추존 의절을 행함(12. 7에 묘호를 莊祖).	10. 搭印社에서 澁江保 저 『波蘭末年戰史』 발간.
12월	14. 한청통상조약 비준 교환. 15. 울릉도 개척 상황을 조사하기 위해 시찰위원 파견 결정.	4. 『독립신문』 폐간. 29. 인천에 英美연초공장 준공, 생산 개시.

1. 駐韓日本公使 加藤增雄, 對러시아정책의 실패로 해임. 前仁川領使 林權助가 공사에 임명됨.	9. 농회법 공포. 13. 保皇會 결성. 20. 최초의 일본 제작 영화 공개.
	5. 제국당 결성. 7. 개정조약 실시(외국인 내지잡거 허가 및 법권·세권 회복).
	3. 사립학교령 공포.
	22. 臨時緯度觀測所를 岩手縣에 설치. 26. 대만은행 개업.
16. 醫學校 화학 교과서 번역을 위해 일인 麻川松次郎 고빙.	20. 小學校敎育費國庫補助法 공포.
30. 忠淸道 각 郡守 防穀令 발포.	11. 도서관령 공포.
29. 일본제일은행 인천지점 준공.	6. 보통선거동맹회, 松本에서 제1회대회 개최.

1900년 光武 4	정 치	사회 · 경제 · 문화
1월	1. 萬國郵便聯盟에 가입. 7. 李裕寅 上訴, 乙未弒逆輩의 복수를 청하고 儒敎를 바로 세울 것 등 時務 15條를 논함. 15. 전 미국공사관 서기관 샌즈, 궁내부 贊議官에 임명 / 민영환, 법규 교정소 부총재에 임명됨. 23. 城津府와 吉州郡을 통합하여 吉城府 설치하는 건 반포.	16. 閔泳瓚, 파리 萬國博物會部員에 任命되어 파리로 감. 19. 우편국, 최초의 외국 우편물로 미국 외교문서 우송 / 원수부 무관학교 제1회 졸업식 거행.
2월	8. 李容翊 등 逮捕됨. 24. 宮內部贊議官 美國인 샌즈에게 外部事務를 署理케 함.	7. 관립 외국어학교와 의학교 학생 모집을 공고. 12. 경부철도주식회사 발기인 총회.
3월	23. 통신원관제 반포. 28. 英國下院議員 모르건, 駐런던韓國 名譽總領事에 임명됨.	2. 충청남도 洪州, 連山 등지에 활빈당 1,000여명 출몰. 30. 러시아에 馬山浦 租借를 許容(거제도條約) / 영국인 멀덕과 헤이의 殷山광산 채굴허가.
4월	1. 新任 독일 署理公使 바이파트 赴任. 10. 馬山浦를 러시아 特別居留地로 分割. 28. 프랑스人 크레마지, 法部顧問에 임명됨.	9. 활빈당 1,000여명, 충북의 延豊과 槐山 경북의 문경 등지에 출몰. 10. 한성전기회사, 처음으로 종로에 전등(가로등) 3개 시설. 14. 사립학교 규칙 반포
5월	16. 함경북도 吉城府폐지, 城津府복설 / 경남 고성관내 전 통제영구역에 鎭南郡 설치. 17. 平理院, 황제 양위 운동을 한 안경수, 권형진에 사형선고. 당일 집행.	
6월	12. 警部 관제(전문 46조) 반포. 30. 의화단 습격에 대비하여 평안북도, 함경남북도에 진위대 설치.	16. 영국 王立亞細亞協會 지부 서울에 설치.
7월	21. 원수부 회계총국장 민영환, 군법교정총재에 임명. 25. 지방대 鎭衛隊로 통일.	25. 우체사관제 반포, 전보사관제반포.

한일 관계	일본(明治 33)
17. 일본의 朝鮮流民 救還費用으로 1,200圓 35錢을 예비금에서 지출.	24. 대만총독부, 신문지조례 공포. 28. 사회주의협회 발족.
5. 日人이 설립한 日語學校 현황발표. 14. 日本遠洋漁業會社에 慶尙道·江原道·咸鏡道 海域의 捕鯨權을 허가.	12. 農會令 공포.
	7. 미성년자喫煙금지법 공포. 10. 일본, 치안경찰법 반포. 29. 衆議院議員選擧法 개정 공포.
9. 漢城判尹과 日本人 사이에 南大門停車場用地 貸與協約締結. 11. 馬山浦의 釜山日本領事館 分館을 廢止, 領事館 신설.	1. 『明星』 창간. 24. 동경주식시장 대폭락.
	1. 일본, 동경에 전차 운전 개시. 19. 육군성·해군성관제 개정(軍部大臣現役式官制확립).
16. 진고개의 日人商街에 最初의 민간전등 설치.	15. 일본 내각, 의화단 진압을 위해 1개 사단을 증파하기로 결정. 25. 청의 太沽에 상륙.
5. 한강철교 준공. 8. 경인철도 완전개통.	14. 일본군 천진 점령.

8월	1. 中樞院議事規則 반포. 2. 민영환, 헌병대사령관 겸임. 3. 귀인 엄씨를 淳嬪으로 봉함. 17. 둘째 황태자 堈을 義王, 셋째 황태자 垠을 英王에 책봉.	10. 길주군민 수백 명, 성진 감리서 습격 방화, 진압됨. 29. 전북 전주 등지에 활빈당 창궐.
9월	4. 陸軍法律(317조) 公布施行. 陸軍學校 官制(22조) 公布施行(연령 18-23). 17. 陸軍法院官制(10조) 공포 시행. 19. 서울軍人數 親衛隊 3천명, 侍衛隊 2천명, 平壤兵 1천명, 砲兵 1천명, 馬兵 1천명. 29. 刑律을 개정하여 斬刑을 부활. 참형은 황실범과 국사범에 적용하며, 교수형은 기타 범죄에 적용하기로 함.	3. 중학교 규칙 반포 / 내장원 하에 서북철도국 설치. 4. 광무학교관제 반포. 15. 국내 사립학교 중 법률학 전문과 졸업생에게 사법관시험 응시자격 부여. 19. 경무청에서 동학교단의 남접 간부 徐章玉, 孫思文 등을 체포하여 平理院으로 이관함. 27. 陸軍參尉 金圭福·盧伯麟·魚潭 등 19名에 日本留學을 명함. 30. 경인철도주식회사에서 주문한 황제용 승용차 도착.
10월	10. 間島居留民, 政府에 官吏派遣을 요청. 16. 러시아 가키릴 블라디미로비치 親王, 前 러시아公使 베베르를 대동하고 입국.	3. 관립중학교, 화동에서 개교. 11. 활빈당, 미국인 싸이포딤을 密陽邑근처에서 습격 재화 탈취. 27. 경성학당 부교사 고희준이 『교육신보』 창간 / 전 南山營 터에 奬忠壇 설치, 홍계훈 등 을미사변 이후 전사한 장병들을 제사.
11월	3. 侍衛騎兵隊 설치. 9. 벨기에 全權大臣 뱅카르, 通商條約 締結차 내한. 12. 경인철도 개통식, 서대문역에서 거행.	3. 황족교육기관으로 宗人學校를 설치하기로 함. 5. 함흥-북청 간 전선가설, 통신업무 개시.
12월	7. 皇帝, 빅토리아女王으로부터 勳章 받음.	8. 태극기 규격통일훈령 반포. 19. 군악대 설치령 반포.

7. 趙秉式, 駐日本特命全權公使에 임명됨. 16. 일본인 澁澤榮一, 淺野總一郎 등의 광산조합에 稷山郡의 금광채굴권을 허가하는 합동조약 체결. 17. 日本人이 架設한 京釜電線의 複線 공사 완료(7.13. 始作).	14. 연합군 북경 입성. 20. 소학교령 개정(의무교육 4년).
	15. 立憲政友會 결성. 24. 국민동맹회 결성.
5. 日人 漁業區域을 全羅·慶尚·江原·咸鏡道에서 京畿道를 추가 허가(20년간). 25. 정부, 울릉도를 울도군, 島監을 군수로 개칭.	2. 娼妓取締規則 공포. 29. 정부, 청국의 영토보전과 문호개방에 관한 英獨協定의 가입을 통고.
27. 日本三井物産會社에 官蔘委託販賣를 허락. 29. 外部, 日本公使에게 態川, 巨濟 등지의 日人不法漁撈行爲를 嚴禁 요청.	15. 뇌물수뢰사건으로 遞相 星亨 고발.
27. 일인 회사에 부산해안 일부 매립 공사 허가.	

1901년 光武 5	정 치	사회 · 경제 · 문화
1월	5. 이용태, 미국특명전권공사(민영환 후임).	9. 유두포, 최초의 한국 상인으로 하와이에 건너감.
2월	16. 국경 부근의 民戶를 보호하기 위해 警務署를 설치.	12. 금본위에 기초한 화폐조례 반포. 27. 독일인 에케르트, 군악대장이 됨.
3월	8. 연해지방에 포대를 설치하기로 함 18. 외국공관에 정부 대신을 모함하는 익명서를 붙이게 한 金永準을 국체훼손죄로 교수형에 처하고 공범 閔景植, 金奎弼 등도 처벌케 함. 23. 벨기에와 韓比修好通商條約 체결.	
4월		1. 경인철도, 우편물 운송 개시. 17. 한불우편협정을 한성에서 조인.
5월	30. 李容泰, 駐日公使에 任命됨. 外部, 駐韓 벨기에 全權大臣 뱅카르에게 헤이그 萬國平和會議에 한국참석 주선을 요청.	15. 모펫, 한성에 대한예수교장로회신학교 설립. 28. 제주도 大靜郡에서 島民과 천주교도 충돌, 수백명의 사상자 발생(이재수의 난). 30. 한성, 충주, 부산, 창원 간 전선 개통.
6월	4. 淸國이 제의한 韓日通漁章程을 中國漁民에게도 적용하여줄 것을 거부. 7. 프랑스인 살타렐, 평북 창성 광산의 채굴권 획득. 20. 뱅카르, 駐韓벨기에 총영사에 任命되어 全權大使가 됨.	1. 용산전환국, 은화주조 개시.
7월		23. 전국적인 흉작으로 토목공사와 미곡의 반출을 금지케 함. 24. 外部, 防穀令의 발효와 輸入糧穀의 免稅措置를 통고. 런던과 안남미 수입계약 체결(30만석).

한일 관계	일본(明治 34)
	26. 정부, 중의원에 증세법안 제출.
	3. 흑룡회 발족식. 福澤諭吉 사망.
	2. 애국부인회 창립대회 개최. 16. 귀족원, 增稅案 가결. 28. 北海道會法 공포.
	13. 어업법 공포. 16. 米穀檢査規則 제정. 22. 石川倉次, 일본 点字 완성. 29. 迪宮裕仁親王 탄생.
19. 政府, 日本의 要求에 따라 防穀令과 기타로 인한 損害賠償 11萬圓의 6개년부 支佛을 약속. 20. 馬山 日本特別居留地 設定을 發表 (1902.5.17. 조인).	18. 사회민주당 결성.
19. 外部, 日本公使에게 漢城에 設置된 日本郵便局의 撤收를 요청.	
23. 忠淸道, 全羅北道의 防穀令 해제를 日本公使가 요구.	

8월	5. 공사 알렌, 미국특명전권공사로 승격. 20. 경부철도주식회사, 영등포에서 경부철도 북부 기공식 거행. / 스탠더드 석유회사가 부산에 지점 설치.	17. 한성전기회사에서 한성 시내 電燈 始點式 거행. 18. 폭우로 전라도 지방 피해.	
9월	7. 황제의 50회 탄생 축하연 개최(칭경기념장을 백관 및 덕국인에게 수여).	7. 독일인 에케르트, 황제 생신을 맞아 자신이 작곡한 '대한제국 국가'를 처음으로 연주. 21. 경부철도주식회사, 부산 초량에서 경부철도 남부 기공식 거행.	
10월	9. 박영효와 공모하여 정부 전복 음모를 꾸민 河元泓과 嚴柱鳳 등 9명을 참형에 처하기로 함. / 제주도 봉기 주모자 李在守, 吳大鉉, 姜遇伯 등 교수형에 처하기로 함. 14. 美國公使 알렌의 귀국으로 패도크가 代理公使에 임명됨. 20. 지계아문 설치(1904. 4. 양지국 설치로 폐지).	1. 防穀令 해제를 공포(11.15.시행). 16. 惠民院 관제 반포. 22. 政府, 서울에 水道 敷設을 위하여 關稅收入 중 이 해부터 8년간 20만원을 支出키로 결정.	
11월			
12월	3. 민영찬, 주불·벨기에 특명전권공사에 임명됨.	12. 總惠民社規程 및 分惠民社規程 반포.	

16. 日本人 澁澤榮一에게 稷山金鑛採掘權을 허가.	
5. 日本第一銀行과 租稅를 擔保로 50만원 차관결약조인.	7. 북경에서 의화단 운동 종결 뒤 최종 의정서 조인. 18. 伊藤博文, 日露협정 교섭을 목적으로 歐美지역으로 출발. 21. 永代借地權에 관한 법률, 칙령 공포.
1. 韓日, 韓淸間 郵便料金 인상.	16. 日英同盟 교섭 개시.
	6. 일본 의회, 일본인의 自由渡韓과 한국 부동산 점유획득 허용을 의결.
	2. 伊藤, 러시아 외상과 협정 교섭 개시. 10. 足尾鑛毒사건으로 중의원 田中正造가 천황에게 直訴.

1902년 光武 6	정 치	사회·경제·문화
1월	9. 무관학교 학생, 군인으로서 장래가 전망이 없음을 느끼고 집단 귀가. 30. 外部大臣 朴齊純, 駐箚淸國公使에 임명. / 淸安君 李載純과 義陽君 李載覺을 特命大使에 임명, 英國 에드워드 1세 戴冠式에 파견.	20. 商務社長 李根澤, 상품매매에 상무사의 印札紙 사용하도록 함. 27. 황제, 國歌 제정을 명함.
2월	4. 러시아 대리공사 파블로프, 全權公使로 승진. 7. 吉州郡을 吉州府로 승격. 20. 駐佛 및 駐벨기에 公使 閔泳瓚, 헤이그 平和會議 한국대표로 출발.	1. 琉璃, 紡績, 化學, 機械 분야의 러시아인 技師 4명 입국. 6. 城津郡民 1,000여명, 성진 감리서에 몰려가 吉州, 城津의 合郡 반대 농성을 함. 15. 金嘉鎭, 지석영 등, 학부의 인허를 받아 국문학교 설립. * 김덕창, 서울 중곡동에 염직공장 설립.
3월	8. 퀴빌리에, 駐韓벨기에 총영사 임명. 16. 露佛共同宣言 발표. 英日同盟條約 中의 淸·韓獨立 원칙에 동의. 17. 量地衙門을 지계아문에 통합. 측량업무도 지계아문에서 전담.	13. 내장원경 이용익, 私鑄錢을 엄금하고 백동화 통용방안을 상소. 20. 한성-인천 간 전화통신 개시. 21. 漢城鐵道淸淨會社 설립. 26. 政府, 關稅收入 중 일부로 5년에 걸쳐 沿海 30개소에 등대를 설치할 계획을 각 공사관에 통보. * 독일인 손탁, 정동에 손탁호텔 건립.
4월	1. 황제의 송덕비와 탑을 가로와 궁전가에 건립.	7. 『璿源各派續譜』가 수정 완료됨에 따라 『璿源譜略』과 『皇后王妃世譜』를 다섯 군데의 璿源閣에 보관하기로 함.
5월	7. 황성신문 사장 남궁억과 總務員 羅壽淵, 경무청에 검거됨. 24. 李範允을 북간도시찰원으로 파견. 29. 政府, 美國公使의 쿠바영사권 대행 인준.	5. 정부, 프랑스 雲南회사와 체결한 차관 조약을 당회사의 계약조건 불이행으로 해약 통고. 8. 한성-개성간 경의철도 기공식 거행 13. 元山의 客主, 商民 등이 합자회사를 설립. 道內 통상 허가받음.

한일 관계	일본(明治 35)
	30. 영·일 동맹협약 조인.
28.『皇城新聞』, 일본은 鬱陵島에 거주하는 자국민의 保護管轄을 명목으로 일인경찰관 4명을 울릉도에 상주키로 했다고 폭로.	12. 최초의 보통선거법안 중의원에 제출.
15. 各國公使, 일본공사관에서 회동하고 白銅貨 주조의 금지를 요구. 21. 前年度 日人에 발부된 漁業認許件數, 仁川·釜山·群山·馬山·元山·木浦의 6개항에서 총 652건.	27. 일본 흥업은행 설립. 28. 臨時敎員養成所 官制 공포.
16. 정부, 일본제일은행으로부터 일환 15만원 차입키로 함.	6. 토지복권동지회 결성. 18. 東京市街鐵道 설립. 27. 국민동맹회 해산.
13. 馬山에 70만평을 일본인 거류지로 허가 17일 馬山浦日本專管租界協定書 조인. 21. 日本第一銀行 釜山支店, 一圓券을 發行, 韓國에 유통시킴(8월 5원권, 12월 10원권 발행, 정부, 이를 반대).	

		19. 현채가 설립한 광문사, 정약용의 『牧民心書』 간행.
		31. 한성·개성 간 전화 통신 개시.
6월	16. 李商在 등, 개혁당 사건에 관련되어 구속됨.	12. 선교사 아펜젤러 인천에서 목포로 가던 중 기선침몰로 사망.
		27. 박기종 등, 일인의 경부선 부설에 대항하는 영호지선철도회사 설립을 농상공부에 청원(11월에 허가).
7월	15. 덴마크와 韓丹수호통상조약, 부속 통상장정 조인.	19. 도량형기의 제조·검정 기관으로 平式院 설치.
8월	15. 英·獨·佛·伊·日·露, 天津의 各國 都統衙門(임시정부)을 해체, 天津을 청국에 반환.	29. 성진항의 콜레라로 러시아인들이 韓國人들을 몰아내는 사태 발생.
		* 하순. 釜山港에 콜레라 만연,
9월	6. 군부, 경무청 관리, 전직·현직 陸軍副將 이하의 단발을 명함.	9. 기독교장로회 전남노회의 任成玉, 木浦 永興學校 설립.
		20. 한성 미곡상들, 납세 거부로 철시.
10월		1. 경부선 영등포·명학 간 열차운행 개시.
		10. 도량형 규칙 반포.
11월	16. 궁내부에 綏民院을 설치. 해외여행·유학·이민사무를 주관하게 함.	18. 의정부, 田稅 결 당 80냥으로 인상.
	27. 윤용선·閔永韶·조병식·李載克 등, 內藏院卿 이용익의 亂言罪 상주.	23. 한성부윤, 외국인의 궁궐 부근 부동산 매각을 금하는 훈령반포.
	30. 이용익 면직.	
12월	17. 이용익, 내장원경에 복귀.	18. 이용익, 안남미 수입 위해 旅順으로 출발.
		22. 제 1차 하와이 이민 100여명 출발 (이듬해 1월 13일 하와이 도착).

28. 정부, 日本公使로부터 稷山金鑛鑛區劃 定을 통보받음. 30. 정부, 군산監理와 日本領事간에 締結된 群山日本人專用基地 租借協定동의.	14. 의화단 배상금 분배에 관한 의정서 조인.
	15. 吳海軍工廠 직공 소요, 동맹파업, 군대 출동 진압. 30. 日外務省, 渡韓者의 旅券發給 절차를 간소하게 하도록 各地方廳에 지시.
2. 日本第一銀行 發行手票의 通用을 실시 (10원, 5원, 1원권).	10. 제7회 총선거.
	15. 제일생명보험㈜ 설립.
	2. 日閣議, 淸韓事業經營費 497만원의 支出을 결정.
	1. 稅務監督局官制, 稅務署官制 공포.
	2. 國勢調査에 관한 법률 공포. 17. 교과서 疑獄사건. 28. 정부, 중의원 해산.

1903년 光武 7	정 치	사회 · 경제 · 문화
1월	4. 美國公使館 守備海兵 36名 入京. 26. 각 港市 監理의 부윤겸임제 폐지.	7. 충북관찰사, 충주에 藥令市 신설. 15. 京江商人들, 水賊으로부터 상민 보 호를 위해 保船會社 설립.
2월	16. 러시아公使, 京義線 敷設權 요구.	1. 국내전보규칙 반포. 24. 『文獻備考』 증보 홍문관에 명함. 27. 진남포에 紳商會社 사원의 성금으 로 得英學校 설립.
3월	24. 길주감리서를 성진감리서로 개칭.	9. 법부, 법률학교 설립. 23. 5嶽 · 5鎭 · 4海 · 4瀆에 해당하는 山川의 명단을 결정 / 外國産 옷감 의 使用禁止와 土産品장려를 實施 24. 태환금원조례, 중앙은행조례공포. 31. 서북철도국, 延祐宮 부근에서 서 북철도기공식 거행.
4월	8. 韓淸電線連接條約 성립. 21. 露國兵과 滿洲 馬賊 混合部隊, 龍 巖浦 침입 강점.	10. 군츠부르크러시아 森林會計 서울 事務所 설치(러시아에 허가한 두 만강, 압록강변 森林伐採 시작).
5월	13. 러시아軍, 義州 부근에 진주.	7. 수원에 三一中 · 實業高等學校 설 립. 20. 러시아, 龍川에 進駐, 龍巖浦 토지 를 매수, 삼림채벌.
6월	14. 駐韓 各國公使, 러시아 공사관에서 비밀회담. 15. 내장원경 이용익이 입원한 한성병 원 안에서 폭발사건 발생.	13. 러시아, 鴨綠江목재회사 설립.
7월	3. 각 開港市場裁判所設置件 改定公布 22. 廣濟院長 姜洪大, 러시아의 침략에 대비, 西北防禦策을 상소. 29. 軍部大臣 尹雄烈, 海軍創設 상소.	8. 러시아, 安東—龍巖浦간의 電線架 設을 시작. 20. 森林監理 趙成協, 러시아 森林會社 와 龍巖浦 租借 계약.

한일 관계	일본(明治 36)
18. 農商工部博覽會事務所, 韓國産 天造物 및 人造物品을 日本博覽會에 出品키 위해서 三井會社와 계약 체결. 26. 政府, 日公使에게 私設電話架設에 항의, 通信員의 許可 後 開設 지시.	25. 각의에서 지조 증징안 철회.
5. 漢城判尹 張華植, 日本第一銀行券 流通 禁止令 公布(2.13. 해제). 10. 高永喜, 駐日特命全權公使에 任命됨. 12. 일본의 항의로 제일은행권 유통금지령 해제.	
	1. 제8회 중의원 선거20. 通信官署官制 공포.
15. 日本三井物産과 官蔘委託販賣契約 締結. / 日本 三井物産에서 求入한 軍艦 揚武號, 仁川 入港(英國제, 가격 5십만 원, 3,435t). 30. 日本遠洋漁業公使와 捕鯨特准續訂條約 調印(2월 晩期를 再延長).	8. 『萬朝報』 非戰論 전개. 13. 국정교과서령 공표. 21. 桂 수상, 小村 외상, 伊藤博文 등 경도에서 러시아에 대한 방침을 협의(러시아의 만주 철병과 조선에서의 일본 우위에 주안점을 둔 대러교섭 결정).
	19. 중의원위원회, 지조증징안 부결. 30. 중의원, 해군확장안 가결.
20. 控除會, 日本第一銀行券과 淸商 同順泰 票의 排斥運動 일으킴. 22. 元山商人 金斗原, 日人의 債務不履行에 激忿, 黃土縣에서 日公使를 구타.	24. 동경제대 교수 등 7명, 滿韓교환이라는 정부의 대러방침에 반대하는 건의서 제출(7박사 사건, 대러 강경의견).
4. 일본제일은행권의 유통방해 행위엄금. 18. 政府, 日公使에게 日軍의 京釜電線 撤廢를 요구. 22. 政府, 日公使에게 日本第一銀行手形發行	13. 伊藤博文, 추밀원 의장 선임.

8월	4. 元帥府, 商兵 조직을 결정. 8. 城津郡을 복설. 10. 英·日公使, 龍巖浦措置 撤廢와 義州開市를 요구. 11. 外部大臣 李道宰, 韓丁通商條約批准. / 駐英公使 민영돈 귀국. / 이범윤을 北邊間島管理使로 임명. 12. 러시아, 旅順에 極東總督府 設置, 關東軍 사령관 알렉세이예프를 總督으로 임명.	3. 『大明律』出版을 決定. 7. 洪承夏·尹炳求, 호놀룰루에서 최초의 교포정치단체 新民會 발족시킴.
9월	23. 러시아 淸國 馬賊 退治의 협조요청.	1. 평양개시장을 폐쇄, 의주개시로 변경, 各 公館에 通報 / 도량형 규칙에 의해 제조한 斗·升·衡·尺 사용에 대한 조칙 반포. 8. 대한철도회사의 경의철도 부설권 허가. 23. 安昌浩, 미국 샌프란시스코에서 정치단체 친목회 조직. 30. 어린이가 전차에 轢死한데 격분한 한성 시민, 한성전기회사 사옥과 전차 파괴.
10월	5. 英·美·日公使, 龍巖浦 開港을 要求. 14. 綏民院 폐지.	28. 황성기독교청년회(YMCA) 창립. 31. 미국 북장로회선교사 모펫, 평양에 숭의여학교 설립.
11월	3. 雄基浦 개항 결정. 24. 일본 망명중인 高永根, 명성황후 살해사건에 관여한 禹範善 암살. 26. 茂山·鍾城·會寧에서 韓·淸軍 交戰. 29. 페르시아 政府, 러시아 公使를 통해 修好通商條約締結의 뜻 전달.	16. 목포 부두노동자, 임금인상과 대우개선 등을 요구하며 동맹파업 (~12.24).
12월	1. 皇帝에게 프랑스 政府가 勳章을 보내옴. 이범윤이 정부에 間島 山砲隊를 진위대 편입 요청. 25. 순비 엄씨를 皇貴妃로 책봉.	9. 미국인 콜브란과 보스트위크, 한성 상수도 시설에 관한 특허 획득.

및 準備金狀況의 연2회 공동조사 요청.	
24. 政府, 日人의 鬱陵島 森林伐採를 日本 公使에 항의. 26. 日外相, 韓國皇帝에게 러시아의 龍巖浦 租借 契約을 거절하도록 요청하라고 林權助에게 훈령.	12. 駐露公使, 日露협정안을 러시아 정부에 제시.
	2. 일본서적㈜ 창립. 11. 동경양로원 설립.
3. 日外相 小村壽太郎, 駐韓公使 林權助에게 韓日密約條約 締結을 훈령. 22. 參將 李學均과 參領 盧伯麟 等 日本軍 練習觀戰次 도일.	8. 외상 小村과 러시아의 주일공사 로젠 간의 교섭 시작.
15. 英人 해밀튼 등, 日人 奧田貞太郎와 合作하여 仁川煙草會社 설립. 21. 木浦日領事·日警部·日商人 등 日軍 100여명을 동원, 務安港監理署 및 警務署에 난입하여 난동을 부림.	6. 海軍工廠條例 공포.
11. 木浦에서 韓日官民衝突.	30. 각료회의, 러일전쟁 개전시, 對淸, 對韓 정책을 결정.

1904년 光武 8	정 치	사회 · 경제 · 문화
1월	3. 美軍 64명, 公館과 僑民 보호를 위 　해 입경. 6. 러시아公館 守備隊 海軍 35名 입경. 8. 英國公館 守備兵 21名 입경. 9. 이탈리아 公館守備兵 20名 입경. 11. 법규교정소, 총재 이하의 관직을 　폐함. 지계아문을 혁파하여 탁지 　부에 속하도록 함. 16. 佛 公館 守備隊 海軍 41명 입경. 21. 政府, 國外中立宣言.	13. 전라도 일대에 화적당이 출몰. 27. 최윤백, 호놀룰루에서『신죠신문』 　창간(월 2회).
2월	25. 義州 개항	28. 상무사 혁파 .
3월	2. 韓日議定書 체결에 가담한 외부교 　섭국장 具完喜 집에 투탄. 23. 龍巖浦 개항.	12. 京義線, 龍山－마포간 착공.
4월		
5월	8. 韓露條約 폐지됨. 18. 政府, 韓露條約과 러시아에 特許한 　森林伐採條約 파기 선언.	11. 學部, 愛國歌「上帝는 우리 皇上을 　도우소서」를 各 學校에 頒布, 학 　습케 함. 18.『皇城新聞』休刊. (-26일).
6월		3. 위생청결소, 한성 각 가정에 분뇨 　통을 마련하게 함. 8. 농상공학교관제 반포. 12. 금산에서 경부철도 공사중인 한국

한일 관계	일본(明治 37)
11. 日本公使와 捕鯨基地 長箭浦, 津浦島, 蔚山浦의 租借契約 조인(기간11년). 16. 仁川監理署, 日本의 彈丸搬入을 저지 22. 일본이 한국에서 군용수표 발행.	12. 御前會議, 對露교섭 일본측 최종안 결정. 23. 사회주의협회 주최, 제1회 사회주의부인강연회 개최.
6. 日軍, 昌原·釜山電報社를 점령. 8. 日本陸軍, 仁川·南陽·群山·元山에 上陸開始, / 일군, 대구 電報社에 침입 / 日聯合艦隊, 旅順港 밖에서 露艦隊를 공격. 12. 파블로프 撤收, 淸國, 露日戰爭에 중립 선언. 16. 日本, 韓日議定書 草案을 李址鎔에게 전달. 22. 韓日議定書 締結을 反對한 度支部大臣 李容翊, 日本으로 압송됨. 23. 韓日議定書 조인됨.	9. 일본 연합함대, 인천 부근에서 러시아 군함 2척 격파. 10. 日本公使, 러시아 公使 파블로프에게 撤收勸告, / 日本, 러시아에 宣戰布告. 21. 日本軍參謀本部, 京義鐵道 建設을 위해 臨時軍用鐵道監部를 編成.
17. 伊藤博文, 特派大使로 來韓. 21. 日本軍 주력 第 1軍, 鎭南浦에 上陸.	1. 제9회 중의원 총선거. 30. 臨時事件費特別會計法 공포.
25. 블라디보스톡 艦隊, 元山灣에서 日軍을 輸送하던 金州丸을 격침시킴.	1. 임시사건비 예산 3억 8000만엔 공포 3. 日本에 駐箚司令部 設置.
31. 일본 내각, 對韓方針 및 對韓施設綱領 결정.	27. 경시청, 사회주의취체강화방침을 발표 30. 大連 점령.
4. 일본인에게 忠淸, 黃海, 平安道 沿岸의 漁業權을 特許(기한 20年). 9. 韓日兩國人民漁採區域條例 고시. 15. 블라디보스톡 艦隊, 大蒜해협에서 日軍	20. 만주군 총사령부 설치. 25. 芝浦製作所 설립.

		인·일본인 노동자 충돌. 17. 하와이 移民 120여명, 仁川 출발. 25. 許蔿 등 排日通文을 발송.
7월	6. 軍部官制 국기창 官制改定公布. 11. 外部大臣 李夏榮 하와이에 領事館 設置를 건의 / 韓國農鑛會社가 청원한 국내 陳荒地 개간·관개·산림·川澤·採伐 및 각 광산 채굴사업을 특허함(李道宰·金宗漢 등 발기).	9. 일본의 황무지개척안에 반대하는 경향 각지 유생들이 상소 올림. 13. 前議官 宋秀萬·沈相震 등 서울에서 保安會 조직, 일본의 황무지개간권 요구에 반대하여 종로에서 성토대회 개최. 16. 『大韓매일신보』와 英字紙 『코리아 데일리뉴스』 창간.
8월	23. 軍政 縮小의 조칙 발표.	6. 독립협회원 이승만, 특사로 석방됨. 13. 『大東新報』 정간. 16. 李容九, 東學敎徒들과 進步會를 조직. 18. 宋秉畯, 尹始炳 등과 親日團體 維新會 조직. 20. 維新會, 一進會로 개칭 .
9월	23. 義兵鎭壓을 위해 各地에 巡察使 파견. 27. 軍部 관제, 陸軍武官學校官制, 陸	8. 江原道 觀察使, 義兵募集通文의 傳播報告. 11. 李商在, 李東輝 등 保安會 解體하

함 2척 격침.
17. 일본 공사, 황무지 개간권 요구.
20. 仁川의 臨時觀測所 設置用 垈地를 日本
  側이 요구.
23. 日本의 道路建設을 위한 인부, 物資徵
  發을 요구.
27. 外部大臣 李夏榮, 日本의 荒蕪地開墾權
  요구를 거절.	

5. 排日運動者 處罰을 日本側에서 요구.
12. 滿洲의 駐天津日領事 伊集院彦吉을 韓
  國名譽領事로 임명.
16. 保安會議所에 日本憲兵과 警察이 亂
  入, 解散을 강요. 幹部 宋秀萬, 宋寅燮,
  元世性 등 日軍에 납치.
23. 政府, 荒蕪地를 日本에 提供하지 말라
  고 各地에 告示(8.1.日公使, 荒蕪地 開
  墾 要求를 취소).
28. 駐韓日本軍司令官, 軍用電線·鐵道 보
  호에 관한 포고문을 발표.
30. 高麗王陵을 도굴하여 日人에게 판 朴光
  本을 체포.	

1. 일본공사, 황무지 개간 요구 취소.
3. 日本軍, 砲隊設置를 위해 月尾島의 民
  家를 철거.
6. 警務使 申泰休, 日憲의 韓國人逮捕問題
  解決을 外部에 요구.
9. 日軍司令官, 安東縣에 일할 勞動者 2千
  名 모집을 內部에 의뢰 / 警務廳, 外部
  에 日軍의 城門警備를 중지토록 교섭
  의뢰.
12. 日公使, 內政改革案 제시.
22. 尹致昊, 林權助 사이에 第 1次韓日協約
  (韓日外國人顧問招聘에 관한 協定書)조
  인.
	10. 黃海 해전(러시아 함대 旅順에서 패배).

14. 日本公使, 서울·元山간 鐵道建設 통보
  / 시흥군민 수천 명, 勞動者 强制募集
  에 反撥示威하자 日軍이 출동, 군수와
	4. 日軍, 遼陽 점령.
	29. 징병령 개정 공포.

	軍研成學校官制, 陸軍幼年學校官制, 陸軍憲兵條例 공포.	고 協同會를 조직. / 黃海·平安道의 東學敎徒(進步會) 1천여명 國權回復을 呼訴하기 위해 서울로 출발(9.15. 해산).
		19. 一進會員들, 일반국민의 지식 발달과 폐습 혁거를 위한 교육을 장려하여 국민교육회 조직.
		24. 民會의 해산을 명함.
		26. 李中鎭 등 國民會를 조직.
10월	5. 皇室制度整理局 설치.	3. 咸興, 永興에서 進步會員들이 집결.
		15. 각 觀察部에 一進會員의 逮捕를 명령.
		23. 京義線, 龍山·臨津江間 鐵道 완성.
11월	12. 一進會, 京畿道 觀察使 李根敎에게 進步會員의 석방을 요구.	1. 京釜鐵道 永登浦·大田간 營業開始.
	15. 李承晚, 高宗密旨 携帶하고 渡美.	10. 京釜鐵道 完工(1905.1.1.營業開始).
		16. 濟衆院(세브란스 병원) 낙성식 거행.
		21. 학부, 아동교육용 『我國地誌』 5만부 발행 배포.
		26. 元稷·羅裕錫, 褓負商을 糾合하여 進明會 조직(12월, 공진회로 改稱).
		28. 동화 주조를 정지하고 전환국 폐지.
12월	25. 警務廳, 共進會長 이준, 나유석, 윤효정 구속.	4. 一進會長 윤시병과 進步會長 李容九, 兩會統合을 聲明.
	28. 咸北·間島民, 間島管理使 이범윤을 축출하려는 청과 협력한 鐘城진위대 등을 성토, 의병을 모집하여 이범윤을 보호.	21. 大韓赤十字社 發足, 世界赤十字社에 가맹.
		25. 『全州新報』 창간(『全北日報』의 전신).

일본인 2명 살해됨. 16. 日軍의 訓練院 練兵場 占領으로 親衛隊 　　를 시외로 移轉訓練. 28. 일본공사, 다시 황무지 개간권 요구.	
3. 谷山郡民, 勞動者 徵發에 反對하여 日 　本人 7名을 죽임. 13. 駐韓日軍司令官 長谷川好道 부임. 17. 日本大藏省 主務局長 目賀田種太郎을 　　度支部 顧問으로 초빙. 29. 日本軍用鐵道監部, 兼二浦에 鐵道工場 　　설치.	12. 제3회 국고채권 8000만엔 발행규정 공 　　포. 20. 日閣議, 大韓施設綱領 결정.
4. 日本에서 구입한 揚武號 代價 및 利子 　　를 예비금에서 支出할 것을 재가. 14. 電線 切斷한 郭山의 文贊鎬, 日本憲兵 　　에 체포됨. 25. 포경사업을 日本長崎捕鯨合資會社에 　　전적으로 맡김.	16. 사회주의협회, 결사 금지.
1. 日本公使, 鎭南浦 築港에 관한 협조를 　　政府에 요청. 13. 日本公使, 鴨綠江·豆滿江변 森林採伐 　　權을 요구. 17. 英人 마야스, 日人 大庭貫一에 위촉하 　　여 멕시코 移民募集廣告를 『大韓每日 　　申報』에 게재. 27. 親日外交官 美國人 스티븐스, 外交顧問 　　에 임명됨.	6. 三越吳服店 개설.

1905년 光武 9	정 치	사회·경제·문화
1월	28. 경무청, 고등경찰제도 실시(현행범 은 고관이라도 체포).	15. 워싱턴포스트, 일본의 한국침략을 고발하는 이승만 인터뷰기사 게 재. 26. 일본 문학박사 高橋亨을 중학교 교사로 고빙.
2월	17. 최익현, 친일파 이지용 등을 규탄 하는 상소.	2. 공진회 폐회. 서울 상인들 일본상 인의 종로 진출 금지를 경무청에 요구. 11. 嚴柱益, 養正義塾 설립. 15. 한성 상인들의 요구에 의해 일본 상민의 종로 개시를 모두 철거함. 25. 경무청, 각 署에 분뇨통 75개와 분 뇨 수거부 1명 배치.
3월	25. 황제, 러시아에 일본견제를 호소 하는 밀서를 상해의 러시아 소장 데시노에게 전달.	6. 영국인 마야스가 모집한 멕시코 이민, 1033명 인천 출발. 21. 도량형법 반포. 23. 德川, 孟山군민이 모여 일진회원 을 구타하고 축출하여 소요가 일 어났다는 평남관찰사의 보고. 24. 대동강 철교 준공.
4월	18. 刑法大典 공포.	1. 外部, 하와이·멕시코 이민을 엄 금할 것을 지시 / 이용익이 설립 한 보성학교 개학. 6. 이용익, 인쇄소 普成社 설립. 8. 탁지부, 백동화 교환에 관하여 각 도에 고시. 28. 京義線, 용산-신의주간 운전 개시.
5월	9. 參政大臣 閔泳煥을 依願 免職. 12. 주영공사서리 이한응, 영국에서 자결.	1. 西大門－草梁간, 양쪽에서 1일 1회 의 직통급행열차 운전 개시. 26. 馬山浦－三浪津간 철도 개통.

한일 관계	일본(明治 38)
5. 주한일본군사령관, 경성 및 그 부근의 치안에 관한 경찰 업무는 일본군이 담당한다는 군령 발표. 20. 경시청 제 1부장 丸山重俊, 경무청 고문으로 부임(2.3 임용계약). 31. 정부, 제일은행과 貨幣整理契約, 整理資金借入契約, 國庫金取扱에 관한 계약에 조인.	
1. 일본인 문학박사 幣原坦을 학부 참여관으로 초빙하는 계약체결. 22. 일본, 독도를 竹島라 하고 島根縣에 편입.	
8. 駐韓日本公使 林權助가 外部大臣 李夏榮에게 8個條目의 軍令을 적용 통고. 22. 駐韓日本公使 林權助, 韓國政府의 요청에 따라 警察事務刷新에 必要한 日本人警察官 7명을 파견. 24. 外部, 駐淸韓國公使館에 參書官 1명과 書記生 1명만 제외하고 모두 撤收하도록 訓令. 日本側의 要求에 의한 것.	1. 奉天전투. 8. 거류민단법 공포. 10. 露・日 兩國의 奉天會戰에서 日本軍이 이기고 奉天을 점령.
1. 通信機關을 日本에 委任하는 韓日通信機關協定이 조인. 8. 日本閣議에서 韓國에 대한 日本의 保護權確立方針을 결정. 10. 일공사, 외국에 주재하는 한국공사의 소환을 요구.	21. 각의에서 러일 강화조건 결정
5. 이하영, 일본의 권고에 따라 하와이 韓國 勞動者의 保護 監督을 위해 駐하와이 日本總領事를 駐하와이韓國名譽領	17. 영국외상, 영일동맹을 攻守동맹으로 하고 적용지역을 확장(인도)할 것을 제의 27. 일본함대, 대마도 해협에서 러시아의

		28. 서대문 역내에서 경부철도 개통식 거행.
		* 李儁, 梁漢默, 尹孝定 등, 헌정연구회 조직.
6월		22. 종로 상인들, 한성판윤의 지시를 받고 상업회의소를 창설, 회규 제정 위해 立廛都家에 모임.
		24. 舊白銅貨交換件 반포.
		25. 낙동강철교 준공.
		30. 大韓天一銀行, 경영난으로 휴업.
7월	2. 江界郵遞司 인도로 한국의 통신사업 완전히 빼앗김. 6. 皇帝의 密使 윤병구, 이승만, 루스벨트 大統領에게 獨立請願書를 전달.	8. 황제, 대한적십자병원 설립을 명함(10. 10. 개원). 19. 漢城商業會議所 설립 20. 義兵將 원용팔, 충청도 영춘, 江原道 영월일대에서 기병. 27. 李載覺, 적십자회 총재에 임명됨.
8월		1. 황제, 멕시코이민 1천여 명의 참상을 듣고 소환책 강구 지시. 7. 한일은행 설립(은행장 趙秉澤, 자본금 15만원). 11. 『대한매일신보』의 영문판 자매지 *The Korea Daily News* 창간.
9월		12. 각 청년회의 연합동맹회가 인천에서 개최되어 회원의 가내노비 해방, 전회원의 단발 등을 결의. 22. 在韓國日本人辯護士會가 開催. 30. 約束手形條例, 手形組合條例 공포.
10월		3. 韓英學院(開城 松都高等學校) 설립. 10. 西友速成師範學校(現 光新商業高等學校) 설립.
11월	4. 영국인 피어스, 遂安광산 채굴권 획득. 8. 변호사법 제정. 17. '을사보호조약' 조인	5. 대한구락부 창립총회 / 一進會, 한국의 외교권을 일본정부에 위임하자는 선언서를 발표. 이에 각계에서 선언문을 반박.

事로 임명. 11. 교전지역인 함경도에 일본군이 군정을 실시.	발틱함대를 격파.
16. 13道에 파송된 日本警視가 度支部顧問室에 會同하고 地方各郡徵稅事件에 대하여 目賀田種太郎과 상의.	1. 미국, 러·일 양국에 강화권고서 전달
1. 일본 第一銀行 서울 지점, 한국의 中央銀行 업무를 담당 / 일본, 漢城郵遞總司, 電報總司를 인수하여 京城郵便局 설치. 26. 日本外務大臣, 일본대장성과 협의결과 韓國皇室費로 韓國政府에 대부하기로 결정하였음을 통보.	29. 日本首相 桂太郞, 美國陸軍長官 태프트와 會談, 韓國과 필리핀 문제에 관한 桂·태프트 覺書 成立.
26. 外部大臣 李夏榮, 日本公使에게 韓國軍部의 軍事敎育改善을 爲한 日本人敎官 8人의 推薦依賴. 27. 日本公使 林權助, 韓國의 海關事務의 度支部隷屬으로 總稅務司 브라운의 退職을 종용.	10. 제1회 러·일 강화회의 개최 12. 런던에서 제 2회 英日同盟協約 조인. 일본의 한국지배권을 확인. 28. 어전회의, 최종강화성립방침결정.
9. 韓國의 外交關係를 日本政府에서 引受하는 것에 대해 美國大統領도 異意가 없다고 함.	1. 휴전의정서조인. 5. 포츠머스에서 露日講和條約 조인. 9. 강화반대신문에 발행정지 명령.
21. 學政參與官 幣原坦, 韓國學政에 關한 報告書를 日本外務大臣에게 提出.	9. 평민사 해산 12. 遼陽에 關東 총독부 설치.
2. 일본공사 林權助 귀임. 9. 日本特使 伊藤博文 來韓. 10. 日本特派大使 伊藤博文이 漱玉軒에서 황제를 陛見, 日本天皇 親書 奉呈.	2. 일본 문부성, 淸國留學生取締規則 반포.

	26. 皇帝, 皇室顧問 헐버트에게 乙巳條約의 무효를 만방에 선포토록 指令. 27. 최재학, 이시영, 전석준 등 평양청년회원 5명, 을사조약에 반대하여 대안문 앞에서 복합상소. 28. 閔泳煥 등, 韓日協約의 無效化를 上疏 / 美國公使 모건, 駐韓美國公館의 撤還 通知, 辭陛를 要請 / 전 참판 홍만식 자결. 29. 황제, 황실의 요구조건을 적은 각서를 伊藤博文에게 보냄. 30. 侍從武官長 陸軍副將 閔泳煥 自決 / 한국 총세무사 브라운이 사직, 目賀田種太郎이 총세무사가 되어 한국세관을 관리.	12. 공립협회, 샌프란시스코에서 월 2회 발행의 共立新報 창간. 18. 수십인의 군중이 學部大臣 李完用家에 돌입하여 불을 지름. 20. 秘書監卿 李愚冕이 을사조약에 반대하는 상소. /『皇城新聞』主筆 張志淵, 「是日也放聲大哭」을 씀. / 참정대신 韓圭卨, 한일협약의 폐기를 상소.
12월	1. 전 議政 趙秉世 을사조약 체결에 반대하여 자결. 8. 李完用을 臨時署理議政府議政大臣 事務. 14. 외교관 및 영사관관제 폐지. 30. 前 大司憲 宋秉璿, 국운을 개탄하고 자결.	1. 孫秉熙, 동학을 천도교로 개칭 선포. 4. 獨逸政府, 駐韓公使館 撤退와 한국에 대한 외교사무의 재동경동국공사관으로의 위임을 일본정부에 통지. 9. 장경·김마리아 등, 공립협회에 대항하여 캘리포니아에서 대동교육회 조직(회장 장경).

15. 韓日協約案을 황제에게 제출	
16. 日本公使 林權助, 한국 外交權의 일본 위임을 요구하는 통고 공문과 韓日協約案을 외부대신 朴齊純에게 수교.	
17. '을사조약' 조인.	
22. 韓國統監府 및 理事廳 設置에 관한 일본칙령 제240호가 공포.	
23. 上海에서 發刊되는 차이나 가젯트紙, 한일협상조약이 日本側의 强壓으로 이루어진 것이라는 要旨 記事를 揭載.	
11. 日本外務省, 韓國과 條約關係가 있는 나라에 駐在하고 있는 日本外交代表者들에게 韓國公館 撤退를 通告하도록 훈령.	20. 大本營, 만주군총사령부 해산.
	22. 만주에관한 日清協定조인.
12. 駐美日本臨時代理公使, 駐獨日本大使, 양국 주재 한국공사관, 영사관의 철거와 해당사무의 일본공사관, 영사관으로의 이임을 각국 정부에 통고.	
13. 日本外務大臣, 駐東京韓國公使館의 撤退 고지.	
16. 韓日協約 관보에 발포.	
21. 韓國統監府 및 理事廳官制가 공포 / 初代 統監으로 伊藤博文 임명	

1906년 光武 10	정 치	사회·경제·문화
1월	5. 일본, 상해로 망명했던 孫秉熙 귀국. 6. 軍制를 개정, 侍衛隊를 近衛隊로 개편. 13. 『런던 타임즈』, 을사조약 체결이 강요에 의한 것임을 보도. 16. 외부를 폐지하고 의정부에 외사국을 설치(외교문서의 보관만을 담당). 29. 陸軍參將 朴齊純, 法部大臣에 임명됨.	5. 內部, 全國 13道 義兵活動 금지와 各 觀察使에게 人衆을 召集하는 行爲 금지를 명함. 6. 內部大臣 李址鎔, 協辦 이하의 모든 관리에게 削髮할 것 지시. 24. 尙洞靑年會, 대표로 박창연을 멕시코에 파견하여 교포의 실태를 조사케 함. 28. 손병희, 이용구의 일진회는 동학과 무관하다고 선언.
2월		10. 궁내부 특허 東洋用達會社 설립됨. / 한국 관리 몇몇, 大韓圖書館을 설립하여 자본금을 모집하고자 함 11. 訓練院 馬東山에서 皇城基督敎靑年會와 德語學校 간에 최초의 야구경기 열림(德語學校 승리함). 12. 대한제국적십자사 창설 취지서를 공포. 28. 『황성신문』 복간.
3월		1. 각종 공납전 중 구화폐는 탁지부로 납부하고 신화폐는 제일은행으로 납부할 것을 공고. 5. 弘文館, 『文獻備考』 後續纂輯 건의. 6. 李重夏, 『문헌비고』 후속찬집을 위해 문헌비고찬집소 당상에 임명됨. 9. 전 참판 閔宗植, 靑陽 墨店에서 의병을 일으킴. 11. 玄暘運, 申鳳休 등 30여 명, 최초의 근대적 체육단체인 大韓體育俱樂部 결성. 21. 은행조례, 농공은행조례 공포 시행(4.20부터 各觀察道 소재지에

한일 관계	일본(明治 39)
15. 日本外務大臣, 統監府 및 理事廳의 설치와 직무대행에 관한 제반 사항을 各國政府에 통지할 것을 駐淸・英國日本公使에게 훈령. 17. 駐韓日本公使, 自國 外務大臣에게 韓國政府가 議政府에 外事局을 두는 건에 관한 勅令案의 재가를 보고. 29. 駐韓日本公使 林權助, 駐韓日本公使館의 사무를 統監府에서 이관하고 철퇴한다는 뜻을 한국정부에 통지.	7. 제1차 西園寺公望內閣 성립. 14. 西川光二郎 등, 일본평민당 결성. 28. 堺利彦 등, 일본사회당 결성.
9. 주한 일본헌병, 행정, 사법경찰권 장악. * 프랑스 공법학자 레이, 잡지『國際公法』에 을사조약의 무효를 주장하는 논문 발표.	11. 보통선거전국동지대회개최. 17. 문예협회결성. 24. 日本平民黨, 日本社會黨, 일본사회당 결성.
1. 韓國에 관한 外交事務를 駐日本自國代表者로 하여금 處辦케 한다는 사실을 일본정부에 통지. 13. 韓國政府는 日本興業銀行에서 1천만元의 차관을 계약. 債還期間은 10年에, 담보는 전국 海關으로 함. 22. 學部는 駐日留學生監督에게 훈령하여 유학생 26명 중 22세 이하는 학력에 따라 상당한 中學校로, 또는 23세 이상은 農商工專門速成科로 입학, 수업하게 함. 25. 일본, 철도국유화 정책에 따라 철도국유법, 경부철도매수법 공포. * 영국공사, 철수를 통보하고 귀국. 대신 총영사, 영사를 잔류시킴(뒤이어 淸, 美,	1. 비상특별세법개정. 大阪, 三重, 金巾 3방적회사, 조선에 대한 면포수출조합 삼영조결성. 2. 국채정리기금특별회계법공포. 13. 임시군사비예산 추가공포. 19. 주일영국대사, 일본정부에대해 만주의 문호개방, 기회균등을 요구. 31. 철도국유법 공포.

		농공은행 설립). * 탁지부, 水利組合條例 공포.
4월	15. 일본에 망명한 國事犯의 赦還을 　　결정. 22. 義親王 册封禮 擧行. 28. 농공은행 중 한성농공은행이 먼저 　　주식 모집에 착수. 　＊ 러시아 황제 니콜라이 2세, 제2회 　　헤이그 만국평화회의 초청장을 보 　　내옴.	1. 崇文學校 설립(설립자 崔鏞振). 2. 中東學校 설립(설립자 崔奎東). 3. 경의철도 및 淸川江鐵橋 개통(용 　산, 신의주간 직통 운행 개시) 11. 大韓自强會, 園洞 尹孝定家臨時事 　務所에서 臨時로 開會. 20. 한일박람회, 부산에서 개최 / 內部 　에 治道局 설치(신작로 건설 본격 　화). 21. 嚴妃, 進明女學校 설립(이사장 겸 　교장 嚴俊源). 22. 최초의 자전거 경기 열림(육군참 　위 權元植과 일본인 吉川). 25. 황실극장 協律社를 폐지. ＊ 통감부, 수원에 勸業模範場 설치.
5월	28. 閔泳奎, 의정대신에 임명됨.	1. 徽文義塾 설립(설립자 閔泳徽) / 農 　商工部, 각종물질분석 및 시험수 　수과규정 공포. 4. 최초의 公開 蹴球경기, 法語學校 　운동회에서 거행. 5. 한성상업회의소, 종로에 회관 건 　축 착공. 8. 에와친목회, 하와이에서 월간『친 　목회보』창간. / 불교연구회, 元興 　寺에 明進學校를 설립. 13. 保寧郡守 申奭求, 洋銃 80정을 閔 　宗植에게 보냄(이 事件으로 免官). 19. 민종식 의병, 홍주성을 점령. 21. 한일은행 설립인가 받음(은행장 　趙秉澤). 22. 明新女學校 설립(설립자 舊皇室, 　진명학교 전신).
6월		2. 정부, 漢城農工銀行을 개업 4. 崔益鉉, 林炳瓚 等 全北 泰仁에서 　義兵을 일으킴. 9일 체포

獨公使도 차례로 철수).	
17. 統監府, 言論規制를 目的으로 한 保安 規則 공포.	1. 강화조약에 따라 사할린의 북위 50도 이남을 러시아로부터 수령. * 일본, 상해방적주식회사 大純紗廠을 매 입.
14. 駐日本露國公使는 日本外務省에 覺書 를 提出하고 京城駐在露國總領事 프란 손에 대한 認可狀의 交付를 要求 / 일 본군은 舒川地方의 의병을 진압하기 위해 공주대 병사 15명을 파견. 25. 統監府總務長官 鶴原, 洪州義兵을 鎭壓 하기 위해 일본군을 파견함을 諒察해 달라는 성명을 발표. 28. 勅令 第25號 農商工學校附屬農事試驗 場官制廢止件을 반포.	22. 원로각료, 만주문제협의회개최.
17. 일본인 澁澤榮一 등의 수력전기회사를 설립하겠다는 청원을 인가. 25. 韓國의 裁判事務에 관한 法令 공포.	7. 남만주철도회사 설립칙령공포. 9. 牧野문상, 학생사상 振肅의 훈령. 13. 제국학사원규정공포.

		9. 황성기독교청년회, 축구 경기 우승자에게 은메달을 수여. / 한성농공은행 개업식 거행. 17. 천도교, 『萬歲報』를 창간 25. 윤효정 등 『朝陽報』 창간. 26. 순 한글 일간지 『家政雜誌』 인가 29. 이민보호법 공포(9.15시행)
7월	10. 議親王 李堈, 義陽君 李載覺의 後任으로 赤十字社 總裁가 됨.	1. 大韓天日銀行, 政府의 원조를 얻어 業務再改. 8. 서적 인쇄 위한 普成社 설립. 22. 李人稙, 신소설 「血의 淚」를 『만세보』에 연재 시작. 31. 대한자강회, 기관지 『大韓自强會月報』 창간. * 남궁억, 양양에 峴山學校를 설립. * 秦學新, 서울에 養閨義塾을 설립.
8월		7. 만국적십자조약에 가맹. 8. 趙秉澤 等, 韓一銀行 設立. 11. 평양시가철도회사에 평양부내 手押式軌道 부설을 허가. 24. 張膺震 등, 『太極學報』 창간. 27. 농림학교관제, 사범학교령, 외국어학교령, 보통학교령 등 반포. * 화폐통용법 제정.
9월	24. 地方區域整理件, 지방관관제, 地方官銓考規程, 文官임용령, 管稅官관제 등 행정제도 전반에 관한 법령 반포. * 통감부철도관리국에 임시철도건설부 설치.	1. 농상공학교 농과, 농림학교로 독립 개편, 1907.1.8.수원으로 이전. / 兼二浦에 철도공장 신설됨. 2. 하와이 한인 감리교회, 韓人寄宿學校 설립. 1913.9. 韓人中央學院으로 개칭. * 서울에 교동, 제동, 어의동, 인현, 수하동, 정동, 매동, 미동공립보통학교 설치.
10월	31. 土地建物證明規則 公布.(12.1.施行. 日人의 土地所有權 認定.)	10. 한성은행 수원지점에 창고업 겸영을 인가. 15. 사립 啓聖學校(현재의 계성중고등학교) 설립(설립자 애덤스).

26. 統監府 法務院官制 公布施行. 27. 鑛業法公布(9.15. 시행).	* 일본, 러시아로부터 사할린 남반부 할 양받음.
2. 宮禁令 公布(宮中出入時에는 警務顧問 部의 出入許可證 필요). 13. 日本人居留地, 雜居地에 日本人民團과 의결기관 민회 설치. 24. 通信院 全面廢止. 船舶, 海運 등의 소관 사무는 農商工部로 移管(韓國의 通信 事業機關의 완전소멸.).	* 關東都督府 설립.
1. 한국주차군사령부조례공포. 11. 義兵長 崔益鉉·林炳瓚 등 9人, 對馬島 에 流配(崔益鉉, 11.5. 사망). 18. 鎭海灣·永興灣을 軍港豫定地로 결정.	1. 관동도독부관제공포. 일본해저전신개 시.
13. 統監府, 大韓病院 開設. 통감부, 기관지 『京城日報』 창간. * 地方行政區域을 13道 11部 333郡으로 改編. 日本人 參與官을 두어 行政을 監 督하게 함.	1. 대련을 자유항으로 개항 25. 旅順鎭守府조례공포.
18. 日本과 鴨綠江·豆滿江 沿岸 森林協同 經營約款 締結.	11. 미국 샌프란시스코시, 일본학생격리명 령. 夏目漱 石문하생 "목요회" 시작. * 山縣有朋 「제국국방방침안」 상주.

		16. 가톨릭 주간지 『京鄕新聞』 창간. 18. 처음으로 기념우표 발행. 23. 李儁·李東輝 등 漢北興學會 조직. 31. 李甲, 鄭雲復 등 平安道 出身人士, 　　西友學會 組織.
11월	16. 土地, 建物典當執行規則 공포. 23. 내부대신 李址鎔, 일본파견특사에 　　임명됨.	1. 梁在謇, 趙重應, 李人稙, 李海朝 등, 　　최초 소년잡지 『少年韓半島』. 29. 대상인들이 彰信社 설립, 日本當土 　　紡績會社와 특약하여 광목 직수 　　입. * 東京朝鮮基督敎靑年會 창립됨. * 최초로 전국 호구 實地 調査 　(2,330,087호 9,781,671명).
12월	8. 한규설, 중추원의장에 임명됨. 29. 지방세규칙 공포(시장세, 포구세, 　　여각세, 교세, 인력차세, 자전차 　　세, 荷車稅, 花稅).	1. 서우학회, 기관지 『西友』 창간. 18. 寧海郡에서 義兵 일어남. * 申圭植, 서울에 漢語 야학교 설립. 　1918년 崔奎東 경영 인수(현재 中 　東學校). * 이해 金庸濟, 金庸震, 金九, 崔光玉 　등 安岳에서 勉學會 조직, 1909년 　海西敎育總會로 개칭.

12. 約束手形條例를 폐지하고 爲贊手形· 約束手形·小切手에 관한 手形條例 공 포(1907.1.1 시행). 16. 통감부, 韓國寺院管理規則 공포. 19. 政府, 間島 韓僑의 生命·財産 보호를 統監에 의뢰.	3. 국제무선전신조약조인. 26. 남만주철도회사 설립 ＊일본, 남만주철도회사 설립, 초대 총재 에 後藤新平 취임.
2. 統監府, 鐵道管理局 運輸營業規定을 공 포. 貨物·手貨物運賃을 제정. ＊이해 일본 同仁會, 대구, 평양에 同仁醫 院 설립.	5. 대일본노동지성회足尾지부결성.

1907년 隆熙 1	정 치	사회·경제·문화
1월	1. 중추원참의 徐正淳, 중추원 의장에 임명됨. 16. 『大韓每日申報』, 韓日協約 부인한 高宗의 親書를 揭載한「런던 트리뷴」의 記事 실음. 24. 황태자(純宗), 윤택영의 딸(純貞孝皇后)과 혼인. * 안창호, 이갑 등, 배일비밀결사 新民會 조직.	1. 漢北興學會, 漢北義塾 설립. 4. 샌프란시스코 韓僑, 해외홍보관 설립자금의 기부를 호소 / 서우학회와 한북흥학회가 합하여 西北學會 組織.. 29. 徐相燉, 金光濟 等 國債報償運動 始作. 30. 在日本 관비유학생의 共修學會, 『共修學報』 창간. * 천도교에서 제명된 이용구, 侍天敎를 창시.
2월	13. 梁漢奎 의병 부대, 남원성 점령. 25. 羅寅永, 吳基鎬, 李鴻來 등, 5적의 암살을 기도.	1. 농상공부소관 度量衡事務局, 工業傳習所, 測候所官制 공포 시행. 5. 吳泳根, 劉文相 등, 『夜雷』 창간. 22. 서울에 國債償還期成會組織됨. 23. 호남철도주식회사를 조직(사장 金基永). 28. 브라운의 한성수도공사, 철관 등 입하로 공사를 시작.
3월	4. 경상도 진주 의병장 盧應奎 옥사 / 學部 日本國留學生規程 공포. 5. 平理院檢事 李儁, 항일운동자에 황제의 특사령을 시행하지 않은 법부대신 이하영을 탄핵하다 笞一百의 형을 받고 면직됨.	2. 美洲의 大同敎育會, 大同保國會로 改稱. 3. 재동경 대한유학생학회, 『大韓留學生會學報』 창간. 9. 경성 유지들이 輔仁學會 설립. 14. 申箕善, 李容稙, 朴容大, 趙重應 등, 大東學會 조직. * 탁지부 건축소부설 연와제작소를 마포에 설립.
4월	11. 侍衛步兵 二個聯隊 편성됨. 20. 李儁 등, 高宗 親書 携帶하고 헤이그 萬國平和會議 參席次 出國. 23. 중추원, 군부의 旅團編制件 의결. 25. 경감학교, 경찰전문학교로 개편 * 광주재판소 개청.	1. 미국남장로교, 광주에 須彼亞女學校 설립. 2. 高等女學校令 공포. 대한식민합자회사에 멕시코 이민사업 허가. 15. 장로교, 전주에 紀全女學校 설립. 24. 법부, 新貨 1圓은 5兩, 舊貨 1원은 2량 5전으로 계산토록 함.

한일 관계	일본(明治 40)
9. 伊藤統監, 皇太子의 嘉禮에 日本宮內大臣을 특사로 파견한다는 사실을 長谷川統監代理에게 통지. 25. 統監府, 南山 倭城臺 新築廳舍로 이전.	15. 일간『平民新聞』간행. 20. 헌정본당조직개혁. 大隈重信, 총리사퇴. 21. 주식시장폭락(日露戰後공황의 시작). * 미주이민 문제에 관한 일미교섭개시.
	4. 露외상, 日露협상제의. 4~7. 足尾銅山쟁의, 군대출동, 계엄령. 12. 福田英子 등 치안경찰법 개정 청원(여자의 정치결사·집회참가 인정 요구). 17. 일본사회당 제2회대회. 22. 일본사회당에 해산명령.
2. 統監府警務總長은 國債報償期成會에 관해 요지를 統監에게 보고. 15. 日本人 大倉喜八郎이 學部에 善隣商業學校의 설립을 청원.	5. 日本, 松田灣內 海軍軍用地에 給水地貯炭所를 설치. 13. 미국, 일본·조선인 이민금지. 15. 樺太廳 관제공포(4. 1군정폐지). 16. 중의원, 福田英子 등의 청원에 의해 치안경찰법 제5조개정안 가결. 21. 소학교령 개정(보통소학 6년, 고등소학 2년으로 연장).
12. 財政顧問部에서는 各道顧問支部에 配置할 財務補佐官補 15名을 日本으로부터 초빙할 것을 결정, 來 15일경에 입경 예정. 20. 통감부, 한국인여권규칙 폐지, 외국인여권규칙 공포 시행.	3. 삼림법 개정공포. 19. 元帥府「제국국방방침」결정. 24. 新刑法공포.

5월 8. 헐버트, 헤이그 特使를 돕기 위해 高宗의 特旨를 받고 출국. 20. 朴齊純內閣 사퇴. 21. 一進會, 各部協辦의 辭退를 勸告. 22. 李完用 內閣 성립. 26. 송병준, 농상공부대신에 임명됨.	2. 一進會, 政府에 대한 彈劾文 發表. (國債報償運動을 비난). 5. 현채, 『幼年必讀』 간행. 17. 啓東學校, 블라디보스톡 新韓村에 설립됨. 23. 『대한매일신보』, 국한문판 외에 순 한글판 신문 발간.
6월 8. 일본에 망명했던 박영효 비밀리에 부산항 도착. 11. 특사받음. 22. 종신유배죄인 김윤식을 석방. 24. 황제의 밀사 이상설, 이준, 이위종, 헤이그에 도착. 27. 민사, 형사소송에 관한 건 반포 / 李相卨·李儁·李瑋鐘, 만국평화 회의에서 日本의 韓國 國權 유린과 韓國 外交權 奪取 등의 내용 호소. * 서재필 두 번째 귀국.	1. 서울, 평양간 시외전화 개통. 5. 궁내부 소속 내수사 및 각 궁 宮庄 土의 導掌 폐지. 20. 한·일인 자전거 상회, 훈련원에 서 자전거 경기대회 개최.
7월 2. 헤이그 特使, 記者會見을 통해 日 本의 韓國侵略狀況을 暴露. 헤이그 特使 派遣記事, 美國新聞에 게재. 6. 이완용내각, 어전회의를 열고 밀 사사건의 사후책 논의. 8. 헤이그 밀사 이위종, 日帝의 韓國 侵略을 糾彈하는 演說을 함. 16. 李完用, 皇帝에게 讓位 强要. 17. 이완용내각, 황제에게 동경에 친 행할 것을 强迫. 18. 李儁, 헤이그에서 自殺. 申箕善, 閔 丙奭, 양위 반대 내용의 경고문을 伊藤博文에게 발송. 19. 황제, 황태자로 하여금 국사를 대 리케 한다는 조칙을 발표. 고종양 위반대운동, 전국에서 일어남. 20. 皇帝讓位式, 中和殿에서 擧行. 22. 高宗에 太皇帝의 稱號를 올림. 讓 位를 反對한 朴泳孝, 李道宰, 李甲,	3. 헤이그밀사 사건, 『대한매일신보』 에 의해 처음으로 국민들에게 보 도됨. 4. 국유미간지이용법 공포. 6. 湖南學會 創設. 10. 마산노동야학 창설. 18. 『大韓新聞』 창간(경영난에 빠진 『만 세보』를 인수, 이완용내각의 기관 지로 출발) / 한성전기회사, 한미 전기회사로 개칭. 21. 재경서양선교사, 중앙기청 연합팀, 동경유학생단과 야구경기를 훈련 원에서 거행. 22. 이지용, 이근택의 별장에 방화. 24. 대구상인, 황제양위에 반대하여 철시. 30. 양위에 반대하던 동우회원 30명, 일경에 체포됨.

13. 地方委員會規則 공포.
30. 地方金融組合規則 공포.
 * 伊藤博文의 皇帝交替陰謀說 유포.

---

 4. 현재 일인경무보좌원 330명, 사무원, 통역관원 1천여 명.
14. 內閣官制 公布(皇權 縮小, 議政府 廢止).
 * 현재 일본인 거류민 10만명, 그들 소유의 토지 2억 3천만평으로 판명.
 * 보조화폐 50전짜리 및 20전자리의 주조를 일본에 주문.

 1. 『大阪平民新聞』 창간.
 2. 『社會新聞』 창간.
10. 파리에서 佛・日協約 및 佛領 인도차이나에 관한 선언서에 조인. 교환문서에 청국에서의 양국의 세력 범위를 확정.
22. 동북제국대학설립.

---

 2. 在헤이그日本大使, 高宗皇帝의 밀사로 지목되는 미국인 헐버트가 파리에 도착하여 日本을 비난했다고 日本外務大臣에게 보고.
 3. 統監 伊藤博文, 皇帝에게 헤이그 특사 파견을 항의.
12. 日本內閣, 伊藤博文에게 對韓强硬策을 훈령.
15. 日本外務大臣 林董, 한국으로 출발.
18. 日本外務大臣 林董과 統監 伊藤博文, 皇帝를 謁見하고 헤이그 사건 책임을 추궁.
24. 韓日新協約(丁未七條約) 및 秘密附帶覺書 조인. / 新聞紙法公布施行 (광무신문지법).
27. 각 지방의 감옥을 경찰에 인계. 警務廳 官制 變更. 保安法 공포.
31. 軍隊解散 조속 발표.

30. 제1회 러일협약 조인.

	金在豊 等 면관 혹은 체포(8.27. 朴泳孝, 濟州道에 유배).	
8월	1. 軍隊解散式, 訓練院에서 거행. 侍 衛隊, 日兵과 衝突. 시위1연대 제1 대대장 박성환 자결. 2. 年號를 隆熙로 고침. 4. 조인환, 권인경 등의 의병, 경기도 양근점령. 5. 김덕제·민긍호 의병 원주점령. 7. 영친왕 垠을 황태자로 삼음. 9. 수원진위대 제 1대대 강화분견대, 강화도 장악. 16. 농상공부, 徐午淳, 閔丙奭과 일인 들 사이에 체결된 호남철도공사 계약을 무효라고 발표. 兪吉濬, 張 博 等 日本亡命에서 귀국. 19. 大韓自强會 解散令을 내림. 27. 純宗皇帝 卽位式. 헌병대 해산되고 경찰로 흡수됨.	8. 대신들의 황제 알현 때의 의식을 脫帽경례로 통일. 14. 남자 17세, 여자 15세 미만의 조혼 을 금지. 17. 巡檢을 일본식 명칭인 巡査로 개 칭. 20. 궁중에 이발소 설치. 24. 재동경유학생, 『太極學報』 창간. 26. 태황제, 황제, 황태자, 모두 단발.
9월	3. 북청진위대의 해산으로 한국군 해 산 끝남. 3. 이강년 의병, 문경·상주 습격. 10. 奇參衍의 의병, 장성읍 습격. 11. 고광순, 담양에서 의병 일으킴. 17. 太皇帝, 慶運宮으로 移御.	1. 서울에서 최초의 博覽會 개최. 2. 韓人合成協會 하와이에서 조직. 17. 조선예수교장로회 獨老會, 평양 중앙교회에서 조직됨(회장 모펫). 25. 미국 북장로회, 서울에 保聖女學校 설립. 30. 홍종표, 하와이에서 월간『자신보』 창간.
10월	15. 이강년·민긍호 등과 연천 등지에 서 활동하는 의병장 전참찬 허위 의 품계를 삭제하고 체포하라는 명령 내림.	1. 龍井에 間島郵便局 設置. 會寧－ 龍井間 電話開通. 3. 광학서포에서 『귀의 성』 상편 발 행. / 대동보국회, 샌프란시스코에 서 주간『대동공보』 창간. 15. 盧伯麟, 대한국민체육회 설립. / 대 구 信明女學校 설립(현재 신명여 자중고등학교). 22. 합성협회, 하와이에서 주간『한인 합성신보』 창간.

2. 警務總監에 丸山重俊 임명. 12. 통감 伊藤 귀국. 16. 일본황태자 嘉仁(후에 大正天皇) 내한. 　　황제, 인천에 출영. 18. 統監府, 在京日人團體 解散을 慫慂. 20. 間島 용정에 統監府 出張所 開設(8.24. 　　淸國, 撤收를 要求. 1909.11.1 閉鎖).	29. 立敎大學설립. 31. 사회주의동지회결성.
6. 統監府, 의병 진압을 위해 銃砲 및 火藥 　　團束法 제정. / 乙未事變 관련자들 특 　　사.	12. 군령 제1호 공시. 17. 대만수비대사령부설치.
7. 韓國駐箚憲兵에 관한 件 公布(憲兵治安 　　維持에 관한 警察權을 强化하고, 統監 　　이 배치를 決定하며 兵力을 1천명으로 　　增加). 9. 통감 이등박문, 주한영국총영사에게 공 　　문을 보내 『대한매일신보』 발행인 베 　　델의 처벌을 요청. 26. 東洋拓植(주) 設立의 基本計劃 完成됨. 29. 在韓國日本臣民에 警察事務執行에 관 　　한 協定締結(在韓日警들을 韓國警察에	1. 정부, 17개 사설철도회사의 국유화 완 　　료. 25. 제1회 文展. 31. 日美 축음기제조 주식회사 설립.

		* 安國善, 『政治原論』 발행.
11월	10. 이강년 의병 200명과 신돌석 의병이 합세, 순흥군을 습격.	5. 각 외국어학교(일어·영어·독일어·프랑스어·한어)를 동일구내로 집결(1909.12.20.관립한성외국어학교로 완전 통합).
	11. 一進會, 義兵에 對抗하여 自衛團 조직.	
	13. 皇帝, 창덕궁으로 移御.	20. 南宮檍·尹孝定 等 大韓協會 設立.
	16. 車道善, 太陽郁 등, 북청에서 의병 봉기하고 일진회원 살해.	25. 李學宰, 玄公廉, 『刑法大典』 발행.
	18. 皇帝, 宗廟에서 國是 6個條 誓告.	29. 김윤식, 유길준, 흥사단 설립.
	23. 차도선, 홍범도, 宋相鳳 등, 山砲隊를 이끌고 북청의 후시령에서 일본군 중대병력 섬멸.	* 財政顧問 目賀田種太郎의 强壓으로 日本興業銀行으로부터 2千萬圓 借款.
12월	5. 皇太子 李垠, 유학이란 명목하에 강제로 도일(1908.4.1. 學習院 입학) / 沈南一 의병, 함평 신광 일어남.	8. 昭義學校 설립(현재 동성고등학교).
	6. 허위, 이강년, 이인영 등, 양주에서 13도창의군 결성, 한성진공 계획.	13. 재무감독국, 재무서, 인쇄국 관제 등 22개의 법령 반포.
	11. 의병, 용인에서 一進會支會長을 살해 / 내부, 각지에 귀순의병 처리 방침을 하달.	24. 이승훈, 정주에 五山學校 설립.
	20. 일본군에 체포된 의병장 정환직, 영천에서 총살됨.	
	* 재판소구성법, 재판소구성법시행법, 재판소설치법 공포. 전국에 10개의 금융조합 설립.	

임명).	
19. 維新詔勅 발표. 27. 帝室財產整理局官制公布.	1. 日英공동출자로 일본제강소설립.
1. 軍部, 기마대 1개 중대 설치 예정 발표. 18. 財務監督局, 學部, 農商工部官制 공포.	20. 동경전등(주), 駒橋수력발전소에서 동 경에 송전개시. 22. 사회정책학회, 제1회대회개최.

1908년 隆熙 2	정　치	사회 · 경제 · 문화
1월	1. 농상공부, 권업모범장 군산출장소 　와 동 평양출장소의 설치를 고시. 3. 민긍호, 신돌석의 의병, 양구에서 　일군에 피습. 9. 함남 중평장에서 의병 400여 명, 　일군과 충돌, 50여 명 전사. 18. 칙령 제2호 임시제실유급국유재산 　조사국관제개정건을 반포. 21. 광주, 장성, 영광, 함평의 연합의 　병, 함평습격. / 의병장 玄德鎬, 개 　성에서 전사. 23. 법부, 연설 잘하는 예수교인을 뽑 　아 의병을 선유키로 계획.	9. 궁내부, 제실박물관 및 동식물원의 　설치를 위한 기초 조사 착수. / 경 　시청, 서울의 창기를 한 곳에 모아 　회사를 설립키 위한 기초조사 실 　시. / 내부, 인천, 부산, 평양에 수 　도 시설을 위한 출장소 설치. 10. 샌프란시스코 한교, 『共立新報』의 　서울 代理店 開店(박문서관). 11. 서북학회 개회식 거행. 19. 정영택, 지석영 등 기호흥학회 설 　립. 22. 학부, 유치원 설치를 위한 예산 계 　상. 28. 학부분과규정 발표.
2월	2. 의병장 기삼연, 순창 복흥에서 체 　포됨. 12. 광주군 의병, 일본군에 체포된 의 　병장 기삼연을 구출. 29. 민긍호, 원주 전투에서 체포되어 　사살됨. * 허위, 13도창의군의 결사대 300여 　명을 이끌고 동대문 밖 30리까지 　진격	1. 내부, 각지의 사당, 성황당, 비각, 　사찰에 대한 조사 지시. 7. 大韓帝國標準時所에 관한 건 반포 　(동경 127도 30분 기준). 14. 학부, 사립학교보조금 지급을 위 　한 조사 착수. 26. 최봉준, 블라디보스토크에서 『海 　朝新聞』 창간.
3월	17. 차도선, 장진 의병 250여 명을 이 　끌고 일병에 위장 귀순. / 함남 의 　병장 태양욱 전사. 19. 度支部, 함경남북도에 露國貨幣 使 　用禁止 명령. 23. 장인환, 전명운, 스티븐스를 샌프 　란시스코 오클랜드 역에서 저격. 26. 大審院, 법부청사내에서 개원.	11. 서울 성곽철거 開始(동대문 좌우 　부터) 17. 탁지부, 일본 1원 은화 통용 금지 　에 관한 주의를 각 도에 훈령. 25. 창경궁에 동물원 준공.
4월	14. 법률 제7호 이민보호법중개정에 　관한 건을 반포. 15. 의병이 永同에서 鐵道를 破壞.	4. 한성부, 8세 이상의 모든 아동을 입 　학시키고, 사숙 폐지하기로 결정. 20. 법률 제8호 신문지법개정건 반포.

한일 관계	일본(明治 41)
22. 內部令 제1호 巡査懲罰令을 반포. 25. 내각총리대신이 국한문의 혼용을 各部에 조회. 내부분과규정을 발표. 내각, 훈령, 보고문은 일문으로 작성키로 결정. 27. 동양척식회사의 창립에 관한 조사위원회를 조직. 31. 현직일인 관리수, 判任官 1,300, 奏任官 500명.	21. 증세법안, 의회제출. 23. 중의원, 증세안에 대한 내각불신임결의안부결. 25. 외무성, 하와이 이민정지를 이민회사에 통고.
6. 학부, 공립보통학교에 일인교사 채용방침 발표.	5. 辰丸事件. 18. 이민문제에 관련한 日米紳士協約 성립.
6. 친일사찰대표 52명, 원흥사에서 圓宗宗務院 설립. 11. 統監府, 일인 판임관의 임명은 관보에 기재치 않기로 결정. 20. 정부, 일본과 차관 계약을 맺음.	1. 대일본방적연합회, 면사에 대한 경품부 수출장려실시. 6. 경시청, 田川大吉郎 등이 주도한 보통선거국민대회개최를 금지. 16. 증세법 공포. 28. 감옥법공포. 31. 공황구제책으로 국고 채권 1억엔의 상환 발표
30. 통감부, 신문지규칙공포.	10. 일본, 러시아와 사할린 경계획정서 조인. 13. 수리조합법공포.

	16. 김수민 의병, 장단의 일본헌병대 습격.	22. 학부, 공립보통학교의 명칭 및 위치를 고시. * 金躍淵, 간도 화룡현 대납자에 明東義塾 설립.
5월		23. 샌프란시스코 교포, 한국부인회조직 / 진흥협회, 하와이에서 월간 『진흥협회보』 창간함. 26. 각 황족 및 대신 부인들이 女子興學會 조직.
6월	8. 삼남의병도대장 金東臣 체포됨. 11. 의병장 허위 체포됨. 15. 미국인 콜브란, 갑산광산 채굴권 획득. 25. 제실유지지조사국 폐지. 업무를 탁지부에 이관. 궁내부 소유 역둔토와 각 궁장토, 국유로 이속.	1. 사립 畿湖學校 설립. 8. 李鍾頰 등, 輔仁學校 설립. 18. 베델, 치안방해 죄목으로 3주간 금고처분후 상해로 추방됨. 25. 『교육월보』, 『호남학보』 창간됨.
7월	2. 의병장 이강년, 충청도 제천에서 체포됨. 16. 홍삼전매법·인삼세법 공시(7.20. 施行). 21. 이범윤 의병, 흑룡강변 한인촌의 일본인 상점 습격. 29. 재러의병 100여명, 회령에 진공.	1. 『증보문헌비고』 완성됨. 18. 베델 재입경. 22. 각종 기념행사를 양력으로 시행하기로 결정 / 경시청, 『이태리삼걸전』『을지문덕전』『월남망국사』 등 서적 압수. 26. 연극장 원각사 개설.
8월	* 대심원 이하의 각급재판소 개청.	23. 이승훈, 태극서관 설립. 25. 『기호흥학회월보』 창간. 31. 양기탁, 국채보상금 횡령혐의로 기소됨. * 영국계 한국수도회사, 미국인 콜브란에게 하청하여 한성의 수도공사 준공.
9월		1. 학부, 교과용도서 검정규정, 학부 편찬교과용도서 발매규정 공포. 사립학교령 공포. * 안창호 등, 대성학교 설립

	20. 대만縱貫鐵道全通. 28. 제1회 브라질 이민 781명 출발
5. 施政改善을 위한 經費의 名目으로 日本 政府로부터 19,682,623圓을 借入하는 契約을 정식 조인. 19. 미·일, 韓國에서의 발명·의장·상표 및 저작권 보호에 관한 條約 조인.	5. 日米仲裁裁判條約 조인 15. 제10회 중의원 총선거
18. 헌병모집령 공포(한인보조원 모집).	22. 赤旗사건
15. 통감 伊藤 귀국. 26. 한국 정부와 통감부, 한국은행 설립에 관한 협정서 체결.	14. 제 2차 桂太郎 내각 성립. 24. 長崎端島炭坑暴動. 25. 戊申俱樂部결성.
13. 한국에서의 발명, 의장, 상표 및 저작권을 보호하는 미국과 일본 간의 조약 발효. 27. 東洋拓植柱式會社法 공포(12.28. 서울에 본사 설립).	28. 정부, 각의에 재정정리방침결정.
30. 일본, 한미전기회사에 대항하기 위해 日韓瓦斯會社 설립.	5. 문부성, 교과용도서조사위원회설치. 7. 문부성, 1900년에 제정한 소학교 교수용의 가명자체, 자음가명 사용, 한자사용 제한 등을 철폐(棒引假名폐지).

		* 구세군 선교사업 시작.
10월	20. 의병, 연안부근에서 일진회원 4명을 사살. 24. 차도선 의병 80명, 함흥군에서 일본병과 교전	2. 서부경무국, 각 집지사 임원에 편집·발행에 대한 주의 권고. 3. 朝鮮新聞·朝鮮타임즈, 日軍 이동상황의 보도로 발매금지.
11월	2. 대한협회, 내각의 퇴진을 주장 7. 어업법 반포. 23. 군부, 의병진압을 위해 군대부활을 내각에 건의. 30. 구백동화 교환 및 유통금지.	1. 최남선, 최초의 월간종합지『少年』창간. 6. 한성에서 의사연구회 조직. 11. 최초의 신극 이인직의『은세계』, 원각사에서 공연. 16. 동양애국부인회, 부인병원 설립. 30. 일진회, 대한협회 해산을 경시청에 권고.
12월	18. 조동환 의병 200명, 장성읍에서 일본수비대와 교전.	3. YMCA회관 개관식 거행. 7. 漢城衛生會, 市民에게 淸潔費를 강제징수.

	25. 日本閣議에서 間島領土權歸屬問題에 대한 解決方針이 決定. 29. 경찰범처벌령공포.
1. 학회령 실시 / 광주에 『週刊菊版新聞』 창간(일본어, 후에 『光州日報』). 31. 일본과 漁業協定 調印(11.11. 政府, 漁業 法 공포).	18. 미국태평양함대내항. 31. 戊申詔書 선포.
3. 각 사원대표, 일본승을 고문으로 하는 종무원 설치 결정.	2. 香港에 일화배척운동개시. 13. 高平·루트협정. 28. 天理敎의 독립을 인가. 30. 태평양 방면에 관한 미일교환공문.
28. 東洋拓植株式會社 設立.	1. 軍隊內務書改訂(군대가정주의강조). 21. 又新會결성.

1909년 隆熙 3	정 치	사회 · 경제 · 문화
1월	27. 탁지부, 新貨유통을 위해 10만원을 전국 금융조합에 6개월 간 무이자 대여키로 결정.	15. 나철, 대종교 창시. 20. 내부 위생국에 위생시험소 설치. 28. 월간『공업계』창간됨 / 한성공동창고회사, 영국의 보험회사와 화재보험 계약.
2월	9. 송병준, 伊藤博文을 따라 도일. 11. 윤상은 · 장우석 등 구포저축주식회사 설립(1915.1.24. 경남은행으로 改稱) / 경북관찰사 박중양, 순종 남순 때 일장기를 게양치 않은 대구수창학교의 폐교를 학부에 上申. 27. 이은찬 등의 의병 300여 명, 양주군에서 교전. * 함북 의병장 홍범도, 만주로 감.	1. 美洲韓國人團體, 통합하여 國民會로 발족. 9. 박은식, 「儒敎求新論」을『서북학회월보』에 발표. 10. 대한인국민회 북미지방총회, 『공립신문』발행. 18. 가옥세법 · 주세법 · 연초세법 공포. 국세징수법 반포. 20. 외국인선교사들, 선교사들이 의병을 선동한다는 송병준의 담화를 반박. 23. 출판법 반포.
3월	4. 민적법 공포 / 義兵의 서울 進攻說에 대비, 日警 楊洲로 출동.	1. 福澤諭吉 저, 최남선 역『修身要領』간행. 18. 유길준 저, 『大韓文典』간행. 20. 일본유학생의 대한흥학회, 『대한흥학보』창간.
4월	4. 경시청, 만세력을 압수. 7. 전 주불공사 민영찬, 상해에서 귀국 / 의병, 통영에 입항한 일본 잡화선 습격. 26. 변호사법 공포. 29. 의병, 거문도 · 초도에서 일본 어선 습격.	1. 경의선 · 마산선, 일반운수영업 개시. 15. 漢城府民會, 자치제 실시 준비를 위해 규약 인쇄. 26. 실업학교령 반포. * 최익현의 문집『勉菴集』간행.
5월	4. 증기를 이용한 신식 홍삼공장 착공. 31. 금융조합규칙 공포 / 정두환, 동래	1. 대한매일신보사장 베델 사망. 6. 강화도 전등사 藏史庫의 史册을 경복궁으로 운반.

한일 관계	일본(明治 42)
7. 황제, 伊藤博文과 지방순행 시작. 9. 황제의 일본군함 시찰 때 피랍을 두려워 한 부산시민 4천여명 군함을 포위. 31. 황제, 西北地方 巡幸中 평양도착(서북 각지에서 日章旗 거부사건 발생).	29. 桂수상, 西園寺정우회총재와 회견, 정부-정우회의 타협성립.
7. 度支部가 일본에 발주한 선박 隆熙號, 부산에 입항.	2. 小村외상, 滿韓이민집중론 외교방침연설. 11. 등극령, 섭정령, 황실성년식령, 입저령 공포. 24. 헌정본당상의원회, 비정우회가파대합동 결의.
15. 在韓外國人에 大韓 警察事務에 관한 韓日協定 체결.	4. 직물업자, 직물소비세전폐대회개최. 9. 중의원, 야당 3파가 제출한 염전매세, 직물세, 통행세폐지안 부결. 25. 원양선로보조법공포.
6. 統監府, 全國의 義兵狀況을 표시한 地圖 作成, 各官廳에 배부. 9. 통감부, 의병색출을 위해 호패제실시를 정부에 제의 / 송병준의 한일합병 추진설 유포됨. 30. 韓·美·日人의 의장·商標·著作權請願, 1908.8.16.이래 819件. * 統監府, 外國旅券規則 공포.	1. 경도시회화전문학교설립. 5. 특허법, 의장법, 상표법, 실용신안법개정공포. 7. 동경맹학교설치. 9. 산업조합법개정공포. 11. 日糖疑獄事件. 13. 귀족원령개정공포. 경지정리법개정공포. 14. 종두법 공포.
2. 內部, 木浦의 日人 보호를 위한 기선을 파견. 9. 동대문 밖 역둔토, 동양척식에서 접수.	1. 건물보호법공포. 6. 신문지법 공포.

	에 염직전습소 설립.	12.	『유년필독』 등 발매 금지됨.
		18.	대한협회, 『대한공보』를 『대한민보』로 개제.
		19.	재미교포, 『장인환·전명운 합전』을 간행, 무료 배포.
		27.	압수한 금서 중 3,700여권 소각.
6월	6. 농공상부, 신도량형기 보급을 위해 13도에 標本을 진열키로 함.	24.	韓美興業會社, 말총모자 2천개를 美國에 輸出키로 결정.
	7. 13도 창의군 대장 이인영, 전북 무주군에서 체포됨.	29.	학부, 서북·관동·기호·법학·대동·흥사단·보인·돈의·함남문화·함북사민 등 학회 인가.
	16. 의병장 이은찬, 사형집행됨.		
	30. 각의, 사법권양도 및 군부 폐지를 결의.		
7월	6. 농상공부, 각지에 벌목사업소 설치.	1.	한성수표교환소 업무개시 / 대한협회, 회장 김가진 명의로 통감부의 정책에 대한 의견서 제출.
		3.	대한천일은행본점 신축.
		5.	각종 학교령의 시행세칙 공포.
8월	4. 서울의 각국 영사, 사법권위임 이후의 치외법권에 관해 회의.	4.	보부상들의 제국실업회·대한상무조합부, 대한상무부로 통합.
	6. 탁지부, 국유전답소작인의 조합설치를 계획.	9.	러시아정교회주 울라디미르 입경.
	10. 韓國國債 4,178만9,233원.	13.	서울 人口, 15萬名으로 감소(1905. 19萬名). 조선고서간행회 조직.
	19. 서울의 부동산업자, 한성보신사 조직.	17.	『國朝寶鑑』 속편 간행.
		*	鴨綠江 철교 착공(1911.10.완공).
9월	2. 일본군, 호남의 의병탄압을 위해 작전개시.	1.	大同學會, 대성회로 改稱 / 서울 貞和여학교 설립. / 평양, 진남포간 지선철도 착공. / 퇴역장교를 中心으로 大韓工業會 설립.
	9. 의병장 정용대, 파주 양주 일대에서 활동하다 체포됨.	3.	『大同日報』 창간.
	22. 내부, 대동강·압록강·두만강·낙동강·한강 조사 7개년 계획 수립 착수.	5.	일진회·대한협회·서북학회, 연합을 위한 회담 개최. 10일 一進會·大韓協會 통합을 결정.

31. 서울의 日本人 7,135戶, 25,034명. * 대마도주 宗義達이 사용하던 金印, 銅印을 일본으로 가져감(강화조약 후 반납되었던 것).	
11. 國有地調査를 위해 40여개 조사반을 構成. 우선 東洋拓植에 引繼할 驛屯土를 조사. 14. 부통감 曾彌荒助, 통감에 임명됨. 29. 서울의 일본인들, 두부 제조회사 설립.	25. 도량형법 시행령 공포.
2. 서울日本人民團, 龍山 日軍用地를 얻어 주택 200호 신축. 10. 통감, 이완용 및 박제순에게 통치권위임과 군부 폐지의 동의를 요구. 12. 韓國의 司法 및 監獄事務를 日本政府에 委託하는 覺書(己酉覺書) 조인. 21. 일한와사회사, 한미전기회사를 매수, 일한와사전기회사로 개칭. 23. 대한적십자사, 일적십자사에 합병됨.	6. 내각에서 한국 병합 실행에 관한 건 의결. 12. 내무성, 동경에서 제1회지방개량사업 강습회개최.
4. 전 무관학교 생도 44명, 일본육군사관학교와 유년학교에 입학시키기로 결정. 11. 개성 등지에서 고분을 도굴하던 일본인을 체포.	13. 日閣議, 만주 6안건에 관한 교섭 촉진을 위해 간도거주 한국인에 대한 영사재판권의 요구완화 방침 결정. * 중국 북경, 천진, 동북에서 안봉철도 문제에 항의하여 일본 상품 불매운동 전개.
14. 내부, 일본橫濱비료제조장의 요구에 따라 한성의 분뇨 오물을 제공하기로 결정.	4. 間島에 관한 淸日協約調印(間島, 淸에 歸屬). 13. 문부성, 전문교육에도 수신교육중시 훈령.

		23. 일진회 · 대한협회 연합간친회.
10월	9. 호남 의병장 심남일 체포됨. 13. 제1회 사법관시험 실시. 16. 개성상인 시장세 거부, 철시. 26. 安重根, 하얼빈에서 伊藤博文 射殺 / 정부, 군함 양무호와 탁지부 소속 각고실호의 방매를 결정. 29. 문태수 의병 100여 명, 경부선 이원역 파괴. 31. 의병장 전해산, 나주에서 체포됨.	11. 진고개에 가스관 매설공사 시작. 17. 죽동궁 노비해방. 22. 『慶南日報』 창간(진주). 23. 대한공업회, 명칭을 대한흥업회로 바꿈. 29. 한국은행 설립.
11월	1. 법부 폐지. 경찰서 20개소 증설 / 창경궁에 동물원, 식물원을 설치하고 일반인에게 공개 / 의병장 황재풍, 장성에서 체포되어 피살. 17. 안중근, 옥중에서 이등박문 사살에 관한 「참간장」을 『대판매일신문』에 발표 21. 강기동, 연기우 의병 200여 명, 포천에서 교전.	2. 미국, 대한인국민회 북미총회, 『국민독본』 발행. 12. 한국은행, 인천 평양 원산 대구에 지점을, 진남포 목포 마산 개성 함흥 등에 출장소 설립. 25. 水商組合所를 설립, 수상영업이 외국인 수중에 돌아가지 않게 하기로 의정. 30. 일진회, 대한협회 통합선언.
12월	7. 內閣, 一進會 상소문을 각하. 11. 러시아인 미하일로프, 美國人 辯護士 토크라스에게 安重根 辯護를 의뢰. 18. 의병장 전해산, 전라도 장수군에서 체포됨. 22. 이완용, 명동성당 앞에서 이재명의 습격을 받아 중상 입음. 23. 一進會, 日本首相 桂太郎에게 韓日合邦 陳情書 提出. * 시장세 반대 운동 평남북에서 전개	4. 일진회, 합방성명서 발표. 대한협회, 일진회의 합방성명 반박, 연합 파기 성명. 7. 일진회의 합방성명을 규탄하기 위한 국민대연설회조직. 9. 동경 대한흥학회, 일진회 반박포고문 발표. 천도교, 교도들에게 일진회 반대성명문 배포. 10. 보부상, 합방찬성성명 발표. 淸州 · 全州에 慈惠醫院 세움. 15. 한성부민회, 내각에 일진회 해산과 국민일보 폐간을 요구. 23. 주시경, 미국인 게일, 일본인 高橋亨 등 한국어연구회 조직.

18. 일본, 한국에 대한 범죄즉결령 공포. 20. 일본, 사법권위임에 따른 한국인에 관계되는 사항을 공포. 23. 統監府, 辯護士規則 공포. 28. 사법권을 10월 31일부로 일본에 빼앗기게 됨에 따라 사법에 관계되는 제반 법령 수십개가 개정되거나 폐지됨. 29. 日軍, 全南義兵 鎭壓 전과 발표.	11. 三井은행, 三井물산, 주식회사로 개편.
1. 통감부임시간도파출소 폐쇄, 일본총영사관 개설. 통감부 사법관, 업무 개시. 소송서류에 일문 사용. 8. 통감부, 간도 한국민의 보호·관리 담당위해 일본 총영사관 설치 고시. 17. 韓國의 소송 서류에는 융희년호를 쓰게 함. 18. 일진회 고문 武田範之, 합방성명을 위하여 입경. 23. 탁지부 촉탁 일인 關野貞 등, 북한유적 조사 완료.	
10. 학부, 일본 三省堂에 교과서 출판을 위탁. 16. 일본 조선철도경영권을 일본철도원으로 이관, 통감부 철도청 폐지. 21. 통감, 내각에 격문, 집회 엄금 지시 / 동경일인기자단, 한일합방을 제창.	13. 산업조합중앙회설립. 16. 동경 산수선 일부 개통. 18. 미, 만주철도중립화안 제의.

1910년 隆熙 4	정 치	사회·경제·문화
1월	6. 연기우 의병, 연천에서 교전. 유생 김창숙 등, 일진회 해산을 중추원에 요구. 14. 평북 용천 상인들, 시장세에 반대하여 철시함. 29. 평남 순천군민 3000여 명, 시장세 징수에 반대하여 재무서 습격.	1. 電話交換에 韓國語도 사용케 함. 8. 혼례, 민속, 관습의 조사를 시작. 11. 동아연초공장 완공. 12. 국민대연설회에서 일진회의 합방 성명 반박문을 일본 내각, 귀족원, 중의원에 보내기로 결정. 25. 함흥에 자혜의원 개설. / 학부, 각 학교에 정치토론 금지 지시.
2월	2. 漢城辯護會, 安重根의 변호인으로 卞榮魯 파견을 결정. 5. 關東都督府高等法院, 安重根의 변호 출원을 모두 불허. 14. 안중근, 여순지방법원에서 사형선고 받음.	5. 임시재원조사국, 소금 담배의 전매제를 결정. 7. 보성소학교, 일본식으로 창씨개명한 학생에게 퇴학 처분. 18. 최초의 상설영화관 경성고등예술관 설립. 24. 중추원고문 이지용, 일본인과 합자하여 북간도에 철도공사 착수
3월	15. 임시토지조사국관제 제정(9. 30공포) 26. 安重根, 여순감옥에서 사형당함. 31. 재외 한교들, 安重根에 의연금 5만여원을 거두어 변호사들에게 지급.	1. 북미대한인국민회, 태동실업주식회사 설립. 2. 대한국민회 학무국, 이원익 저『韓英辭典』간행. 10. 박용언, 한성에 德化女學校 설립. / 돈화문에 전등 가설. 14. 공립대구농림학교 설립. 28. 이승만,『독립정신』간행. 29. 閔元植·李載克 등 政友會 조직. 30. 경시청, 창기들의 반양장을 엄금.
4월	1. 한만철도 접속을 위해 한철은 압록강에 가교하고, 만철은 안동에 필요시설을 하기로 결정. 8. 憲兵補助員規定 공포 시행.	1. 政友會,『時事新聞』을 인수하여 기관지로 함. 15. 주시경 저,『國語文法』간행. 16. 국채보상금처리회, 대총회 개최. 30. 광한서림,『西洋史敎科書』간행. / 공립진주농림학교 설립.
5월	1. 일본 철도원, 경원선 호남선 착공. 8. 광양만 염전, 처음으로 소금 산출. 17. 탁지부, 수원, 강화에서 삼각측량	1. 민영린, 이기동, 남상철 등 진보당 창립. 7. 농림연구회 조직.

한일 관계	일본(明治 43)
	21. 일로양국, 만주철도중립화안 거부를 미국에 회답. 28. 중의원에 공장법안상정.
6. 國民同志贊成會, 日內閣에 합방을 청원. 8. 일본신도교습소의 포교를 허가.	1. 국채인수 신디케이트결성(16은행) 11. 京都市電동맹파업. 16. 大阪紡績 松島공장파업. 25. 대동구락부, 무신구락부 등 합동하여 中央俱樂部결성.
15. 이재극, 이하영 등, 일본인과 합자하여 種苗주식회사 발기. 28. 駐韓日憲補充員 219명 도착.	13. 헌정본당, 우신회 등 합동으로 입헌국민당 결성. 28. 尋常小學 修身敎科書의 수정편찬 훈령.
13. 종로제회소 한국인 노동자, 일본인과 충돌하여 동맹파업. 14. 度支部의 釜山製氷所를 일인 수산회사에 양도키로 결정. 16. 日軍交替兵力 第 2師團 도착.	4. 일본권업은행법, 농공은행법개정공포. 13. 외국인의 토지소유에 관한 법률 공포. 15. 관세정율법 개정 공포(관세자주권 인정).
4. 통감부, 『統計年鑑』 발간. 12. 동척, 일본정부의 보증으로 2,500만원의 사채 발행을 결정 / 일본인 田村萬	14. 日英박람회개최. 25. 大逆사건 시작. 사회주의자에 대한 전국적인 검거

	개시. * 이범윤, 홍범도 등 연해주 연합의 병 국내 진공, 일본군과 교전.	10. 國民會, 大韓人國民會로 改稱. 16. 도립전주농림학교 설립. 28. 평양 수도공사 준공, 通水式 거행. 대구기생조합 회원들, 흥학과 양 병에 관한 토론회 개최하다 연행 됨. 29. 새문안교회당 준공.
6월	8. 송병준, 이용구 등, 정적 이완용, 조중응, 유길준 등을 타도하려는 계획이 탄로남. 10. 경시청 폐지. 21. 柳麟錫 등 13道 義軍 블라디보스 토크에서 편성	2. 광양만 염전에서 한국인부와 청인 부 충돌. 9. 이장훈 등, 『대한매일신보』 매수. 19. 夜珠峴 구세군영 준공(현 신문로). 21. 한강부두 석축공사 착공. * 덕수궁 석조전 준공. * 부산에 최초의 공설시장인 부평시 장 개설.
7월		17. 장도, 이범찬 등 각국의 신문, 잡지 를 구입하여 무교동에 열람실을 설치하고 무료 공개. 21. 신용산선(용산, 한강) 전차 운행 시 작. 26. 도립공주농림학교 설립됨.
8월	17. 柳麟錫 等, 聲明會 결성, 合邦反對 鬪爭 전개. 23. 토지조사법 반포 / 블라디보스톡 의 韓人 50여 명, 합방반대를 위한 결사대 조직. 25. 경무총감부, 정치에 관한 집회 및 옥외 대중집회 금지 법령 반포. 30. 統監府에서 新聞 題號 중 한국 국 권을 상징하는 명칭은 고치게 함.	4. 송광순, 광성상회 조직하여 궐련 제조 판매. 15. 『천도교월보』 창간됨. 26. 경무총감부, 『소년』 정간시킴. 28. 전 참봉 박세화, 합병에 분개하여 자결. 29. 舊韓國 皇族에 관한 禮遇規程 發 表. 30. 大東學校學生 1명과 定山郡守 합방 에 항거하여 자결.

之助, 『東洋日報』 창간.
28. 통감부, 출판규칙을 공포 시행.
29. 통감부, 『韓國施政年報』 발간.
30. 寺內正毅·山縣伊三郎, 각각 統監, 副統監에 임명됨.

---

3. 일본 각의, 합방 후 시행될 대한정책 결정.
4. 일본인 田村萬之助, 『한성신문』, 『대동일보』를 합병하여 『대한일일신문』 창간.
24. 한국경찰권 일본 정부에 위탁하는 각서 조인.
30. 경시청관제를 폐지하고 헌병경찰제도를 실시하는 제반 법령 반포.

22. 拓殖局官制 공포.

---

2. 공문에 明治年號 사용지시.
12. 일본각의, 합병 방침과 조선총독의 권한을 결정.
13. 동척, 대구에 출장소 설치.
23. 統監 寺內正毅 부임.

4. 제2차 러일조약 조인.
14. 풍속취제령공포. 문부성 『尋常小學讀本唱歌』.

---

12. 용산 일군사령부에 경비회의 개최.
16. 李完用, 統監 寺內正毅를 訪問하여 合邦에 관한 각서를 교부.
18. 합방조약안, 각의에 상정.
22. 韓日合邦條約 조인.
29. 統監府, 在京 新聞·外信記者를 招待, 合併의 顚末과 조약문을 발표. 조선총독부설치에 관한 건 공포. 조선에 시행할 법령에 관한 건 공포.

24. 각국 정부에 한국병합조약과 선언 통고.

1910 ~ 1945

일제강점기
한일관계 연표

1910년	민족운동	사회·문화
9월	1. 槐山人 洪範植과 星州郡守 자결. 8. 金奭鎭 순절. 10. 黃玹 자결. 12. 예천·풍천에서 의병·일병 교전. 17. 前宗正院卿 李冕宙 순국. 24. 安東人 柳道發 단식 순사 / 李晩燾, 合倂에 반대하여 자결. 30. 李在明 사형당함.	10. 학회령 8조에 따라 西北學會의 本會 및 支會 설립 인가 취소됨. 11. 警務總監部, 一進會·朝鮮協會·國民同志贊成會合邦贊成會·國民協成會·進步黨·政友會·儒生協同會·平和協會·西北學會 등 10개 정치 사회단체를 해산. 14. 『皇城新聞』 폐간. 23. 朝鮮統監府 警務總監部, 敎會說敎와 學校體育運動會는 屋外集會禁止에서 해제.
10월	16. 吳剛杓 순절. 23. 前 成均生員 李鉉燮(愚軒) 합방반대 순절. 28. 황해도 德隅에서 의병 교전 30. 李範允, 러시아 관헌에 피체, 이르쿠츠크로 호송 구금.	1. 일제, 朝鮮總督府令으로 宗敎統制案 神敎布敎規則 발포(대종교 폐교).
11월	10. 미국, 캔사스시 재류 한국인들, 少年兵學院 설립, 병식훈련 시작. 15. 前侍從院 副卿 張泰秀, 일본의 賜金 거절한 후 순사. 17. 이근영·양귀선·조병하 등, 멕시코 메리다에서 崇武學校 設立.	6. 朝鮮總督府 學務局 編輯課, 學校敎科書 조사. 16. 경무총감부, 민족의식 말살을 위해 『을지문덕』·『초등대한역사』 등 서적 45권을 발매금지시킴.
12월	20. 尹國範·文成助 의병부대, 安東·醴泉·永春·奉化 등지에서 교전. 21. 의병장 鄭文七, 영해도서면 등지서 일헌병 및 보조원과 交戰하다 패하여 체포됨. 23. 의병대장 楊允淑, 전남 김제군서 김제인수비대에 체포됨. 27. 망명중인 安明根, 입국하여 비밀리에 군자금 모집 중 체포됨.	

식민통치	일본(明治 43)
12. 朝鮮駐箚憲兵條例(전18조) 발포. 16. 東洋拓殖株式會社移住規則 認可 발표. 東洋拓殖株式會社의 소유 또는 관리하에 있는 韓國의 토지를 日本移住民에게 대부하되 移住民을 甲·乙·丙종으로 나눔 28. 朝鮮總督府官制 발포. 30. 조선총독부임시토지조사국관제 公布. 토지조사사업 시작 / 朝鮮總督府 中樞院官制(전11조) 공포 / 地方官制 공포. 전국을 13道로 나눔.	* 『新思潮』 간행.
1. 寺內正毅를 朝鮮總督府 總督에, 山縣伊三郎을 政務總監에 임명. 4. 구 한국 내각, 해산식 거행. 7. 조선귀족령에 의한 授爵式 거행(후작 6·백작 3·자작 22·남작 45명).	1. 대일본방적연합회 제6차 操短.
15. 사립학교설립인가령 시행. 25. 일본군, 경상북도지역 의병에 대한 대토벌 작전 개시(~1911.초).	3. 제국재향군인회 발회식. 15. 帝國農會 설립 29. 白瀬中尉 등 남극탐험대 출발
15. 犯罪卽決令 공포 실시(警察署長·憲兵地方分隊長에게 卽決權을 부여) 29. 총독부, 朝鮮會社令 공포(1911.1.1. 시행). 30. 前 宮內府, 李王職으로 하는 관제개정 공포.	6. 프랑스의 사회주의자, 대역사건에 대해 파리 일본대사관에 항의. 14. 日野態藏, 최초의 시험비행 성공 22. 九州제국대학 설립. 24. 황실재산령공포 / 堺利彦 등 賣文社개업.

1911년	민족운동	사회·문화
1월	4. 日本왕 탄생일 天長節 행사 참석 거부로 구속된 張基禴(1860~1911) 옥중에서 단식 자결. 26. 李範晋, 合倂에 비분하여 러시아령에서 자결.	4. 『普中親睦會報』 정간됨. 25. 『商工月報』, 『少年』 정간됨.
2월	12. 義兵將 姜基東, 元山에서 被逮(4.17. 총살형). 22. 義兵 金基錫(延基羽의 부하), 경기도에서 활동하다가 체포됨.	14. 총독부, 각 道에 사찰 소유 보물목록을 제출케 함. 27. 侍天敎, 기관지 『侍天敎月報』 창간.
3월	8. 하와이 교포, 국어교육을 목적으로 골로아 지방에 新興學校 설립. 10. 矯南中學校와 日新女學校, 대구에 설립. 12. 합방 후 석방된 의병장 盧炳大, 다시 의병을 일으키다 체포됨.	8. 한성사범학교 임시강습과 설치규정 제정. 22. 윤영기, 방한덕, 서울에 서화미술원 설립. * 武田範之, 한일불교 연합을 목적으로 「원종육제론」을 저술, 한국인승려에게 배포.
4월	1. 朝鮮農會 新設. 6. 咸鏡北道 訓戎憲兵分遣所에 被逮되어 義兵將 金哲洙 서울로 押送/하와이 교포, 호놀룰루에 新民學校 설립. 17. 1905년 전中樞院參議 金志洙, 은사금 거절하고 자결(1845~). 29. 의병장 鄭敬泰, 蔚珍에서 체포됨.	13. 경기도내 사립보통학교규칙 공포.
5월	31. 의병장 延基羽의 부하 李敬七·尹致成·李順陽·成伸業 등, 交河에서 체포됨	15. 『少年』 23호로 폐간. 17. 『新韓民報』 227호 발매 금지.
6월	10. 한인국민회 하와이 지방총회, 『초등국어교과서』 편찬. 14. 中軍義兵大將 金宗泰, 順興에서 榮	1. 동대문 북쪽 성벽을 헐고 도로 개통. 15. 經學院規定 공포(성균관 폐지)

식민통치	일본(明治 44)
1. 경무총감부, 安明根의 체포를 계기로 安岳의 민족주의자 총검거 시작(안악사건의 발단).	18. 大逆사건 대심원 판결, 幸德秋水 등 24명 사형 선고. 26. 桂・西園寺 회담, 정부・정우회의 제휴 성립.
9. 우편규칙, 철도선박우편규칙 등 공포. 17. 日本政府, 韓國皇室의 武官 禮遇를 결정, 日本陸軍武官의 制服着用과 武官附屬을 공포. 18. 관영수도급수규칙 공포. 23. 인삼경작장려규칙 공포 시행.	11. 빈민제생에 관한 勅語발포. 21. 일・미 신통상항해조약 및 의정서조인 (최초로 관세 자주권 확립) 23. 대역사건문책결의안, 중의원에서 부결.
6. 전기사업취제규칙 제정. 19. 지방금융조합감독규칙 공포. 23. 조선사업공채법, 조선사업공채금특별회계법 공포 / 조선삼림특별회계법 공포 / 우편환규칙 공포. 29. 일본정부, 조선은행법 공포. 30. 간도의 영사관재판에 관한 건 공포. 31. 우편예금규칙, 속달우편규칙 공포. * 이승만, 총독부의 諭示退去處分으로 일본에 도착.	1. 제국극장개장식. 7. 일 중의원, 한일합방을 사후 승인. 11. 보통선거법안 중의원 통과. 24. 일본흥업은행법개정공포. 29. 공장법 공포(최초의 노동입법). 30. 전기사업법공포.
1. 경성부의 행정구역 변경실시. 5. 사법사무공조법 공포. 17. 토지수용법령 공포. /도로규칙 공포 시행.	3. 일영통상항해조약개정조인. 7. 市制, 町村制 개정공포.
10. 總督 寺內正毅, 日本에서 귀임.	10. 유신사료편찬회 설치. 11. 原蠶種제조소 관제 공포.
3. 漁業令 公布/ 寺刹令 반포. 15. 社會登錄稅에 관한 규정 공포 시행. 20. 삼림령 공포.	1. 高橋是淸, 日銀총재 취임. 20. 일본기독교회, 조선인 황민화를 위해 전도에 착수.

	川수비대에 체포됨.	21. (株)日韓瓦電, 마산전기공사 완공.
7월	1. 노재호, 호놀룰루에서 주간 『독립 신문』 창간. 20. 純獻皇貴妃 嚴妃 죽음(1854~1911) 22. 安岳事件被疑者公判. 31. 李範允, 이르쿠츠크 감옥에서 석 방.	22. 러시아령에서 발행하는 『大洋報』 제 1권 4,5호 압수당함. 31. 경학원 대제학에 박제순, 부제학 에 이용직, 박제빈 임명됨.
8월	30. 京城覆審院, 안악사건 공소심 판결 공판 개정.	
9월	24. 경성부민회 해산.	15. 경원선, 용산·의정부간 개통. 26. 警備電話規則 공포.
10월	1. 상업회의소연합회 대표, 동경연합 대회에 참가하여 미곡유출입세 철폐 운동 전개. 20. 러시아령 수청에 大韓人國民會 시 베리아地方總會를 설립.	1. 호남선, 木浦·鶴橋간 공사 기공.
11월	5. 한국인 최초의 방직주식회사 京城 織紐 창립. 13. 만주 하얼빈에 대한인국민회 만주 지방총회 조직.	1. 압록강 鐵橋개통.
12월	9. 李相卨·李鍾浩 등, 블라디보스톡 신한촌에서 勸業會 조직.	17. 서대문·동대문간 전차복선화 준 공.

29. 土地收用令 施行規則·國有未墾地利用 法 施行規則 公布실시.	24. 日獨통상항해조약 및 특별상호관세조 약조인.
6. 신용고지업취제규칙 공포. 8. 寺刹令施行規則 발표(9.1시행). 18. 관유재산관리규칙 공포 시행. 22. 日帝, 朝鮮銀行法 공포(8.15. 실시). 朝鮮 銀行으로 명칭 개칭.	8. 공창폐지운동단체「廓淸會」설립. 9. 동경시회, 전차시유안 가결. 13. 제3회 영·일 동맹협약 조인.
7. 朝鮮總督府, 森林令 공포(9.1실시). 24. 朝鮮敎育令 공포.	19. 일불통상항해조약 조인. 21. 경시청 특별고등과 설치. 25. 桂내각 총사직. 30. 제2차 西園寺公望내각 성립.
9. 총독부, 각지에 伸寃箱을 설치. 16. 총독부, 전국 미개간지 조사 착수. * 105인 사건(신민회사건) 시작.	20. 일본징병보험㈜ 설립.
24. 교육칙어, 조선총독에 전달. 26. 조선인의 성명 개칭에 관한 건 공포. 28. 공립보통학교비용령 공포.	16. 청국에 혁명군 토벌위한 무기탄약공급 통고. 24. 각의, 對淸 정책에 관한 건 결정. 25. 사회당 결성.
1. 利殖制限令 공포 / 신제 각급학교의 교 과서 편찬 개시. 7. 국세징수령 공포. 25. 공립보통학교·공립실업학교 직원에게 조선총독부직원 제복 착용케 함.	17. 각의, 신해혁명과 관련 청조원조결정. 28. 漢口·上海로 출병.
19. 지방금융조합감독규정 공포 시행. * 한국은행권 회수 시작(조선은행권으로 연 17만 원 대체)	24. 원로·대신회의, 청의 혁명에 불간섭방 침 결정

1912년	민족운동	사회 · 문화
1월	6. 의병장 崔永宇, 양평군에서 검거됨. 29. 宋秉珣(1839~1912), 殉國(「討五賊文」으로 國賊성토, 日本 은사금과 經學院 강사 거절).	1. 표준시를 일본중앙표준시에 맞추어, 오전 11시 30분을 정오로 함.
2월	25. 『朝鮮佛敎月報』 창간됨.	
3월	12. 의병장 朴漢局, 金奉安이 逮捕됨. 31. 義兵 鄭世昌, 金學俊 泰仁郡에서 체포됨/재일본 조선유학생친목회 해산.	14. 창덕궁 박물관 준공. 24. 호남선, 강경 · 군산간 개통.
4월	30. 義兵 沈石萬 惠山鎭에서 체포됨.	30. 『勸業新聞』 창간.
5월	31. 의병 金明祚 · 鄭時鍾 · 李泰京 · 安錫祚 · 徐俑仁 등(의병장 鄭炳煥의 부하) 징역 10년 언도받음.	
6월	28. 新民會事件 연루자 123명의 공판, 경성지방법원에서 개정.	15. 朝鮮輕便鐵道令 공포. /부산 · 장춘간 직통열차 운행 개시.
7월	4. 申圭植 · 朴殷植 등, 상해에 同濟社 조직.	15. 조선은행, 봉천에 출장소 설치.

식민통치	일본(大正 1)
9. 직산광업주식회사 설립됨. 16. 漁業稅令 공포.	23. 국제아편조약 조인. 29. 大倉組, 중국혁명종부와 300만엔 차관 계약.
3. 삼림, 임야 및 미간지의 국유, 사유 구분의 표준을 정함. 16. 어업세령 공포. 23. 수산조합, 어업조합규칙 공포.	25. 대만에서 本島人, 중국인단체가 회사에 명의를 부여하는 것을 금지 / 삼교(신도·불교·기독교)회동하여 종교를 국민교화에 이용.
2. 조선우선주식회사 설립. 4. 과세지 견취도 작성규칙 공포(4.1 시행) 12. 고물상취체령·質屋(전당포)취체령 공포(4.1 시행) 18. 조선민사령·조선형사령·조선부동산등기령·조선민사소송인지령·조선태형령·조선감옥령 공포 시행. 朝鮮總督府 재판소령 개정 공포. 22. 조선부동산증명령·조선등록세령 공포. 25. 警察犯處罰規則을 발포(4.1. 시행). 27. 총독부관제 개정 공포. 30. 법인 설립 및 감독에 관한 규정 공포.	1. 山陰線 全通. 18. 정부, 4국 차관단으로 참가를 신청.
18. 거제도에 있던 日本해군 鎭海防備隊를 진해로 이전.	
14. 國有森林山野保護規則 發布. 31. 全官吏에게 武官服裝着用 지시.	15. 제11회 총선거. 26. 참모본부, 『明治三十七八年日露戰史』 편찬. * 『東洋經濟新報』, 군비확장을 비판.
	18. 일·미·영·독·불·러의 은행가, 중국 외채 독점적 인수에 관한 규약체결.
11. 司法警察 事務 및 令狀 집행 公布 시행. 20. 전국 토지 소유관계를 토지조사국에 신고하도록 지시.	3. 日佛銀行 설립. 8. 제3회 러일협약 조인. 30. 日本의 明治 천황이 죽고, 大正 천황이 즉위.

8월	* 손정도·조성환, 桂太郎 암살기도 혐의로 대련에서 체포됨.	1. 원산 칠성회, 칠성은행으로 개편. * 대구·목포간 부정기 버스 운행 개시.
9월	10. 의병 대장 田聖根(경기도 加平·永平 등에서 활동), 군자금조달을 위해 활동하다 체포됨. 28. 新民會사건 피의자에 대한 1심이 경성지방법원에서 개정.	
10월	27. 日本 東京에서 安在鴻·崔漢基·徐慶의 주동으로 學友會 조직.	2. 호남철도, 이리·김제간 철도 개통. 21. 경원선, 연천·철원간 철도 영업 개시.
11월	8. 大韓人國民會, 샌프란시스코에 중앙총회 설립. 22. 의병 李錫庸, 전북 長水郡 內鎭면 사무소 습격, 부하 7명 체포됨 * 이상룡 등, 서간도 통화현에 부민단 조직.	
12월	6. 尹用求, 洪淳馨, 韓圭卨, 閔泳達, 趙慶鎬, 男爵 작위 반납.	19. 황현 선,『매천집』과 김택영 선『창강집』, 총독부에 압수당함. * 사리원·해주간 국도 완공.

13. 土地調査令 및 土地調査令施行規則 公布 시행. 15. 조선국유삼림미간지 및 삼림산물특별처분령 공포 시행. 21. 銃砲火藥類取締令 공포.	1. 友愛會 창립. 13. 桂太郎, 內大臣 겸 侍從長 취임. 28. 육군보병학교조례 공포.
3. 京城府 孔德里에 京城監獄을 설치하고 종래의 京城監獄을 西大門監獄이라 改稱.	10. 일본활동사진㈜ 설립. 13. 明治 천황 장례. 26. 恩赦令·大赦令 공포.
14. 총포화약류취체령 공포. 24. 은행령 공포.	
30. 임시각의에서 조선에 2개사단 증설안 부결.	
	5. 西園寺 내각 총사직. 14. 정우회 3派, 관료정치의 근절과 헌정옹호를 결의. 19. 동경에서 최초로 헌정옹호대회 개최. 21. 제3차 桂내각성립. 24. 제30의회 소집(27. 개회, 1913.3.26 폐회)

1913년	민족운동	사회·문화
1월	5. 李康德, 비밀단체 조직하고 경기·충청 일대에서 군자금 모금 중 체포됨.	15. 이완용·조중응, 조선권업협회 조직. 27. 정재학 등 14명, 大邱銀行 설립.
2월	21. 平壤陰謀事件의 被告 車炳修 外 11人, 平壤地方法院에서 공판. 28. 의병장 韓翊洵·韓始鎭, 順安警察署에서 체포됨.	
3월	20. 105人事件에 대한 공소심 열림. 25. 의병장 董宗贊, 新義州 光成面 正洞에서 체포됨.	1. 호서은행 설립됨. 6. 부산상업은행 설립됨.
4월	2. 前平理院 首班判事 金在珦, 獨立운동계획 차 渡日(獨立義軍府사건). 19. 대한부인회, 하와이에서 조직.	1. 총독부의학강습소, 경성의학전문학교로 승격. 21. 부산상업은행 업무 개시.
5월	13. 興士團, 안창호·宋鍾羽 등에 의해 샌프란시스코에서 창립. 17. 의병 南一成 체포됨. 21. 의병장 盧炳稷 체포됨.	25. 한용운,『조선불교유신론』간행.

식민통치	일본(大正 2)
15. 사설학술강습회규칙 공포. 24. 토지조사국, 서울 시가지 지가 및 등급 구획을 협정.	13. 大阪에서 헌정옹호각파연합대연설회. 17. 전국기자대회, 헌정 옹호·벌족 타파 결의. 19. 국민당대회, 桂내각 탄핵결의안 체결. 20. 桂수상, 신당조직계획 발표. 24. 동경에서 제2회 헌정옹호대회 개최. 28. 문부성, 병식체조를 교련으로 개칭.
15. 실업학교규칙 개정 공포. 17. 총독부, 獨·美·露·白·英·佛 등 각 국영사와 거류지 영대차지권정리안 및 거류지 철폐 정리에 관한 협의를 개최. 25. 시가지건축취체규칙 공포.	5. 정우회·국민당 등 양당연합, 정부탄핵 내각불신임안 상정. 7. 桂太郎, 입헌동지회 결성. 11. 제3차 桂太郎내각 총사직/대만척식㈜ 설립. / 일본결핵예방협회 설립. 19. 정우회, 山本內閣 원조방침 결정. 20. 山本權兵衛내각 성립. 24. 尾崎行雄 등 정우회 탈당, 정우구락부 결성.
1. 刑執行停止者取締規定 發布. 17. 朝鮮公證令 同施行規則 同手數料規則 公布(5.1. 시행)/ 한국금광에 지점 설치 허가(본점 런던). 20. 朝鮮駐箚憲兵隊의 管區 및 配置 制定 발포(4.1. 시행).	15. 동양척식, 파리에서 사채 5천만 프랑 발행.
1. 조선은행 동경지점 설치 / 조선우선㈜ 인천·진남포간 항로 개설. 5. 總督府判事檢事任用令 개정, 司法官試補制度 설치. 9. 조선미 수입세 폐지. 21. 총독부, 美·白·露·英·佛·伊 領事와 각국 居留地 철폐에 관한 議定書 조인.	27. 對華5국차관단, 중국과 2500만 파운드 차관조인.
	9. 주미공사, 미국의 배일토지법안에 대한 일본정부의 항의 제출. 29. 일중간 조선, 만주국경통과철도 화물관세의 경감협정 조인 / 白鳥庫吉 감수 『만주역사지리조사보고』.

6월	4. 박용만 등, 미국 네브래스카주에서 유학생회 조직.	7. 조선물산주식회사, 영동군에 설립됨.	
7월	4. 洪錫俊, 陽德에서 체포됨 15. 105인사건 판결공판, 피고 상소.		
8월	13. 獨立軍府事件의 피고 金在珦, 郭漢一, 田鎔圭, 李鼎魯 등 4명, 京城地法에서 2年~6月 언도받음.	1. 『신한주보』가 주간 『국민보』로 개제됨. 7. 최재학 등, 손병희를 배척하고 천도교 혁신회 조직.	
9월	2. 의병 李泰燮, 光州地法에서 징역 언도 받음. 19. 의병장 柳時淵 등 5명에 대한 공판 대구법원에서 개정. * 박병찬, 이인순, 전용규 등, 서울에 독립의군부중앙순무총장을 설치.	20. 이승만, 호놀룰루에서 월간 『태평양잡지』 창간.	
10월	3. 義兵將 崔益三 체포됨. 9. 安岳事件, 被告 尹致昊 등 6人·上告 최후公判에서 上告 기각됨.	1. 목포·송정리간 철도 개통. 17. 공주·대전간 개수도록 개통.	
11월	10. 조선상업회의소연합회, 일본 농상무대신·동경상업회의소·일곡취인소 등에 鮮米代用制 반대를 청원. 21. 義兵將 韓貞萬(一名 貞滿 또는 丁萬), 平壤覆審法院에서의 不服 控訴公判에서 控訴棄却됨 * 이동휘, 韓僑董事會를 간도에 조직.		
12월	10. 의병대장 李錫庸 체포됨.	15. 한강철교 복선화 완성.	

7. 朝鮮總督府, 臨時土地調查局調查 규정 公布 / 총독부, 민간에 산재하는 도서, 고비탁본 등 수집할 것을 시달. 13. 조선총독부관제 개정. 26. 총독부, 고려조 역대왕릉 보호 결정. 30. 임시토지조사국, 전국 시가지조사를 완료.	13. 육·해군성 관제 개정/ 山本내각, 행정 정리발표, 사법성에 법무국, 문부성에 종교국설치.
	13. 京大澤柳사건 일어남.
15. 地稅徵收에 관한 件 공포.	1. 문관임용령 개정. 5. 岩波茂雄, 岩波서점을 개업.
23. 日本陸海軍刑法을 조선에 시행하는 법률 공포 시행.	5. 阿部守太郎 외무성정무국장, 軟弱外交를 공격하여 살해당함. 7. 대중국문제 국민대회, 동경에서 개최. 중국에 대한 출병요망을 결의.
1. 朝鮮總督府鐵道局線과 日本鐵道院線 및 中國京奉鐵道線間에 旅客 및 手荷物의 연락 운수 개시.	6. 영·독·러·일 등 13개국, 중화민국정부 승인. 10. 桂太郎 사망. 17. 대일본국방의회 발회식.
29. 道의 위치, 관할구역 및 부군의 명칭, 위치, 관할구역 제정.	23. 입헌동지회 결당.

1914년	민족운동	사회 · 문화
1월	29. 金貞彦, 谷山郡 覓美面에서 체포됨.	7. 이화학당, 유치원을 설립. 9. 배화학당 필운동학교 준공. 11. 정읍, 송정리간 철도 준공으로 호남선 완성. 13. 30本山 주지, 서울에 고등불교강숙 설립/ 姜萬馨 등, 在大阪朝鮮人 親睦會 조직. 17. 단성사 신축. * 金容俊『金菊花(下)』, 金榮漢『松竹』, 李常春『西海風波』 간행.
2월	15. 獨立義軍府 全南巡撫 林炳瓚 被逮.	
3월		22. 호남선철도 전통식 거행.
4월	2. 在東京朝鮮留學生 學友會『學之光』 창간.	5. 관부연락선 新羅丸 취항.
5월	15. 義兵 高達順등, 황해도 燕灘 日本 헌병 파출소 습격, 총기 탄약 노획. 21. 平山義兵大將 金貞安 등, 燕灘 부근에서 체포됨.	18. 여자고등보통학교관제 공포.
6월	10. 朴容萬 등, 하와이에서 國民軍團 조직 14. 의병장 연기우, 인제에서 검거됨.	10. 총독부 각급학교 교과과정에 교련 과목 신설.

식민통치	일본(大正 3)
25. 府制 시행규칙, 학교조합령 시행규칙 공포.	14. 헌정옹호회, 3세 철폐결의. 19. 입헌동지회, 국방회의 설치. 감세·관영사업의 민영 이양 결정.
22. 전북경편철도주식회사 설립됨. 27. 憲兵隊·警察署의 管區 및 配置를 변경 (3.1. 시행).	5. 헌정옹호회 시국유지대회 개최. 10. 동지회·국민당·중정회, 중의원에 山本내각 탄핵의안 상정, 부결 / 내각탄핵 국민대회 개최. *『新思潮』 창간.
1. 韓國駐箚憲兵隊의 管區 및 配置 변경, 憲兵派遣所 이하의 배치는 韓國駐箚憲兵司令官에게 위임 / 地方行政區域 변경. 16. 市街地稅令 公布 / 煙草稅令 公布 / 地稅令 공포.	20. 上野에서 大正박람회개최. 23. 예산안 불성립. 24. 山本내각 총사직.
1. 총독부, 교과과정·주간교수시간 개정. 7. 朝鮮船舶令 公布. 25. 土地臺帳規則·하천취체규칙·항만 기타 공공 사용수면 및 그 부지 취체에 관한 건 공포.	16. 제2차 大隈重信내각 성립.
1. 지방법원출장소 설치에 관한 건 공포 시행 / 압록·두만강변에 세관출장소 13개소 증설 / 영대차지권에 관한 건 공포 시행 / 부동산등기령 개정 공포 시행. 22. 農工銀行令·地方金融組合令 공포.	25. 福田狂二 등, 일본노동당 결성.
	12. 下中弥三郎, 平凡社 창설. 16. 전국상업회의소연합회, 영업세 전폐 결의.

	* 의병장 임병찬, 거문도로 유배.	
7월	28. 의병장 金尙台(1911.5.체포됨), 옥 중 斷食투쟁중 殉節. 29. 이승만, 하와이 호놀룰루에서 한 인여자학원 설립. * 안종석, 민배식, 한상열 등, 만주 길림성에서 국권회복을 목적으로 彰義所 설립.	2. 욕탕영업취제규칙 공포. 4. 조선산파규칙, 조선산파시험규칙 공포 시행. 20. 의사시험규칙 공포.
8월	21. 한용운 등, 조선불교회를 불교동 맹으로 개편.	16. 경원선 완성.
9월	2. 러시아 官憲이 海蔘威 勸業會에 대해 해산명령 및 勸業新聞 발행 금지함.	16. 경원선 전통식, 원산에서 거행됨.
10월		1. 함경선 착공.
11월	7. 金燾鉉(1907. 항일의병에 참가, 英 興學校 設立),망국 통한하여 자결.	
12월	2. 平安南道警務部·平壤日憲兵隊本部,義兵大將 蔡應彦의 체포에 현 상금 280圓 내걺.	1. 청진·블라디보스톡 간 직통전신 개통.

	18. 영국, 일본에 대독전 참가요청 / 原敬, 정우회총재 취임. 23. 일본평민당 결성. 26. 大阪방적, 三重방적 합병으로 東洋방적 ㈜ 설립.
11. 행정집행령 공포. * 지방금융조합, 창하증권발행제 창설.	
1. 도·부·군의 관할 구역 변경. 6. 총독부, 시정2년기념조선물산공진회 개최 계획을 발표.	3. 제1차대전 발발로 주식 폭락. 8. 원로대신회의 대독참전 결정 23. 독일에 선전포고(제1차 세계대전 참전). 26. 膠州灣 봉쇄 선언.
1. 韓國駐箚憲兵隊의 管區 및 配置/조선은 행, 백원권 발행. 12. 시장규칙 공포. 29. 총독부, 군수중공업원료·석탄 수출을 단속.	10. 임시군사비특별회계법 공포. 15. 정부, 재계구제계획 발표.
	14. 독일령, 南洋諸島 점령. 15. 월간 『平民新聞』발간.
	7. 靑島, 교주만, 膠濟철도전선 점령. 10. 교주만 봉쇄 해제.
21. 총독부, 대종교 해산을 명함.	1. 영국과의 비밀각서에서 적도 이북 독 일령 諸島의 영구 보유를 희망. 3. 對華 21개조요구제출을 駐華공사에 훈 령. 25. 중의원, 2개사단증설비 부결.

1915년	민족운동	사회·문화
1월	15. 尹相泰, 徐相日, 李始榮 등 30여 명이 達城郡에서 비밀결사 朝鮮國權會復團 조직.	
2월	6. 경도제국대학 법대생 金雨英 중심으로 유학생 20여명 京都朝鮮유학생친목회 조직. 13. 新民會事件으로 服役中인 尹致昊·梁起鐸 등 6人 석방됨.	14. 총독부, 해인사 대장경의 3부 인쇄를 요청.
3월	* 유동열·박은식·신규식·이상설 등, 상해 英조계지에서 신한혁명당을 조직.	* 진남포 축항 완공.
4월	4. YMCA에 경신학교 대학부 설치. * 김성수, 중앙학교를 인수.	6. 경기도, 국비 造林을 착수. * 在韓 日人 서양화가들, 조선미술협회 조직, 교육구락부에서 전람회 개최.
5월	2. 『學之光』 발매 금지됨.	15. 경춘도로 준공.
6월	17. 柳壯烈(義兵將 李學士의 副將), 日人殺害 軍資金 탈취하고 抗日 중 체포됨 25. 崔旭永(義兵將 李康年의 軍師長), 군자금 모금 중 체포됨.	12. 서울의 시·구 개정으로 종각 이전을 결정. 28. 유학생 감독에 관한 규정 공포 시행. * 조선약학강습소 설립.
7월	5. 의병대장 蔡應彦, 成川에서 체포됨. 15. 姜順弼·朴尙鎭·禹在龍 등, 豊基에서 大韓光復會 조직, 광복회로 改稱.	10. 함경선, 원산·문천간 준공.

식민통치	일본(大正 4)
	7. 중국, 산동성에서 일본군 철퇴 요구.
	18. 일본 공사, 원세개에게 5號 21개조 요구를 제출.
	25. 米價조절령공포.
17. 米穀檢查 규칙(全文 8條) 公布 시행.	11. 在京중국인유학생, 21개조 요구 항의대회 개최.
2. 총독부토목국, 돈의문의 철거를 위해 경매공고. 11. 토지조사령 시행 규칙 개정. 20. 民籍法과 宿泊 및 居住規則 개정. 24. 사립학교규칙 개정, 전문학교규칙 공포. 25. 조선공립소학교규칙 개정 공포. 26. 이왕직사무소분장규정 개정. * 『조선고적도보』 제12권 간행.	3. 추밀원위원회, 정부행정처분에 의한 구제를 발표. 16. 대심원, 官有地 입회권부정판결. 25. 제12회 중의원 총선거, 정부여당 압승. * 猪苗代水力發電所 준공.
30. 중추원관제를 개정 공포 / 총독부관제 개정 공포.	
10. 토지대장규칙을 개정, 공포 시행.	7. 중국에 21개조 요구에 대해 최후통첩. 25. 日華신조약 조인.
22. 消防組規則 公布(8.1. 시행. 경찰의 보조기관으로 韓國인 탄압에 협력).	3. 중의원, 대화외교에 관한 내각탄핵결의안 상정, 부결. 8. 중의원, 선거간섭에 관한 내각불신임결의안 상정, 부결. 9. 2개사단 증설, 군선건조위한 추가예산안가결.
5. 민적법집행요령 개정 공포. 13. 조선중요물산동업조합령 공포. 14. 총독부지방관제 개정 공포 시행. 15. 경복궁내에 總督府始政5年記念 朝鮮物産共進會 事務所를 開設 / 조선상업회	2. 각성에 참정관·부참정관 임명. 23. 木場은행파탄으로 목재상 42호 도산. 29. 大浦兼武내상 사직. 30. 大隈수상이하 사표제출.

8월	25. 光復會, 大邱達城公園에서 투쟁방법 설정.	10. 금강산 온정리의 금강산 호텔 영업 개시. 15. 원산항 해륙연락설비 공사 기공.
9월	2. 의병대장 金在性, 公州地法에서 사형선고됨, 不服 항소. 15. 의병장 蔡應彦이 平壤地法에서 사형을 언도받음.	15. 경성우편국 준공.
10월	1. 間島彰義所 사령관 安鍾奭, 부하 70여명 인솔, 두만강 부근 스펜찬에서 러시아 기병과 충돌 패배.	3. 조선철도 1천 마일 돌파 축하회를 경복궁에서 거행. 29. 도로규칙 개정. 31. 부산·동래온천장간 전차 개통.
11월	2. 의병 吳承泰, 평양지법에서 사형선고받음. 4. 의병장 蔡應彦, 평양 감옥에서 사형당함. 10. 東京留學生 李光洙·申翼熙·張德秀 등, 朝鮮學會 조직.	8. 원산수도 준공.
12월		3. 사설무선전신전화규칙, 사설무선통신종사자자격검정규칙 공포 시행. 20. 서울·블라디보스톡 간 해저전선 준공.

의소령 공포 / 조선은행 하얼빈 지점 개설. 21. 개항취제규칙 공포.	
16. 일본인교육사립학교에 관한 규정 공포 / 신사사원규칙, 포교규칙 공포. 29. 총독부, 15대 하천 조사활동의 일부로 낙동강, 임진강, 청천강, 재령강, 영산강의 답사 완료를 발표.	3. 원로회의, 大隈수상에 유임권고. 10. 大隈내각, 개조하고 유임.
6. 토지조사국 조사규정 개정. 11. 일한와전, 경성전기주식회사로 개칭 / 조선물산공진회, 경복궁에서 개최. 14. 수도에 관한 규정 제정.	1. 井上馨 사망 / 堺利彦 등, 『新社會』창간. 15. 內相·文相, 청년단의 지도·통제에 관한 공동훈령.
14. 朝鮮商業會議所, 韓日人聯合商業會議所 設立 결정. 20. 한일은행 개점.	6. 미가조절조사회관제 공포. 19. 영·불·러의 런던선언에 가입, 전후권익에 대해 비밀협정. 28. 일·영·러, 원세개에게 제정을 연기할 것을 권고.
10. 감형·징계·징벌에 관한 규정 공포 시행. 27. 조선부동산등기령 시행지역의 건 공포.	10. 大正천황 즉위식. 27. 중의원무소속단, 공우구락부로 개칭. 30. 일·영·불·이·러 5국선언에 조인.
4. 경성상업회의소 설정 인가. 23. 日本政府, 韓國 內에 新設한 第19·第20師團의 司令部 이하 配置表를 發表. 24. 朝鮮鑛業令 공포 / 朝鮮總督府, 사립학교에서 日本國歌 부르도록 지시. 25. 지방재판소를 지방법원으로 개칭.	4. 동경주식시장 대폭등. 18. 중의원, 내각탄핵결의안 상정, 부결. 26. 중의원, 임시군사비추가예산안 상정, 부결.

1916년	민족운동	사회·문화
1월	7. 의병장 申錫元, 河東에서 체포됨. 13. 東京朝鮮고학생 동우회 조직. 18. 申任典, 李龍雲, 晋州에서 체포됨. 21. 잡지 『학지광』 발매 금지.	4. 朝鮮總督府, 植民地敎育을 위한 『敎員心得』 공포.
2월	10. 배재학당, 배재고등보통학교로 승격.	8. 농우회, 대전에서 조직됨.
3월	14. 自立團원 方周翼·金性翼 등 19명, 보안법위반죄로 징역 선고받음. 29. 의병장 韓應貞 義州에서 체포됨.	26. 박중빈, 전북 익산에서 원불교 창설.
4월	1. 총독부, 조선의학회의 해산을 명함. 11. 李康來·金正彬·李承鎬 등 7人, 國權回復運動을 위한 자금모집 중 京城에서 체포됨.	6. 금강산 유점사의 53불상 중 16좌 금불 도난 17. 백윤수·조진태·홍충현 등, 대한무역회사를 설립. 19. 영등포에 전기 공급 개시. 22. 大邱神社의 創立 허가. 25. 세브란스 의학전문학교 정식 개교.포에 전기 공급 개시.
5월	23. 의병장 林秉瓚, 巨文島 유배지에서 단식 自決. * 대한국민회, 하와이서 『국민보』 발행.	
6월		2. 예성좌·문수성·혁신단, 단성사에서 합동 공연(최초의 대규모 신파 연극) 26. 京城地法은 連川·議政府·長湍, 公州地法은 大川, 平壤地法은 江西·大邱地法은 醴泉·聞慶, 釜山地法은 宜寧·咸安에 각각 출장소 설치.

식민통치	일본(大正 5)
24. 大邱地法은 靑松·軍威·倭館·善山· 울릉도에, 釜山地法은 昌寧·梁山에 각각 출장소를 설치함.	4. 恩賜救恤資金궁민구조규정제정. 12. 大隈수상 암살미수사건발생. 22. 공장법시행에 대비, 공장감독관을 설치.
15. 경찰관사격규정 공포. 29. 조선광업령 시행규칙 및 등록규칙 공포.	7. 제1회 러시아대장성 證券 5000만엔 인수. 23. 노동자문제연구회 결성. * 『新思潮』 간행(제4차).
6. 우편법·철도선박우편법·전신법 등 개정 공포 18. 진해군항에 요항부를 설치하고 영흥방비대를 폐지. 23. 등록세령시행규칙 공포. 31. 숙박영업, 요리옥, 음식점영업 및 창기, 악예기, 작부영업취체규칙 공포.	7. 각의, 원세개배격 민간유지 남방원조 묵인 방침결정. 17. 海軍航空隊令제정.
1. 조선총독부전문학교관제 공포 / 대구사립협성학교, 공립고등보통학교로 개칭 / 광업령 시행규칙 공포.	2. 우애회磐城연합회 설립. 10. 대장성에 은행국 설치. 25. 경제조사회 설치.
15. 고등보통학교관제 공포. 26. 철도국관제 개정 공포.	6. 제철업조사회 설치.
10. 李王職官制·事務分掌規程·判任官定員 개정 공포. 25. 朝鮮總督府廳舍 新築垈地(景福宮 內)의 地鎭祭 거행.	* 우애회부인부 설치.

7월	22. 安重根의 從弟 安鳳根, 런던 주재 일본대사관에서 호송되어 일본 神戶에 上陸.	10. 관민합동 발기로 경제연구회 창립. 21. 함경선의 연장선인 원영선 개통.
8월	* 조선인구락부, 함흥에 설립.	
9월	12. 羅寅永(羅喆)이 九月山 三聖祠에서 순사.	
10월		9. 소학교 및 보통학교 교원시험규칙 공포.
11월	* 首陽團 해주에서 발족.	
12월	29. 민영기, 대정실업친목회를 조직.	5. 일본군 2개 사단의 상주로 여의도·용산·대구·나남 등지의 토지 수십만평이 군용지로 수용당함.

4. 고적 및 유물보존규칙, 고적조사위원회 규정 공포. 10. 보호牛규칙 공포(8.1 시행) 21. 소득세법중 법인소득세에 관한 규정 공포. 24. 민적법 개정 공포 시행. 25. 酒稅令 公布(9.1. 시행).	3. 제4회 러일협약조인.
1. 英親王 李垠과 日本皇族 王女인 方子와의 혼인을 윤허하는 칙허 寺內 총독에게 전달. 7. 소득세법시행규칙 공포 시행. 30. 國稅徵收令·煙草稅令施行規則 및 稅關事務分掌規程 개정 公布(9.1. 시행).	3. 광부노역부조규칙, 광업경찰규칙 제정 / 공장법시행령 공포. 13. 鄭家屯에 주둔한 일본군과 奉天軍 충돌. 30. 제2회 러시아대장성 증권 7000만엔 인수발표.
15. 조선은행, 만주 營口에 지점 설치. * 폭력행위 등 처벌에 관한 령 공포.	1. 공장법 시행 / 직공조합기성동지회 결성.
16. 日陸大將 長谷川好道, 朝鮮總督에 임명. 30. 일본인 富田 등, 진남포에 삼화은행 설립.	4. 大隈수상, 사표제출. 9. 寺內正毅, 조선총독 사임, 日內閣總理大臣으로 전임. 10. 憲政會 결성.
1. 조선은행, 봉천지점을 설치. 2. 조선총독부, 건축표준 공포. 25. 경성지법은 抱川·楊平·加平, 공주지법은 丹陽, 부산지법은 裡里·淳昌·茂朱에 각각 출장소 설치.	29. 영국국채 1억엔 인수계약 성립.

1917년	민족운동	사회 · 문화
1월	12. 義兵 金利道, 평양에서 체포됨. 23. 洪承魯 · 李鍾大 등, 일본에서 東京 勞動同志會 조직. * 흥사단, 재원 확보를 위해 미주에 북미실업회사 조직.	
2월	1. 용화현상무회, 만주 대립자에서 창립 / 조선제당주식회사 설립.	24. 조선상업은행, 주주총회를 열어 주주를 일인에게도 허용.
3월	2. 間島彰義所司令官 安鍾奭, 간도에서 체포, 茂山憲兵分隊로 압송됨. 5. 京城高普 敎員養成所내 비밀결사 朝鮮産織奬勵契 발각됨. 23. 張日煥 · 金亨稷 등, 평양에서 朝鮮 國民會 조직. 31. 李相卨, 니콜라예프스크에서 죽음. * 만주 용화현에 義興學校 설립됨.	
4월	9. 奉天에서 朝鮮人會 設立됨. 14. 김정호, 김기영 등, 개성전기주식 회사 설립.	
5월	25. 義兵將 李鎭龍, 平北에서 체포됨.	14. 사립 세브란스 연합의학전문학교 인가됨. 26. 광화문선 공사 준공.
6월	14. 만주 하얼빈 共濟會, 자치단체인 韓國人會로 개편 추진. 30. 사립보성고등보통학교 설립 인가.	15. 총독부, 『조선어법 및 회화집』 간 행.
7월	18. 朴武祚, 호적과 조세납부 거부하고 자결.	

식민통치	일본(大正 6)
	20. 일본흥업은행·조선은행·대만은행, 중국교통은행에 500만엔 차관供與. 22. 정가둔사건에 관한 공문 교환. 25. 중의원·헌정·국민당, 내각불신임안 공동제출. 중의원 해산, 해산직후 헌정·국민당 제휴 결렬.
	12. 임시산업조사국관제 공포. 13. 영국외상, 강화회의에서 일본 요구의 지지를 언명(산동성의 독일이권과 적도이북의 독일령제도에 관한 요구).
	10. 일본공업구락부 설립. 28. 각의, 2월혁명 후 러시아假政府승인 결정.
	5. 청원령공포. 20. 제13회 중의원 총선거.
31. 어업취체규칙 개정.	1『思潮』창간. 2. 松方正義, 内大臣 취임.
1. 토지조사령 시행규칙 개정 공포 시행. 8. 순종황제 도일(28. 귀국). 9. 面制施行規則 공포(10.1 시행).	2. 寺內수상, 3黨首에 임시외교조사위원회 위원 취임 청함. 6. 임시외교조사위원회관제 공포. 30. 헌정회의 내각불신임안 부결.
17. 朝鮮水利組合令 공포. 29. 間島 한국인에 대한 경찰권, 중국관헌으로 부터 일본관헌에게 이관됨. 31. 朝鮮國有鐵道經營權을 南滿洲鐵道株式會社에 위탁 / 총독부관제 개정 / 척식국관제 공포 시행.	20. 각료회의, 중국에 대한 외교정책결정 / 군사구호법 공포. 21. 전시해상재보험법 공포. 25. 제철업장려법 공포. 31. 내각에 척식국 설치.

8월	31. 김성수 등, 평양노동조합 조직 / 申圭植 등, 上海에서 朝鮮社會黨 조직.		
9월	1. 기독교청년연합회 기관지 『靑年』 창간. 15. 日本유학생 李達 등, 동양청년동 지회의 기관지 『東亞時論』 창간.	1.	한국철도를 경유하는 중일간 화물 운수업무 개시. 30. 조선광업회 창립.
10월	1. 朝鮮人居留民會가 간도 頭道溝에 서 조직됨(회장 金鳴汝). 14. 金容俊 등 日本유학생이 箕城俱樂 部 조직. 29. 하와이 國民總會, 뉴욕 世界弱小國 同盟會에 朴容萬 파견. * 광복단, 평북과 경북 지방 부호들 에게 군자금모집취지서 배부.	17.	한강교 낙성식 거행.
11월	10. 光復團慶尙道支部長 蔡基中 등, 親 日행위와 농민착취로 貨殖하던 前 慶尙觀察使 張承遠을 사살.	9.	창덕궁 화재로 대조전 등 소실. 17. 안희제, 부산상인들과 백산무역주 식회사 설립. 25. 함경선, 청진·회령간 개통. 30. 동경조선기독교청년회, 기관지 『基 督靑年』 창간. * 關釜연락선 정기 운행.
12월	9. 金俊淵·白寬洙 등이 日本에서 湖 南親睦會 조직. 20. 光復團 總司令 朴尙鎭 체포됨. * 김립·윤해·문창범 등, 시베리아 의 교포를 망라하여 전로한족회중 앙총회 조직. * 한인노동회, 블라디보스톡 신한촌 에 조직.	15.	대전약령시 개설. 22. 재일본동경여자유학생친목회, 여 성잡지 『女子界』 창간.

	30. 주식상장, 綿絲상장 대폭락.

11. 工業 有權戰時法 시행령 공포.
14. 금은화폐 및 금·은·地金 수출을 제한
  하는 규칙 공포 시행.
20. 조선은행, 천진지점을 개설.
22. 신의주은행 설립인가.
28. 전시선박관리령 공포.
	1. 폭리취체령공포.
	6. 은 수출 금지.
	12. 금화·금괴 수출금지.
	21. 임시교육회의관제 공포.
	28. 興銀·臺銀·朝銀, 중국교통은행에 차
	  관 2000만엔 供與.

1. 面制 시행으로 전국 200여 면의 명칭
  변경. 일본인 면장으로 임명 시작/ 韓
  國水利組合條例 폐지, 조선수리조합령
  시행.
29. 軍事救護法施行令 공포.
31. 한성은행 동경지점의 설치를 인가.
	24. 러시아, 日露통상조약 폐기.
	30. 소액지폐발행 긴급칙령 공포.

* 부산에 일본 조선방직주식회사 설립.	2. 石井·렌싱협정 조인(중국의 기회균
	  등·문호개방·일본의 특수지위 승
	  인).

* 조선은행, 일본은행과 만주의 국고사무 취급에 관한 대리계약 체결.	3. 勞學會결성.

1918년	민족운동	사회·문화
1월	11. 러시아 한인 자치기관 高麗族中央總會, 俄領韓人會와 통일 결의. 22. 金哲勳, 吳夏默 등, 이르쿠츠크에서 이르쿠츠크 共産黨韓人支部 결성. * 서재필, 안창호, 이승만 등, 미국 워싱턴에서 新韓協會 조직.	13. 英親王 李垠이 8년만에 日本에서 일시 귀국. 17. 고등고시 및 보통고시령 공포.
2월	9. 朝鮮국민회 인사 12명, 일본경찰에 체포, 송치됨.	20. 書堂規則 公布 시행.
3월		
4월	2. 광복단원 李東欽, 경북 봉화의 자산가 이정필에게 독립운동자금을 요구하다 체포됨.	
5월	* 全露韓族會中央總會, 露領내에서의 교포의 정치적 중립을 선언.	
6월	13. 한인사회당, 니코리스크에서 제2회 全露韓族代表者大會 개최. 26. 李東輝, 朴鎭淳, 朴愛, 하바로프스크에서 韓人社會黨 조직.	13. 광화문선 전차운행 개시. 19. 안중식, 고희동, 오세창 등 13명, 서화협회 창설. 29. 연초세령 개정으로 葉煙草消費稅 제정.
7월		3. 조선전신전화건설령 공포.
8월	22. 美洲의 각종 婦人團體, 大韓女子愛國團으로 통합. * 한인청년단, 블라디보스톡 신한촌에 조직. * 여운형, 장덕수, 김구, 신석우, 조동호, 상해에서 新韓靑年黨 조직.	

식민통치	일본(大正 7)
29. 노동자모집취체규칙 공포.	12. 거류민 보호를 이유로 블라디보스토크에 군함 2척 파견.
1. 지방비부담금 징수규칙 제정. 16. 미국과 무역제한 실시. 26. 조선상공은행 설립 인가.	11. 헌법발포 30주년축하국민대회 개최. 21. 三井물산, 중국과 무선전신차관 체결.
18. 순사·순사보 배치 및 근무규정 공포. 30. 憲兵派遣所를 憲兵駐在所로 改正 / 貨幣法을 韓國에 시행.	23. 전시이득세법 공포. 25. 군용자동차보조법 공포. 26. 제1차 일미선철교환계약 조인.
1. 朝鮮人官吏의 恩給·隱退料 및 遺族扶助料 등에 관한 規定을 공포 시행. 10. 조선은행 상해지점을 개설. 26. 外國米관리규칙 공포시행.	5. 日英陸戰隊, 블라디보스톡에 상륙. 17. 군수공업동원법 공포. 25. 外米관리령공포. 농상무성임시외미관리부설치.
1. 조선임야조사령 공포 시행. 13. 戰時利得稅令 공포. * 朝鮮駐箚軍을 朝鮮軍으로 개칭.	6. 재경중국인학생, 日華共同防敵軍事協定반대집회 개최, 25인 검거. 16. 일화육군共同防敵軍事協定 조인.
7. 朝鮮殖産銀行令 공포. 18. 朝鮮總督府, 토지조사사업 완료. 22. 警察船配置規程 공포. 27. 지방금융조합령을 금융조합령으로 개정.	1. 大日本紡績㈜ 설립.
17. 地稅令施行規則 공포. 27. 舊韓國軍人 및 軍人遺族扶助令 公布시행.	8. 미국군구원위해 블라디보스톡으로 日·미 공동출병 제의.
3. E.W. 프레이저 외 4명, 동양광업주식회사 설립. 4. 대흥전기㈜, 대구 및 함흥전기주식회사를 병합하여 창설. 16. 곡류수용령 공포.	2. 일본정부, 시베리아 출병 선언. 3. 富山縣에서 쌀소동발발, 전국에 파급. 17. 近畿關西신문기자대회, 언론옹호·내각탄핵을 결의.

9월		
10월	1. 李均燮·鄭承國·蔡逸宣, 만주 연길현에 新興學校 설립. 5. 濟州左面 法井寺 僧侶 金蓮日·仙道敎首領 朴明洙, 리민 4백명 자취 주재소 습격 소각, 일인 구타.	27. 仁川築港船渠 준공. 31. 사설철도 慶東線(하양·포항간) 완전개통.
11월	13. 重光團인사 39명, 만주에서 대한독립선언서 채택 발표. 15. 新韓靑年黨員 呂運亨, 上海에서 美大統領特使와 회견하고 파리강화회의와 미 대통령에게 보낼 한국독립건의서 제출. 20. 미주교포단체, 윌슨 미국대통령에게 한국독립을 요망하는 진정서 제출. 30. 金憲植, 산간회총회에서 미대통령에 제출할 결의선언문 작성.	28. 朴容萬, 호놀룰루에서 『太平洋時報』창간.
12월	1. 在美韓人全體大表會 李承晩, 閔燦鎬, 鄭翰景을 파리강화회의에 파견하기로 결정. 14. 신간회 金憲植·국민회 閔讚鎬·鄭翰景 등, 제2차 소약속국동맹회의에 참가. 15. 孫秉熙·權東鎭·吳世昌·崔麟 등, 동대문 常春園에서 독립운동 3대 원칙 결정. 28. 徐椿·李琮根·尹昌錫·金尙德 등 東京留學生會員 500여 명, 웅변대회(民族自決問題 등)로 체포. 31. 金躍淵·姜鳳羽·鄭載冕 등이 間島 墾民敎育會에서 墾民會 조직 / 金佐鎭, 東省韓族生計會 조직.	5. 英親王 李垠과 일본황족 梨本宮方子의 결혼 발표.

	12. 寺內내각탄핵전국기자대회, 동경에서 개최. 21. 寺內내각 총사직. 28. 興銀·朝銀·台銀, 중국과 참전차관·산동2철도차관·滿蒙4철도차관을 체결. 29. 原敬내각 성립.
1. 軍需工業動員法 공포 시행/ 선식산은행 설립. 25. 國勢調査施行令 공포.	8. 미국, 對華신4국차관단 조직을 일·영·불에 정식제의. 9. 大川周明 등 老壯會 결성. 30. 미곡수입세 감면령공포.
20. 傭人扶助令 공포.	* 제1차대전 휴전 이후 물가·주가 폭락.
2. 한성은행 동경지점 업무 개시. 10. 日 補充 헌병 270명 입국. 16. 조선광업령 개정.	3. 정부, 對華차관·재정원조·시베리아 투자 취체성명. 6. 대학령·고등학교령 공포. 12. 新人會 결성. 23. 黎明會 결성.

1919년	민족운동	사회 · 문화
1월	6. 在日韓國留學生, 留學生 大會 개최, 獨立宣言 실행방침 모의. 7. 朝鮮독립단 결성(동경). 8. 美大統令 윌슨, 國會에서 14개조의 平和原則 발표. 21. 동경유학생 宋繼白, 조선독립청년단 명의의 독립선언서 휴대하고 입경. 현상윤에게 전함. 25. 美國 오하이오,컬럼버스 韓國人學生會, 韓國독립을 선전하기위해 영문으로 月刊『少年韓國』발간 / 天道敎主 孫秉熙, 權東鎭, 吳世昌, 崔麟 등, 天道敎側의 獨立運動 계획을 논의, 결정.	17. 인천부두 永信組.日信組, 沖仲任 140명 일급을 80전에서 90전으로 인상시킬 것 요구. 동맹파업. 22. 高宗, 德壽宮에서 승하.
2월	1. 대한청년당대표, 상해에서 회합, 김규식을 파리, 장덕수를 일본, 김철 · 서병호를 국내, 여운형을 러시아에 파견, 독립운동을 지휘케 함. 2. 박리근, 권희목, 이임수 등, 조선민국임시정부 수립을 계획. 8. 在日韓國유학생, 독립선언서 發表. 10. 崔麟, 韓龍雲에게 3·1독립운동 거사계획에 불교측의 참가 확약. 16. 파리 平和會議代表 李承晩 · 閔瓚鎬 · 鄭翰景 3人, 韓國委任統治請願書 미국 대통령 윌슨에게 보내고 련합통신에 발표. 22. 학생대표 김원벽, 강기덕, 한위건 등, 박희도와 협의, 학생운동과 33인 중심의 운동 합류 결정. 25. 천도교측, 독립운동 민족대표로 손병희 · 최린 · 권동진 · 오세창 등 15인을 선정. 27. 安世桓, 독립청원서를 가지고 동	1. 김동인, 전형택, 주요한, 김환 등 최초의 문예동인지『創造』창간. 18. 일본인 중심의 조선체육협회 발족.

식민통치	일본(大正 8)
13. 군수공업동원에 관한 공장·사업장 임시조사 규정을 공포.	18. 파리강화회의. 22. 노동보호협회 설립.
	7. 소학교령·중학교령 개정. 9. 東京에서 보통선거기성대회 개최. 15. 友愛會京都지부 등, 보선기성노동자대회 개최. 25. 선거법 개정안 제출.

	경으로, 玄楯 미대통령 및 강화회 의원에 전달할 독립청원서를 가 지고 상해로 출발.	
3월	1. 민족대표 33人, 泰和館에서 獨立宣 言書 낭독, 서울 탑골공원을 정점 으로 독립요구 시위 계속. 3. 朴容萬이 大朝鮮獨立團 하와이支 部 창설. 10. 韓國男女少年團, 파리 강화회의에 請願書 제출. 13. 間島 龍井村, 독립선언대회 개최. 4,000여명 참가 / 김규식 등 파리 강화회의 한국대표단, 파리도착. 15. 미국·멕시코·하와이교포, 전체 대표자대회를 열고 독립운동지원 방침 결정. 17. 露領의 大韓國民議會, 獨立宣言書 發表. 4개 항의 決議文 채택하고 政府수립을 선언(3.21). 24. 金奎植, 파리에 韓國大使館 설립. 26. 블라디보스톡 老人同盟團 조직. 28. 김윤식·이용식, 총독부에 독립승 인 최고장을 제출. 31. 박용만, 갈리히 연합회를 발전시 킨 大朝鮮독립당 조직 / 훈춘 大韓 國民會 조직. * 유림대표 김창숙, 독립청원서를 파 리강화회의에 우송.	3. 高宗皇帝 國葬거행. 7. 서울의 동아연초공장 노동자 파 업. 8. 서울의 전차운전수 및 차장 파업. 9. 서울시내 상가동맹 철시. 31. 서대문역을 폐지.
4월	1. 유관순, 천안 아오내 장터에서 독 립만세 운동 중 체포됨. 8. 朝鮮國民大會·朝鮮自主黨聯合會, 서울에서 朝鮮民國臨時政府 組織 布告文·政府創立章程·閣僚명단 發表 / 大韓民國臨時政府, 臨時官 制 선포. 11. 상해에서 大韓民國臨時政府 수립, 大韓民國臨時憲章 10개條를 채택/	20. 부산 朝鮮瓦期電氣會社 직공 61명, 동맹 파업.

1. 조선은행, 뉴욕지점을 설치. 15. 호세·가옥세부과에 관한 건 공포. 24. 설탕소비세령 공포. 27. 인지세령 공포.	1. 中央本線 東京·萬世橋간 개통. 10. 日本衆議院에서 3·1獨立運動에 관한 質 疑 問答 / 우애회, 치안경찰법 17조 철 폐 임시집회.
8. 학교전염병예방 및 소독법 공포 시행. 15. 여행취제령 공포 시행 / 朝鮮總督府,정 치에 관한 犯罪處罰에 관한 件 제정 公 布 / 日軍, 수원제암리교회에 인근 주 민 30여 명을 감금 총살 방화. 21. 조선재단저당령 공포. 24. 조선잠업령 공포. 28. 주세·연초소비세·설탕소비세령 공 포.	5. 도시계획법, 시가지건축물법 공포. 8. 각의, 조선으로 보병 6대대, 헌병 400인 증파 결정 발표. 12. 관동청관제, 관동군사령부조례 공포. 13. 友愛會, 關西 노동총동맹 창립. 21. 『社會主義研究』 창간. 30. 파리강화회의의 수상회담, 산동성의 독 일권익에 관한 일본의 요구 승인.

『獨立新報』 발행. 13. 大韓民國臨時政府,議政院法 제정. 정부 수립을 내외에 선포. 15. 柳河縣 三源堡에서 대한 독립단 조직, 17. 김수길, 李鎭植 등이 대구에서 비밀결사 慧星團을 조직 / 서울에서 13도 대표 회동,國民大會 개최, 임시정부조직 發表. 22. 在露韓人勞動者同盟, 모스크바에서 제1회 회합개최.	
5월 3. 新興學校, 新興武官學校로 개편. 6. 안재홍, 나창헌 등, 서울에서 청년외교단 조직. 12. 金奎植, 파리 講和令議에 獨立請願書 제출. 31. 文昌範·南萬春·金哲勳 등, 高麗共産黨(伊市派) 조직.	8. 대전감옥 설치.
6월 3. 日本에서 在日韓國人國民會 발족 15. 대한민국 임시정부, 인구세 징수령 세칙 公布. 16. 임정, 임시징세령 공포 / 양정고보·보성고보 맹휴. 17. 임정, 사료조사편찬부를 設立. 24. 露領의 老人同盟團이 日本 정부에 독립요구서를 전달. * 박용만, 북경에서 군사통일회 조직. * 대한민국애국부인단 결성.	10. 경성부 木鞋製造業 제화공 50여명, 임금인상요구 동맹파업.
7월 10. 상해임시정부 국무원 제1호로서 聯通制 실시 공포. 11. 상해임시의정원과 노령국민의회와의 합병을 결의. 13. 大韓民國赤十字會, 상해에서 조직. 18. 國民會 하와이 지방총회와 獨立團 합동됨.	

7. 강화회의, 적도이북 남양군도의 통치를 　일본에 위임결정. 23. 중의원선거법 개정공포. 26. 대중국신차관단, 橫浜正金銀行·일본 　홍업은행 중심으로 결성.	
5. 국세조사규칙공포. 11. 조선아편취제령 시행규칙 공포.	18. 일본은행단, 4국차관단에 관한 滿蒙제 　외요구. 28. 베르사이유강화조약, 국제연맹규약에 　서명, ILO에 가맹.
* 조선소득세령 제정 공포.	19. 만주 寬城子에서 日中양군충돌.

8월	2. 대한여자애국단 창립. 8. 제2차 인터내셔날회의에 참가한 조소앙이 한국사회당 명의로 韓國독립요구서를 제출함. 21. 임정 기관지 『獨立』 창간. 25. 李承晩, 워싱턴에 臨政韓國委員會 조직. 29. 서울 학생 일부 국치기념 경고문과 대한독립결사대 大同團 등의 명의로 된 선전문 살포. 30. 李東輝, 상해임정 국무총리에 부임. * 서재필, 필라델피아에서 월간 『한국공론』 창간.	1. 민원식, 서울에서 친일단체인 협성구락부를 조직. 18. 서울 전기노동자 파업.
9월	2. 姜宇奎, 신임總督 齋藤實 일행을 남대문 驛頭에서 습격. 6. 임시의정원, 헌법개정안 및 정부개조안 통과. 대통령제 개헌에 따른 초대각료 발표. 11. 대한민국임시정부, 임시헌법공포. 17. 姜宇奎, 서울에서 체포됨. 18. 이동휘 상해도착, 국무총리 취임. 23. 임정, 사료편찬위원회 한일관계 사료집 4권 간행. 29. 선교사연합회, 총독에게 한국인의 탄압과 민족차별의 철회를 요구하는 건의서 제출.	5. 이르크츠크에서 전러시아 한인공산당 조직.
10월	11. 天摩山隊, 朔州警察署 습격. 12. 美 샌프란시스코에서 한인친우회 조직. 13. 애국부인회, 상해에서 조직됨. 17. 臨政, 國內에 臨時總辦部 설치, 그 官制 發布. 23. 대한정의단 임시군정부, 군조직 개편하고 大韓正義軍政府로 改稱. 29. 臨政 京城特派員 李鍾郁, 金嘉鎭 동반하고 上海로 귀환.	5. 김성수 등, 경성방직주식회사 설립. 27. 최초의 한국영화 「義理的 仇鬪」가 단성사에서 상영됨. * 목포에서 일인소유부동산매수 운동 일어남.

1. 민원식, 서울에서 친일단체인 협성구락부 조직. 12. 총독 長谷川好道 면직되고, 齋藤實 임명됨. 19. 朝鮮總督府警察官署의 廢止 공포하고 卽日 시행. 20. 조선총독부관제 개정 공포 시행. * 경성지법, 민족대표 48인을 내란죄 적용, 관할이 다르다고 고등법원에 회부.	1. 국가주의단체 猶存會 결성. 3. 砲兵工廠 직공, 小石川 노동회 조직. 4. 埼玉縣 소학교원, 일본교원조합 啓明會 결성. 17. 정부, 外米불하 실시. 20. 조선총독부·대만총독부 관제 개정. 30. 우애회 7주년 대회 개최, 대일본노동총동맹우애회로 개칭.
3. 朝鮮總督 齋藤實, 朝鮮總督府 및 所屬官署에 所謂 文化政治를 표방. 17. 쌀, 조, 밀, 수수 유입세 및 이입세 면제에 관한 건 공포. 22. 조선미곡주식회사 설치령 공포. * 총독부, 재일한국인유학생의 감독권을 동경의 동양협회에 위촉.	5. 제국미술원 설립. 20. 우애회·신우회 공동주최로 국제노동회의의 노동대표를 정부가 선정하는 것에 반대하는 전국 노동자대회 개최.
1. 일제, 시정기념일에 시위운동 예방을 위해 검거령. 경계 강화함.	10. 大日本國粹會 결성. 29. 대만총독에 田健治郎 임명(최초의 문관총독).

	31. 대한민족대표 30명 명의로 선언서 發布.	
11월	5. 동경유학생, 朝鮮청년독립단 명의 선언서를 주일각국공사관 각료 및 해외동포에게 송부.	14. 겸이포제철소 노동자 250여 명이 용광로를 점거하고 파업을 탄압하는 관헌에 대항 투쟁함.
	9. 金元鳳 등, '義烈團' 조직 / 영친왕 李堈, 독립 운동 위해 상해로 탈출.	19. 경성인쇄소 직공 15명, 임금 3할 인상요구 동맹파업.
	18. 朝鮮民族大同團 주모자 全協 등 검거됨 / 여운형, 동경에서 한민족의 절대 독립을 선명.	
	19. 파리에서 재법한국민회 조직.	
	20. 臨政, 國債通則及 獨立公債條例 公布.	
	25. 해서국민회, 황해도 장연에서 발족됨.	
	26. 安秉瓚, 각지 청년단의 집결체인 대한청년단연합회를 조직.	
	28. 臨政 民團長 呂運亨, 新韓青年黨 대표하여 미국 대통령 윌슨에게 韓國독립청원서 제출.	
	* 한족회 직속인 서간도의 군정부, 대한민국임시정부 산하로 들어가 서로군정서로 개편. 정의부를 기반으로 한 군정부는 북로군정서로 개편.	
12월	7. 美 캘리포니아에서 趙素昻의 외교 운동 후원목적으로 勞動社改進黨 創黨.	17. 인천 朝鮮정미회사 여공 150명, 임금인상요구 동맹파업.
	18. 臨政 軍務部會 제1호로 臨時軍警團制 發布.	

18. 물품수출취제에 관한 건 공포 시행.	16. 일본낭인 100여 명, 福州에서 항일학생에 폭행. 22. 日銀, 각지의 은행 대표자에 대해 투기억제협력 요청. 29. 국제노동회의 종료.
1. 조선은행, 블라디보스톡 지점 설치 / 朝鮮總督府, 高等普通學校規則 개정.	16. 군수조사령 공포. 22. 協調會 설립.

1920년	민족운동	사회·문화
1월	4. 윤해·고창일, 在佛中國各社會團體聯合大會에서 韓國獨立恢復決議案을 통과시킴. 5. 시베리아 국민정부 수립. 7. 朝鮮勞動硏究會 조직. 10. 國際聯盟 발족. 14. 大韓獨立團員 평양에서 독립자금 모집 중 검거. 20. 大韓獨立靑年團聯合會 총재·부총재 남북만주 한인단체와의 협의 위해 만주로 감.	6. 총독부, 한글신문으로『조선일보』·『동아일보』·『시사신문』의 발행을 허가.
2월	5. 국민협회, 한인의 참정권청원서를 일본 중의원 의장에게 제출. 27. 대한국민회 血誠團·대한국민회 결사단 등, 3·1운동 1주년을 맞아 한국의 자주독립을 재차 선언.	20. 盧伯麟 등, 미국 캘리포니아주에 한인 비행사 양성소 설립.
3월	1. 서울·평양·선천 등지에서 독립 만세운동 전개 / 만주 흑룡주의 한국인, 3·1운동 경축대회 개최 / 상해·블라디보스톡에서 시위 운동 전개. 10. 임정, 지방선전부규정 공포. 13. 한족회 회원 金聖峻, 楚山에서 독립군 지원자 모집 중 체포. 29. 임정, 臨時外交員制를 공포.	10. 총독부,『조선어사전』간행 13. 李鎭泰 등 日人과 합자로 평양은행 설립. 20. 중앙기독청년회 籠球팀, 동경에 원정(2승3패).
4월	28. 徐相漢, 영친왕 李垠의 결혼식에 참석한 일본 수뇌부들에게 폭탄 투척을 계획하였으나 日警에 체포됨.	1.『동아일보』,『시사신문』창간. 28. 영친왕 이은, 동경에서 日皇族의 梨本宮方子와 결혼 / 張吉相 등 14명, 慶一銀行 설립.
5월	12. 블라디보스톡 조선인거류민단, 각국 영사에게 보호 요청. 20. 양기탁, 서울에서 統天敎 창설.	1. 의사 許英肅, 女醫 최초로 병원 英惠醫院을 개업.
6월	7. 대한독립단 총재 白三圭, 桓仁縣에	4. 최초의 公設浴湯, 평양에 개설.

식민통치	일본(大正 9)
9. 朝鮮總督府 驛屯土拂下 방침 결정(350~500만원규모) 소작인 등의 연고자에게 불하의 우선권을 인정.	9. 일·미의 공동관계 단절.
	5. 八幡제철소 직공 파업. 24. 소련정부, 일본에 국교 회복 제의.
1. 韓滿直通運輸, 화물운송 규칙을 제정 / 사립학교규칙 개정(복잡한 許可手續을 완화). 30. 漁業稅令, 船稅令, 鹽稅規程 및 人蔘稅法 폐지를 공포. 31. 笞刑令을 폐지.	2. 각료회의, 시베리아 출병 기본 방침을 체코병 구원에서 조선, 만주에 대한 볼세비즘의 위협 저지를 위한 것으로 변경. 12. 尼港사건. 15. 전후 공황시작. 21. 전국 보선연합대회.
1. 회사령 개정 / 시장규칙 개정으로 현물시장에도 公認제도를 실시 / 煙草專賣令 제정. 4. 일본군, 블라디보스톡 新韓村을 습격. 19. 日人巡査 1,636명, 인천항 도착.	4. 일본군, 블라디보스토크 등 연해주에서 러시아군대 무장해제. 27. 주식시장 구제 위한 신디케이트 은행단 성립. 29. 러시아 연해주 임시정부와 휴전협정.
	2. 일본 최초의 메이데이 행사 개최. 10. 제14회 중의원 총선거.
18. 조선사설철도령 공포.	16. 동경에 중앙직업소개소 개설.

	서 검거, 피살됨.	25. 월간잡지 『開闢』 창간.
	27. 權寧萬, 정무총감 암살 기도하다 체포됨.	
7월	7. 의열단원 郭在驥·李成宇 등 17명, 총독 암살과 청사 파괴를 계획하다 검거.	1. 서울에 助興稅 실시(遊興稅의 효시). 13. 조선체육회 창립.
8월	21. 광복군 總營 소속 결사대 대장 金榮哲 등 10명, 美議員 入京 때 총독부에 폭탄 투척하려다 체포. 24. 美議員團 일행 入京에 맞춰 1만여 군중들 만세시위.	
9월	1. 광복군 결사대원 朴致毅·李學弼 등, 宣川 군청·경찰서에 폭탄 투척. 10. 북로군정서 요원 金東淳 등, 국내 잠입 암살단을 조직하여 활동 중 체포. 14. 의열단원 朴載赫, 부산경찰서에 폭탄투척. 23. 원산에서 독립만세 시위.	
10월	14. 독립운동 단체 韓國會, 발각되어 간부 金炳玉 등 검거. 15. 임정을 후원하던 대한애국부인회 회원 100여명 검거. 20. 청산리 대첩. 29. 東滿州의 墾北大韓義民團·대한신민단·대한광복단·대한국민회 통합, 임정의 지휘감독을 받는 總辦府 조직.	12. 在韓 일본인 기업가들, 간담회 개최(한국인 實業家들의 排日 사상 억압을 결의).
11월		11. 『동아일보』기자 張德俊, 혼춘 조선인 학살사건 취재 중 일본군에게 피살(최초의 기자 순직).
12월	* 장덕수·吳祥根 등, 서울에서 조선청년회연합회 조직.	29. 新派演劇의 선구자 韓昌烈 죽음.

19. 평양에 夜市 개설. 25. 조선실업은행 설립. 29. 향교재정관리규칙 공포.	
26. 화폐법 개정. 27. 평양 公設市場 개장. 29. 府面制 개정령 공포.	1. 헌정회, 보통선거안건 중의원에 제출 (7.2. 부결).
1. 소득세령 및 연초세령 시행. 16. 玄俊鎬 등 호남지역 지주 및 상인들, 광 주에 호남은행 설립. 26. 조선출항세령 공포(일본의 관세법, 관 세정률법, 保稅倉庫法의 한국 적용).	29. 동경지하철도㈜ 설립.
12. 일본군, 만주출병의 구실을 만들기 위 해 마적을 매수, 혼춘성을 습격(1차 琿 春사건).	24. 東京帝大, 여자청강생의 입학 허가.
1. 총독부, 全司法官에 法服 착용케함 / 임 시 호구조사 실시. 2. 제2차 혼춘사건. 5. 일본군, 북간도 일대에서 대학살 시작 / 日官憲, 간도에 보민회 조직하여 항일 운동 방해. 19. 홍삼전매령 공포.	10. 제1회 인구조사. 13. 緯度觀測所官制 공포.
10. 조선교육령 개정 공포(보통학교의 수업 년한을 6년으로 연장).	10. 제2차 전국제사업자 대회.
31. 舊韓國貨幣 유통 금지.	9. 일본사회주의동맹 결성.

1921년	민족운동	사회·문화
1월	2. 徐載弼, 하딩 미대통령과 회견, 韓 國 독립 후원 요청. 24. 임정 국무총리 李東輝 사직, 후임 李東寧. 27. 광복단원 金明權 등, 평안도에서 일경 사살.	10. 한인사회당 대표회, 상해에서 개 최(한인사회당을 고려공산당으로 개칭). 23. 李東輝 등, 고려공산당 제2차 대회 개최. 27. 서울청년회 창립총회 개최.
2월	4. 만주의 독립군대, 淸津港 공격, 일 군 40여명 사살. 16. 梁槿煥, 민원식을 東京에서 사살. 24. 재미 大韓女子愛國團, 임정에 500 달러 헌납. * 대한독립군단, 오하묵의 주선으로 치타 완충정부 수석 카라한과 군 사협정 체결 / 안창호 등, 국민대 표회 주비회 발족.	11. 『平南每日新聞』, 치안 방해 이유로 발매금지됨.
3월	8. 광복군영 財務參事 金景河, 감옥에 서 암살됨. 24. 洪原 클럽, 군자금 모금 혐의로 일 경에 의해 해산됨. 26. 金哲 등, 천진에서 韓血團 조직. 27. 임정, 만주의 친일단체 保民會의 암살을 懸賞 발표.	
4월	29. 義勇隊, 함남 갑산, 풍산, 단천 등 에서 일본군과 교전.	8. 송병준, 『조선일보』 경영권 인수.
5월	6. 共成團 단장 安巘 검거됨. 8. 임시군사주비단 사령관 李承吉 등 15명, 沙里院에서 일경에 검거됨. 16. 申圭植, 임정 국무총리대리에 임 명됨. 21. 김정묵, 신채호, 박봉래 등, 統一策 進會 발기.	30. 남대문역 대화재 발생.
6월	1. 軍備團員 金昇嬾 등 27명, 신흥지 방에서 일경에 체포됨.	1. 京城醫專 일본인 교수의 학생 모 독으로 師弟간의 분규 발생.

식민통치	일본(大正 10)
	28. 日・中군사협정 폐지 공문서 교환.
12. 총독부관제 개정 공포(조선인 高等官의 특별임용 범위 확대).	
18. 토지측량규정 개정.	18. 內務・陸軍省, 航空取締規則 공포.
25. 朝鮮軍軍法會議 설치. 26. 중추원관제 개정 공포.	4. 미곡법・미곡수급 특별회계법 공포. 8. 국유재산법・借地法・借家法 공포. 12. 군제폐지법・도량형법 개정 공포.
9. 형사교섭법 공포 시행.	
	7. 水曜會 설립. 24. 東京박물관 설립.

	3. 임정 군무차관 李春塾, 경성지법 에서 사형을 선고받음. 17. 독립군 의용대원, 碧潼軍署 습격, 일경 6명과 군감 宋錫在를 사살. 22. 소련정부, 黑龍州 자유시의 대한 독립군 무조건 무장해제를 요구. 24. 광복단원 權寧萬, 정무총감 암살 기도 혐의로 대구에서 검거됨. 28. 러시아 赤軍, 자유시에 집결한 韓 國 독립군을 공격, 독립군 270여 명 전사, 900여명 포로(흑하사변, 자유시참변).	7. 한국인과 일본인 간의 혼인에 대 한 民籍 수속에 관한 건 공포.
7월	1. 광복단대원 15명, 만주 長白縣 十 八道溝에서 중·일 경찰에 피습. 7. 이승만, 閔瓚鎬 등, 호놀룰루에서 同志會 조직. 8. 밀양경찰서에 폭탄을 던진 崔敬鶴, 대구에서 사형 당함. 11. 광복단원, 慈城에서 일경과 交戰. 25. 李英善·金洛淳 등 5명, 독립공채 판매중 일경에 검거됨. * 대한애국부인회장 김마리아, 상해 로 망명.	* 고려공산청년동맹(박헌영, 김단야, 임원근 등) 상해에서 조직.
8월	1. 무장독립단 240여명, 長津에서 일 군과 交戰. 11. 광복단원 朴尙鎭, 金漢鍾 등 사형. 13. 임정의 洪震, 張鵬, 李鐸 등, 상해 에서 태평양회의외교후원회 조직. 19. 친일 은율군수를 죽인 閔良基, 사 형을 선고받음. 21. 대한광복군총영 철마부대, 昌城郡 大楡洞의 주재소 습격, 총기 20점 과 탄환 1,900발 노획. 23. 太極團員 韓炳洙 등 7명, 厚昌에서 일경과 交戰중 전사. 27. 전 북로군정서 총재 서일, 흑하사 변 후 자결.	7. 麻浦 주민 천여명, 電車 구역 철폐 대회 개최. 27. 친일단체인 조선소작인상조회 조 직(회장 송병준).

27. 총독부 내무국에 지방, 사회과 신설.	11. 東京帝大에 항공연구소 설립.

9월	5. 만주의 匡正團 姜承京의 誠威隊 38명, 함남 嶺城주재소 습격. 12. 의열단원 金益相, 倭城臺 總督府 청사에 폭탄투척. 16. 독립단의 曺振鐸, 日本 헌병과 경찰 타살 혐의로 사형 선고받음. 30. 宣川警察署를 폭파한 광복단 결사대원 朴致毅, 사형당함.	27. 충남 연기군민, 고등보통학교 설립을 요구하며 시위.
10월	6. 독립군 의용대 崔任範 등 5명, 평북 昌城 경찰서 습격.	3. 장지연 죽음(1864~). 25. 道路取締규칙을 개정하여 좌측통행제로 바뀜.
11월	5. 在東京 朝鮮청년독립단, 독립선언을 發表하고 시위운동 벌임. 6. 의용군 金成淵 등, 함남 삼수군 好仁 주재소 폭파, 일경 사살. 21. 孟山獨立團事件의 羅信詳・羅炳三, 평양지법에서 사형을 선고받음.	
12월	28. 워싱턴에서 개최된 군비축소회의에 이승만, 서재필, 국내 13도 260군 대표와 각 사회단체 대표가 서명한 「韓國人民致太平洋會議書」 제출.	3. 조선어연구회 창립(한글학회 前身).

	16. 일본노동학교 개설.
	17. 軍備縮小同志會 결성.
1. 평양·三和 은행을 통합하여 대동은행을 설립.	3. 大日本勞動總同盟友愛會, 日本勞動總同盟으로 개칭.
2. 朝鮮興農會, 명월관에서 창립총회 개최.	4. 株·綿絲·米 시장 일시 붕괴.
14. 총독부, 朝鮮民事令 개정 공포.	4. 수상 原敬, 동경역에서 피살.
	5. 내각 총사직.
	12. 워싱턴 회의 개최.
28. 광업령 개정으로 鑛區稅 인하.	13. 日英同盟條約 완료.
29. 총독부, 지문취급규칙 공포.	

1922년	민족운동	사회·문화
1월	5. 獨立團 85명, 훈춘·강동에서 일경과 交戰. 20. 함남 일대의 독립운동 지도자 安智鎬 옥사. 25. 大韓國民會員 85명, 谷山·順安에서 일경에 검거.	18. 박인호, 천도교 교주가 됨. 20. 鮮滿協會 창립(총재 成岐運). 21. 김윤식(金允植) 죽음.
2월	2. 普合團 사건의 金亨碩 등, 사형. 7. 임정, 中國護法政府와의 외교관계 지속을 위해 광동에 외무국 설치. 8. 대한국민회 朴琪永 등, 독립운동 혐의로 검거됨. 11. 李光洙, 金允經 등, 修養同盟會 조직.	
3월	12. 독립단, 土城 주재소 습격. 22. 勇進團 단장 金在完 등 4명, 독립운동 혐의로 일경에 검거됨. 28. 의열단원 金益相 외 4명, 상해 黃浦灘에서 日本육군대장 田中義一를 저격 실패, 체포됨.	1. 부산방적회사 남녀 직공 백여명, 임금인상을 요구하며 동맹파업. 13. 보성법률상업학교 학생 80여명, 전문학교 개편에 따르는 晝夜學 문제로 동맹 자퇴. 27. 조선여자기독교청년회(YWCA) 발기회 개최.
4월	11. 姜永祚, 朴甲善, 朴德述 등, 부산에서 의용단 조직. 13. 金泰泳 등 3명, 독립군자금 모집중 서울에서 체포됨 / 광복회 지도자 禹利見, 무기징역 선고받음. 15. 상해의 世界韓人同盟會, 취지서 및 규칙 발표.	2. 보성법률상업학교, 재단법인 보성전문학교로 개칭. 21. 佛敎維新會員, 총독부에 사찰령 폐지와 통일기관 설치 요구. 22. 迎日灣에 태풍.
5월		8. 江界에 慈惠醫院 설립. 19. 손병희 죽음(1861~).
6월	28. 仁義軍, 간도의 日本 영사관 습격.	17. 民友會 조직(회장 朴泳孝).
7월	8. 대한광복단원 金昌坤, 평양감옥에서 사형당함. 12. 共成團員 金永蘭, 평양감옥에서 사형당함.	4. 김가진, 상해에서 죽음(1846~).

식민통치	일본(大正 11)
20. 고등보통학교규정 공포. 23. 사범학교규정 공포.	4. 일·중 산동 문제 해결에 관한 조약 조인. 23. 전국상업회의소 대회, 영업세 폐지를 결정.
7. 공사립전문학교규정 공포. 28. 사립학교교원자격과 교원수에 관한 규정 공포. 29. 육해군군법회의법·형사교섭법 공포. 31. 신교육령에 따라 朝鮮總督府諸學校官制, 조선공립학교관제 공포.	3. 전국 水平會 창립대회.
18. 감옥에 看守部長 및 女監取締部長職을 둠.	9. 일본농민조합 결성. 20. 치안경찰법 개정(여성의 정치집회 허가).
10. 연초경작장려규칙 공포.	5. 형사소송법 개정안 공포. 25. 전국청년단대회 개최.
	6. 高橋내각 총사직. 12. 加藤友三郎 내각 성립.
11. 미곡검사규칙 및 大豆검사규칙 공포. 13. 호구조사규정 공포.	15. 일본공산당, 비밀결사로 결성.

	18. 독립단 李根洙 등, 일경에 검거됨. 25. 철원애국단 대표 趙鍾大, 함흥감옥에서 옥사. 28. 만주의 光誠隊 중대장 鄭世萬 등. 40여명, 함남 惠山 주재소 공격.		
8월	4. 宣川署에 폭탄을 던진 朴承浩, 신의주감옥에서 옥사. 25. 독립군 金世淳 경성감옥에서 자결.		
9월	9. 太極團 결사대, 평남 大同郡에서 일경과 교전 / 姜基煥, 군자금 모집중 咸平 일경에 검거됨. 11. 독립단원 20여명, 평남 成川 三興 주재소 및 면사무소를 파괴. 25. 독립단원 약 40명, 함남 三水郡 嶺城 주재소 습격. 28. 盤石縣 독립단 呂炳鍾 등 7명, 독립후원회 조직.	17. 제1회 朝鮮변호사시험 시행(11.7. 韓國人 합격자 4명 발표). 21. 『조선일보』, 年中無休刊制 시행 25. 申圭植, 상해에서 죽음.	
10월	1. 金九, 趙尙燮, 金仁全, 여운형 등, 군인 양성, 군비 조달을 목적으로 韓國勞兵會 상해에서 발기. 3. 독립군 약 60여명, 평북 江界 高山鎭 주재소 습격.	1. 경성시립도서관 개관. 5. 중앙학교 체조교사 趙喆鎬, 少年斥候團 조직(한국 보이스카웃 운동의 시초). 30. 평양호텔 영업 개시.	
11월	6. 의열단원 金益相, 나가사키공소원에서 사형을 선고받음.	6. 安昌男, 東京－大阪間 비행에 성공.	
12월	2. 姜鎭求 등, 독립공채 모금 중 일경에 검거됨. 4. 대한광복단 安海容 등, 경북 각지에서 단원 모집중 일경에 검거됨. 18. 독립단원 이응수 등, 경북 각지에서 군자금 모집 중 검거됨. 28. 義勇團 경북단장 申泰植 등 13명, 경북에서 체포됨.	24. 李丙燾, 廉想涉 등 文友會 조직.	

12. 총독부 경무국장, 과격사상과 공산주의
    등에 대한 단속방침 발표.
22. 임업시험장관제규정 공포.
	1. 일본경제연맹회 창립.
	29. 각료회의, 石井·랜싱협정 폐기방침 결
	    정.

	10. 입헌국민당 解黨. 30. 일본노동조합 총연합결성대회.
28. 총독부, 警備船取扱規程 공포.	19. 대일본실업연합회, 大阪에서 영업·지 조세 철폐를 결의.
	7. 학생연합회 FS 결성. 8. 혁신구락부 조직.
7. 朝鮮民事令 개정. 總督府裁判所令 개정, 고등법원의 권한을 확충. 15. 韓人旅行取締令 폐지. 18. 朝鮮戶籍令 공포.	13. 公民敎育調査會 설립. 17. 靑島 수비군 철병 완료.

1923년	민족운동	사회·문화
1월	3. 臨政 내분 수습을 위해 국내외 70여 독립단체 160여명 상해에 모여 대한국민대표회를 개최. 12. 의열단원 金相玉, 종로경찰서에 폭탄 투척. 20. 조선물산장려회 발기총회 및 창립 총회. * 신채호 조선혁명선언서 작성.	1. 남대문역, 경성역으로 개칭. 5. 토산애용부인회, 창립총회. 19. 일본정부, 국내 관립고등보통학교 졸업생의 일본 고등학교, 전문학교 입학자격을 인정.
2월	18. 大韓統義府 외무부장 康濟義, 만주 寬甸縣 知事와 한인독립단의 무장 행동을 인정하는 묵계를 약정.	14. 경남 양산의 청년회, 부인회, 소년단, 여자소년단 공동으로 토산물 애용운동 전개.
3월	1. 동경유학생 300여명, 일본 上野공원에서 3·1운동 기념식 개최. 15. 의열단원 金始顯, 黃鈺 등 상해에서 폭탄을 반입하다 서울에서 체포. 22. 물산장려회, 소비조합 설립운동 전개를 결정. 29. 조선민립대학기성회 발기총회 및 창립총회, 종로중앙청년회관에서 개최.	4. 朴經錫, 대중 오락기관 평양제일관을 설립. 8. 미술연구단체 同硏社 조직.
4월	6. 보합단장 김도원, 서대문 감옥에서 사형당함. 16. 李東輝 등, 연해주에서 조선인군대 결성. 25. 趙德津, 金斗萬 등 11명의 임정 의정원의원, 헌법위반을 이유로 임시대통령 이승만탄핵안을 제출.	9. 최초의 극영화 '月下의 盟誓' 개봉.
5월	20. 임정, 의정원 상설기관으로 정무연구위원회를 설치.	5. 감옥의 명칭을 형무소로 개칭.
6월	2. 김규식, 韓馨權, 李晴天, 여운형 등 30여명의 創造派, 상해에서 조선공화국을 선포.	21. 조선야구협회 창립. 24. 朝鮮少年軍本部, 위생사상 보급을 위해 소년적십자반을 조직.

식민통치	일본(大正 12)
1. 총독부, 破産法 및 和議法 공포. 13. 朝鮮水産會令 공포. 14. 동양흥신주식회사 창립 총회. 28. 경성상사주식회사 창립.	27. 부인참정권획득동맹 성립.
13. 조선물산장려회 주최 물산장려선전행 　 렬을 일경이 금지.	24. 중의원, 통일된 보통선거법안 상정(3.1. 　 분규 끝에 부결).
24. 鎭海를 要港으로 지정. 27. 조선호적령 시행 수속법 공포. 28. 조선서적인쇄주식회사 설립. 31. 서대문감옥 인천 分監 폐지.	10. 중국의 21개조요구안 폐기 통고를 일 　 본정부, 거절. 30. 공장노동자최저연령법 공포.
1. 酒精·酒精含有飮料 및 직물을 제외한 　 일체의 물품에 대한 移入稅 철폐. 2. 조선전기측정령 공포. 13. 總督府恩給法 공포. 25. 진주에서 衡平社 창립대회 개최.	5. 일본공산청년동맹 결성. 6. 상업조합 중앙금고법 공포.
1. 일본경찰, 조선노동연맹회 주최 메이데 　 이 기념시위 행렬 금지. 24. 진주에서 反형평운동 발생.	8. 小作制度調査會官制 공포.
11. 경성무선전신국 설치.	5. 제1차 공산당사건. 28. 川上俊彦, 요폐, 일본·소련의 비공식 　 예비교섭개시(6.31. 교섭 중지).

	6. 김구, 국민대표대회의 해산을 촉구.	
7월	14. 金晩禧 등, 만주길림성에 光濟社 조직.	7. 洪命熹 등, 서울에서 新思想研究會 조직. 31. 전국실업가대회발기인회, 경성상업회의소에서 열림.
8월	8. 武裝獨立團 30여 명, 義州·淸城에서 일경과 교전.	14. 金海 농민 1만 여 명, 反衡平運動 전개.
9월	3. 朴烈, 金子文子 등, 일본황제 살해 혐의로 체포. 14. 김규식, 상해에 南華學院 설립.	
10월	23. 임정 기관지 『독립신문』, 조사부를 신설하고 독립운동 지도자의 경력을 조사. 24. 하와이 교포, 호놀룰루에서 대회를 열고 동경대지진 당시 한국인 학살사건에 대한 조사를 미국무성에 청원하고 선언서 발표.	20. 조선학생회, 전국 남녀전문학교연합음악대회 개최. 21. 조선박물학회 설립. 23. 金若水 등 사회주의자 160여명 서울에 建設社 설립.
11월	8. 統義府員 金德源·李如春, 남만주 撫順에서 군자금 모집하다 일경에게 살해당함. 20. 일경을 사살한 독립단원 金學燮·文昌學 사형 당함.	5. 閔泳徽 등, 朝鮮綿織株式會社 창립. 7. 朝鮮衡平社代表者會議 대전에서 개최됨.
12월		1. 이광수, 장편 『허생전』을 『동아일보』에 연재 시작. 15. 金治明·李啓亨 등, 革淸團 설립 (公娼 폐지 운동).

17. 私立學校中等教員자격인정위원회규칙 공포.	10. 일본항공주식회사 설립.
28. 총독부, 朝鮮感化院令 공포.	
1. 조선철도주식회사 설립. 11. 미곡수입세 면제 실시. 15. 暴利取締令에 의한 생활필수품을 지정 발표.	1. 關東지방에 대지진. 2. 제2차 山本 내각 성립 / 조선인 폭동의 유언비언 확산 / 조선인·사회주의자 탄압시작 / 동경과 주변지역 계엄령 선포.
	5. 대신회의, 普選의 단행과 보통선거 실시요강 결정. 27. 법제심의회, 보선문제 심의, 부인참정권 부결.
30. 총독부도서관관제 공포.	1. 安田系 11개 은행 합병.
27. 총독부, 재판소 및 검사국 영장 취급 규정 공포.	27. 도라노몬 사건, 山本내각 이에 책임을 지고 총사퇴.

1924년	민족운동	사회·문화
1월	1. 훈춘 頭道溝 독립군총사령 金永炎, 일경 사살. 4. 의열단원 金祉燮, 동경 二重橋에 폭탄투척. 9. 무장독립단 30여 명, 평북 碧潼郡 龍淵 습격, 일경과 교전.	1. 林宗桓 등, 益山에서 民衆運動者同盟 조직. 16. 광주의 농민 500여명, 소작쟁의 문제로 경찰서 습격. 26. 韓晨光, 金錦玉 등, 朝鮮看護婦協會 창립.
2월	20. 무장독립군 7명, 강계군 外貴面에서 軍資金 모집 중 일경과 교전.	5. 朝鮮物産獎勵會, 물산장려운동 1주년기념 懇親會 개최. 11. 金燦 등, 新興靑年同盟 조직. 13. 吳成煥·張志弼, 대전에 衡平社革新同盟準備會 개최. 22. 군산에 어음교환소 설치.
3월	1. 원산의 保光學校 학생 10명, 3·1 운동기념선언문 첨부하다 검거됨. 10. 김좌진 등, 만주에 산재한 독립군을 규합하여 寧安縣에서 新民府 조직. 25. 조선독립단 20여 명, 渭原郡 新川 경찰관 출장소 습격.	1. 少年斥候團朝鮮總聯盟 조직. 4. 全南勞農聯盟會 조직. 9. 崔元澤, 南朝鮮勞農同盟 결성(대구) 10. 서울에서 전조선노농총동맹 발기 27. 岩泰島 면민, 지주규탄 대회. 31. 『時代日報』 창간.
4월	9. 임정, 국무총리 盧伯麟 해임. 김구가 직무대리. 16. 임정각료 집단사임. 23. 李東寧, 임정 국무총리 취임.	2. 친일단체 勞動相愛會 부회장 朴春琴 등, 동아일보 사장 宋鎭禹와 취체역 金性洙를 납치 폭행.
5월	19. 참의부의용군 장창헌 등, 압록강 연안 국경 순시중인 齋藤實총독의 배에 집중사격. 26. 독립단 40명, 楚山郡 直洞에서 일경과 교전. 30. 노백린, 임정 참모총장이 됨.	1. 목포와 제주도에 무선국 개국. 4. 鄭鍾鳴·金弼愛 등, 朝鮮여성동우회를 발기(5.10. 창립총회 개최). 27. 全南電氣 設立됨.
6월	14. 第一高普, 日本인교사 배척운동 벌인 학생 10여명에 무기정학. 20. 국내의 31개 사회단체, 언론집회탄핵회 민중대회, 서울 天道敎堂에서 개최.	29. 조선신문사, 제1회 조선여자올림픽대회 개최.

식민통치	일본(大正 13)
1. 형사소송법 및 형사령 개정 실시/拓植局을 폐지하고 農務·商工 2국 신설.	7. 淸浦奎吾내각 성립. 10. 제2차 호헌운동 발족.
25. 최초의 略式裁判, 경성지방법원에서 열림.	27. 米穀輸入稅免除令을 7월 31일까지 연장. 29. 제3회 일본농민대회.
	5. 소작제도조사회, 自作農創設答申案 결정.
2. 경성제대관제·대학예과규정 공포. 5. 조선총독부 燃料選鑛硏究所 개설.	10. 제15회 중의원 총선거. 15. 주중공사 芳澤謙吉, 주중소련대표 카라한과 북경에서 일·소 복교교섭 개시. 26. 미국, 배일이민법 재가(일본의 대미감정 악화).
23. 총독부, 국경방비를 위해 경관 180명 증파.	7. 淸浦奎吾내각 총사직. 11. 加藤高明 호헌 3파 내각 성립. 28. 무산정당 결성을 위한 정치연구회 결성.

7월	25. 광복단 단장 崔時興, 신의주 지법에서 사형 언도받음.	15.	齋藤고무공장 여직공 130여명, 체임지불을 요구.
8월	23. 만주의 독립운동자 申鉉大 등 33명, 中露國境 南시베창에서 적군 기병대에 참살당함.	5. 16. 17.	오사카 교포 3,000명, 언론집회압박탄핵대연설회 개최. 朝鮮衡平社中央總本部 임시대회 개최. 全一, 李南斗 등, 서울에서 朝鮮勞動黨 창립.
9월	16. 대한도독부 지도자 崔明祿, 일경에 검거. 21. 육군주만참의부 참의장 白狂雲 피살.	11. 16. 24.	朝鮮學生總聯合會, 종로 YMCA회관에서 발기총회. 朝鮮勞動敎育會 창립. 李商在 등, 기근구제회 창설.
10월	6. 서울청년회 4주년기념식, 강제해산됨. 鄭栢·李星泰 등 4명 검거됨. 14. 端川公立普通學校의 한인교사와 학생, 일인교사의 비행을 규탄 동맹휴학. 31. 황해도 재령군 北栗面 동척소작인, 소작료 불납동맹.	1. 11. 12. 13.	불량아수용소 永興學員 개설 / 朝鮮鐵道, 金泉－尙州간 철도 개통. 함경선, 吉州－端川간 개통. 인천의 13개 정미소 여공 3,000여명, 選米여공조합 조직. 『조선일보』, 만화「멍텅구리」게재 시작(金奎澤畵, 최초의 신문 연재만화).
11월	9. 金永萬·許一·李雷 등, 서울에서 赤霄團 조직. 28. 大同會 대표 金海山, 간도에서 일경에 검거.	17. 19. 23. 25. 27.	인천 加藤정미소 선미직공 400여명 동맹파업. 신사상연구회, 火曜會로 개칭. 『조선일보』, 朝·夕刊制 실시. 金若水 등, 서울에서 사회주의단체 北風會 조직. 경북 의성군 安平面에서 소작쟁의.
12월	19. 무장독립단 30여 명, 평북 宣川 남면주재소 습격.	6. 12. 13.	李廷允·李英 등, 서울에서 사회주의자동맹 창립. 李軫鎬, 한국인 최초로 총독부 고위관리에 임명. 부인참정권기성동맹회 결성.

22. 朝鮮은행법 개정 공포.	22. 소작조정법 공포.
25. 염료수입허가에 관한 건 公布. 28. 총포화약류취제령 시행규칙 공포. 31. 朝鮮商業銀行, 朝鮮實業銀行을 합병.	
15. 상업은행, 大同銀行을 합병.	4. 정부·여당 3파 협의회, 보통선거안 결정.
	5. 總同盟大同同盟大會, 좌우대립 격화. 10. 내각, 貴族員制度改革의 조사위원회 설립.
	12. 학련 중심으로 전국학생군사교련 반대 동맹 결성.
24. 朝鮮司法大書人令 공포.	

1925년	민족운동	사회·문화
1월	14. 하와이 在留同胞團體代表大會에서 조국광복사업 결의. 26. 靑陽公普校 일인교장 배척 맹휴. 31. 大韓獨立軍募消隊員 2명, 間島에서 일경과 교전.	5. 조선체육회, 제1회 전국빙상경기 대회 개최. 17. 평안북도 용천 불이농장의 소작인 쟁의개시. 30. 송병준 죽음.
2월	2. 獨立團員 15명, 平北 厚昌에서 일경과 교전.	14. 金昶濟, 李甲成 등, 시사구락부 조직. 28. 목포에 동아고무주식회사 설립.
3월	1. 在東京 韓人留學生, 3·1 기념식 거행. 일경 강제해산시킴. 10. 新民府 조직. 16. 참의부, 집안현 古馬嶺 山舍에서 군사회의중 日警 피습. 18. 임시의정원, 임시대통령 이승만 탄핵 의결. 23. 임시대통령 이승만 심판위원회, 이승만 면직안 의결. 박은식을 임시대통령으로 선출. 30. 임시의정원, 임시헌법개정안 결의.	14. 마산에서 전조선형평위원회 개최. 15. 조선노동대회, 京城勞動會로 개칭 21. 평양 위생인부, 동맹파업. 22. 民藝會 조직.
4월	2. 光正團員 20명, 平北 후창경찰서원과 교전. 7. 臨時議政院에서 大韓民國臨時憲法 공포식 거행. 大統領制 폐지하고 國務領 중심의 내각책임제 선택. 9. 正義府 財務部令 제1호로 소득세 징수규정을 공포. 10. 大韓民國臨時政府에서 歐美委員部에 대한 폐지령을 내림.	1. 소록도에 나병환자 전문진료병원인 자혜병원 설치. 3. 총독부, 중앙도서관 개관. 15. 全朝鮮記者大會, 신문지법·출판법 개정을 요구. 17. 비밀결사 조선공산당, 서울 雅敍園에서 창당. 18. 고려공산청년회, 서울 훈정동 박헌영 집에서 발기. 23. 이화학당대학과, 이화여자전문학교로 승격.
5월	5. 鎭東都督府 간부 19명, 군자금 모집 목적으로 부대편성. 16. 西間島 赤滿靑年暗殺隊長 李相燮 이하 10명, 총독부 요인암살을 목적으로 국내잠입.	15. 백남훈·백관수·김준영·안재홍 등, 조선사정연구회 결성.

식민통치	일본(大正 14)
13. 헌병의 행정경찰 및 사법경찰에 관한 복무규정 공포.	20. 중국 북경에서 日露條約 조인됨.
31. 총독부, 철도국 신설하고 남만주철도㈜에 대한 철도경영권위탁을 해제.	1. 동경방송국 시험방송 개시. 2. 중의원, 보통선거법안 수정 가결. 16. 일본노동총동맹대회. 29. 신일본동맹 결성.
1. 조선총독부 15개년을 기한으로 産繭百萬石 증수계획 착수 / 조선철도, 조선총독부 직영으로 환원. 20. 전문학교입학자검정규정 공포.	1. 農商務省 폐지되고 農林省과 商工省 발족. 22. 치안유지법 공포.
8. 治安維持法 공포. 23. 國勢조사시행령 공포. 30. 총독부, 아편전매제 폐지.	5. 중의원 선거법 공포. 9. 共濟信託㈜ 설립.

6월	4. 논산양촌공립보통학교 5학년생, 학생 구타한 日人교사 배척 동맹 휴학. 6. 平北 楚山署員, 同郡 豊面 龍興洞에 은신한 독립군 습격.	21. 체신국, 매주 4회 정기 라디오 방송 개시.
7월		1. 朝鮮辯護士協會, 韓日人 차별대우 철폐를 결의. 5. 조선농구협회 창립. 12. 남한 일대 폭우.
8월	12. 이중교폭탄사건의 김지섭, 도쿄공소원에서 무기징역을 선고받음. 19. 무장독립단 6명, 평북 雲山郡 北鎮面 三山洞에서 일경수색대와 교전. 30. 무장독립단 10명 朔州郡 陽山面 주재소 습격 방화.	1. 『開闢』8월호 압수와 동시에 발행 정지당함. 31. 33인 의 1인 李鍾一 죽음.
9월	8. 『朝鮮日報』, 「朝鮮과 露西亞의 정치적 관계」 석간 사설로 제3차 무기정간처분을 당함. 24. 李相龍, 임정 신임 국무령이 됨.	20. 조선노동당 분열. 29. 농촌계몽을 목적으로 하는 朝鮮農民社 조직.
10월	20. 日皇 암살모의 사건으로 검거된 朴烈 등, 동경에서 기소. 27. 무장독립단 3명, 평북 江界郡 松下洞에서 일경과 교전, 1명 전사.	5. 경성운동장 준공. 15. 京城驛舍 준공. 30. 청진상업회의소 설립인가.
11월	22. 제1차 共産黨事件 발생하여 책임비서 金在鳳 이하 30여명 피검.	1. 박은식, 상해에서 사망(1859~). 27. 경성학생연맹 창립. 28. 이상재·윤치호·조병옥, 태평양문제연구회 조직.
12월	16. 李榮九, 李完用 암살기도 실패.	9. 조선무산청년단, 서울에서 창립. 21. 김사국·이영(서울파) 등, 춘경원공산당 조직.

8. 「조선사편수회」 관제 공포 실시. 11. 조선총독부 경무국장 三矢宮本, 중국당 국과 한국독립군 취체에 관한 三矢協 定 체결.	
2. 조선총독부 경무국 국경일대 독립단 단속을 위해 騎兵銃 40정 매입. * 영화 필름 검열규칙 공포.	8. 중.일간 三矢協定에 따라 중국측 施行 細則 제정. 31. 加藤高明내각 총사직.
14. 조선총독부, 한국소를 일본으로 약탈 수송키 위해 「畜牛日本輸入에 關한 件」 공포(조선총독부령 제78호). 21. 조선상업은행, 평양 대동은행과 합병.	2. 제2차 加藤高明내각 성립(헌정회 단독 내각) 10. 제1회 무산정당조직준비위원회 개최. 18. 노동조합법안 발표.
9. 原動機취제규칙 공포.	18. 帝國議會 議事堂 화재로 全燒. 20. 『無産者新聞』 창간.
1. 간이국세조사 실시. 15. 조선神宮, 서울에 起工.	1. 제2회 國勢 조사.
	14. 동경제대에 지진연구소 설립. 29. 총동맹, 無産政黨準備會를 탈퇴.
15. 日帝, 在滿일본인 보호 구실로 龍山駐 屯 조선군 및 헌병 출동. 31. 舊韓國貨幣 교환 마감.	1. 농민노동당 결성. 8. 일본프롤레타리아문예동맹 결성. 23. 철강협의회 창립.

1926년	민족운동	사회·문화
1월	2. 在日朝鮮人, 三重縣 木本町에서 극장입장건으로 1월 3일까지 투쟁. 3. 독립군, 平北 新川稅關出張所 습격 방화. 26. 平壤高普, 일본인 교사 배척 맹휴 (3월 17일 까지).	
2월	12. 독립군 6명, 평북 慈城署 湖下주재소원 5명과 교전. 1명 전사, 1명 부상. 18. 임정 국무령 李相龍 사임. 후임에 양기탁을 선출했으나 자퇴. 26. 박열·金子文子의 특별공판을 동경 대심원에서 개정(3.25 사형 선고).	12. 이완용 사망(1858~).
3월	9. 독립군 8명, 평북 渭原郡 西泰面에서 일경과 접전 / 일본 大阪에서 韓人·日人 충돌.	6. 東亞日報, 국제농민본부의 격려문 게재로 발행정지.
4월	5. 국내·만주·노령의 혁신파 대표, 길림성에서 정의부를 기반으로 고려혁명당 조직(위원장 양기탁). 11. 조선사회단체 중앙협의회, 창립준비위원회 개최 14. 政友會 결성 28. 宋學先, 昌德宮 金虎門 앞에서 총독암살하려다 미수에 그침	1. 京城帝國大學, 法文學部科 설치. 26. 隆熙皇帝 승하.
5월	25. 朝鮮共産黨, 6·10만세 격문 52,000매 인쇄.	13. 조선박람회 개최. 20. 한용운의 시집 『님의침묵』 간행
6월	10. 純宗皇帝의 國葬 계기로 국내에 6·10만세운동 전개. 21. 제2차 朝鮮共産黨 사건. 조선노동총동맹 위원장 李準泰 등 15명 피검.	1. 『개벽』, 「조선 500년 大觀」의 기사로 압수당함. 25. 군산항 수축공사 기공식.
7월	7. 독립군 6명, 義州郡 淸城주재소원 8명과 上廣洞에서 충돌. 독립군 2명 전사, 총 2정 피탈.	8. 김동협 외, 조선물산장려회관에서 조선민흥회 조직. 26. 무명회·천도교청년회 등, 아세아민족대회 개최 반대결의문 각국 대표에 전송.

식민통치	일본(昭和 1)
7. 朝鮮總督府, 경복궁안 신청사로 이전 25. 朝鮮農會令, 朝鮮農會令施行規則, 朝鮮 　　產業組合令, 朝鮮產業組合令施行規則 　　제정.	15. 京都學連사건. 30. 제1차 若槻내각 성립.
27. 조선도량형령 공포(미터법 전용).	28. 大阪, 松島 遊廓 이전 의혹사건 발생.
30. 제철업장려법 공포.	5. 노동농민당 결성 / 일본농민조합, 우파 　는 전일본농민조합동맹 결성. 27. 소득세법 개정.
1. 총독부, 산미증식계획 변경 실시. 24. 제철사업용품 수입세 면제에 관한 규 　　칙 공포. 27. 日本 宮內省, 왕세자 李根의 왕위계승 　　을 발표.	9. 노동쟁의조정법, 치안유지법 개정 공 　포.
7. 度量衡器 및 計量器 구조규칙 공포	21. 농림성, 자작농창설유지보조규칙 공포.
12. 營林署官制 공포. 14. 총독부, 稅制調査委員會 설치.	12. 宗敎制度調査會官制 공포.
3. 학무국, 시내사립학교장 소환, 6·10만 　　세운동에 관련된 학생 처벌 명령. 5. 활동사진필름검열규칙 공포.	

8월		1. 『開闢』72호 정간당함. 4. 金祐鎭, 尹心悳 현해탄 투신 情死.
9월	1. 임정, 국무회의규정 공포. 15. 丙寅義勇隊 羅昌憲 형제, 중국인을 시켜 상해 일영사관에 폭탄 투척. 27. 대한민국임시정부 國務領 洪鎭, 임 시정부 시정방침 3대강령 발표.	
10월		1. 사설철도 咸南線 영업 개시. 23. 漢江改修工事 기공. 29. 城津港 수축공사 준공.
11월	15. 正友會, 정우회선언 발표.	7. 구세군 한인사관, 서양인과의 차 별대우에 항거. 14. 나운규 감독, 주연의 「風雲兒」, 조 선극장에서 상영. 15. 이상협, 『中外日報』 창간. 20. 府協議員 선거 실시(정원 231명중 韓人 83명 당선). 30. 京城방송국 성립(JODK).
12월	6. 安光泉, 金俊淵, 韓偉健 등 朝鮮共 産黨을 재조직(소위 ML당). 7. 在滿 각 단체 대표 양기탁 등, 길 림에서 조선애국자후원회 창립. 14. 金九, 上海 임시정부 국무령에 취 임. 28. 羅錫疇, 京城 식산은행·동양척식 회사에 투탄 후 일경과 교전 중 자결.	9. 총독부, 경성방송국 설립을 인가. 10. 柳一韓, 柳韓洋行 설립.

	6. 일본방송협회 설립.
15. 폭력취체령 실시.	3. 최초의 보통선거로 濱松市 의원선거 실시.
1. 조선총독부 신청사 낙성식 거행(675만 원 들여 10년 3개월만에 완공).	17. 일본농민당 결성.
	12. 松本治一郎(전국水平社간부), 福岡連隊 폭파사건 용의자로 검거.
18. 총독부, 王公世襲財產規則 공포.	4. 일본공산당 재건을 위한 제3회 대회 개최. 25. 大正천황 사망, 昭和로 개원.

1927년	민족운동	사회·문화
1월	12. 임정, 約憲 개정안을 임시의정원에 제출. 19. 新幹會 창립을 발표.	22. 朝鮮河川令 공포.
2월	15. 新幹會, 창립총회 개최하여 강령 채택 및 회장에 李商在 선출. 25. 대한민국임시정부, 臨時約憲 제정.	16. 경성방송국, 韓日語 혼합 단일방송.
3월	5. 임정, 임시약헌 공포.	23. 朴準承 사망. 31. 학교교과목 중 일본역사의 명칭을 國史로 개정.
4월	17. 京城帝國大學 豫科, 6·10 만세운동 관계학생 불합격시킴.	
5월	26. 淑明女學校 생도 400명, 韓人교사 채용증가 등 요구 동맹휴학. 27. 槿友會 창립.	10. 서울 倭城臺에 과학관 개설.
6월	24. 독립군 6명, 평북 熙川郡에 출동하여 日警 1명 부상입힘.	1. 비행사 李基演, 기체고장으로 추락사(한국 항공사상 최초의 희생)
7월	10. 신간회 경성지회 설립.	1. 경성초도공장, 최초로 터우 6형의 기관차 제조.
8월	3. 재일한국노동총연맹·신간회동경지회 등, 동경에서 총독 정치 탄핵.	7. 朴敬元, 여성 최초로 3등 비행사 면허 획득.
9월	17. 신간회동경지부 등 총독정치 탄핵 동맹회 조직.	
10월	26. 일본 변호사협회, 조선공산당사건 피고인 고문사건 진상규명키로.	16. 민중 경제운동 전개 목적으로 대구에서 경제연구회 조직.
11월	7. 한국유일독립당촉성회 준비회, 上海에서 개최. 14. 京城第一高普 4년생, 韓人 교사에 의한 한국역사강의 등 6개항 요구 동맹휴학.	1. 낙동강 개수공사 기공. 27. 조선씨름협회 창립.
12월	7. 淸州高普生, 日人 교장과 교원 배척 동맹휴학.	13. 李相佰, 일본의 미국원정농구단 감독에 선임됨.

식민통치	일본(昭和 2)
18. 煙火取締規則 공포. 22. 연초전매령 개정 공포, 연초의 완전전매제도 확립. 10. 조선귀족세습재산령 공포.	20. 영국대사, 상해 공동出兵을 제의.
14. 총독부, 조선농회 설립. 29. 조선사업공채법 개정. 31. 조선영업세령 공포 / 朝鮮資本利子稅令 공포	1. 明治節 제정. 30. 은행법 공포.
1. 酒稅 인상. 25. 支拂猶豫令 실시. 26. 총독부에 土地改良部 신설.	1. 병역법 공포. 20. 정우회 내각 성립. 28. 중국의 일본인 보호를 명목으로 제1차 山東 출병.
18. 총독부, 금융제도준비조사위원회 설치.	27. 정부 東方회의개최, 대륙진출정책 토의.
6. 학무국, 실업보습교원양성소 설치 계획.	7. 「對支政策綱領」 발표 / 코민테른 일본문제특별위원회, 「27년 테제」 결정.
15. 조선사설철도매수에 관한 건 공포. 20. 조선국유철도 운전규정 공포.	14. 외무정무차관 森恪, 관동군사령관 등과 대련, 여순에서 만주문제를 협의
3. 조선비료취체령 공포. 26. 血淸・豫防液 등 판매규정 공포.	
8. 일본 농림성 미곡과장, 제국농회에서 조선미 불매 방침을 설명.	
* 은행령 개정.	19. 전국수평사 회원 北原泰作 二等兵, 군대내 차별을 천황에게 直訴.
6. 조선총독 齋藤實 사표 제출. 9. 총독부, 朝鮮煙草元賣捌株式會社 설립. 10. 육군대장 山梨半造, 齋藤實 후임으로 조선총독에 임명.	1. 공산당 확대중앙위원회 개최, 「27년 체제」에 의한 당 건설 논의. 30. 동경지하철도 淺草~上野간 개통(일본 최초의 지하철).

1928년	민족운동	사회·문화
1월	25. 신민부 중앙위원장 金爀 등, 하얼 빈에서 일경에 검거됨. 29. 신민부 별동대장 李君日 등, 寧古塔에서 중국경찰에 검거됨.	1. 조선철도, 전남선을 매수, 광주선으로 개칭. 9. 조선어장려 제1종시험 시행 공고.
2월	2. 제3차 조선공산당사건(ML당사건). 15. 신간회(123지회 조직) 창립 1주년 기념식을 전국적 규모로 거행.	11. 전남포에 무선전신국 개청.
3월	25. 안창호, 김구 등 상해에서 한국독립당 조직 / 상해에서 조선무정부주의자연맹 조직. 30. 소련정부, 중앙아시아 개발위해 블라디보스톡에 한인 300여명을 이주시킴	31. 불교전수학교 서울 명륜동에 설립됨 / 漢城銀行, 정관 개정.
4월	11. 임정구미위원부, 재만동포옹호 팜플렛 발표. 14. 경북 尙州에서 日人 面長 배척운동이 확산. 20. 고려혁명당사건의 鄭元欽, 신의주 지법에서 무기징역을 선고받음.	20. 京城府營 버스 운행 개시.
5월	9. 『조선일보』 사설 「濟南事變의 壁上觀」 게재로 무기정간. 12. 정의부 등 독립운동단체, 길림 樺甸縣에서 유일당촉성문제 협의 시작(전민족유일당협의회파와 전민족유일당조직촉성회파로 분열).	
6월	15. 京城 養正高普生, 日人교사 배척·校友會 자치 등 4개항 요구 동맹 휴학.	16. 조선상업은행, 삼남은행을 합병.

식민통치	일본(昭和 3)
7. 일본 대장성, 동양척식회사의 외채 5천만원 모집에 대해 豫外國庫負擔案 결정. 14. 조선총독 山梨·일본수상 田中, 재만한인의 중국귀화 허가하기로 합의. 15. 일본농무성, 米穀法 개정과 한국에 적용하는 문제를 인구식량조사위원회에 위촉. 19. 전문학교령 개정.	
7. 임시소작조사위원회 규정 공포.	1. 일본공산당 기관지 『赤旗』 창간. 20. 제16회 총선거 실시(최초의 보선).
28. 총독부 경찰국, 동아일보사의 문맹퇴치운동을 금지.	15. 3·15사건, 공산당이 국체를 파괴하고 혁명수행을 음모한다는 이유로 전국적인 대량 검거. 25. 전일본무산자예술동맹(나프) 결성.
	19. 2차 산동 출병.
22. 일본, 긴급칙령으로 치안유지법 개정 공포. 28. 토지개량등기규칙 공포.	3. 일본군, 산동성에서 국민정부군과 충돌(제남사건).
16. 임시교육심의위원회규정을 제정하여 정무총감을 위원장으로 하는 교육자문기구 설치. 총독부, 초등학교 증설계획 수립.	4. 관동군 河本參謀, 張作霖을 폭살(滿州某重大事件). 29. 긴급칙령에 의해 치안유지법 개악, 즉일 시행.

7월	2. 平壤 永信양말공장 등록상표, 태극무늬가 있다고 하여 압수됨. 16. 근우회전국임시대회, 천도교 기념관에서 개최.	1. 조선철도(주), 慶東線 매수, 동해중부선으로 개칭. 6. 尹德榮, 閔丙奭, 중추원 고문에 임명됨. 31. 경남은행, 대구은행과 통합, 慶尙合同銀行 설립.
8월		10. 평양부립도서관 개관.
9월		19. 미산리천주교회, 김대건 신부 묘소에 기념성당을 건립. 27. 대구고보, 빈번한 교사 교체에 반발하여 맹휴에 돌입한 2,3학년생 190명에 무기정학.
10월	4. 조선의열단 제3차 전국대표대회 개최. 8. 전국변호사대회를 서울에서 개최, 保安法 폐기를 가결. 9. 한글날 제정. 기념일을 변경. 12. 日王 즉위식을 기회로 일본 요인을 암살하고자 도일한 노생민 등 도쿄에서 검거됨. 16. 임정 초대외무총장 朴容萬, 밀정으로 오인되어 의열단원 李海鳴에게 피살.	11. 대구·경주간 3등 경유동차 운행 개시 / 남대문, 효자동간 전차선로 준공.
11월	21. 홍명희, 장편 『임거정전』을 조선일보에 연재. * 李靑天, 동만주 密山에 高麗革命士官學校 설립.	2. 조선문예영화예술협회 창립.
12월	6. 『中外日報』, 사설 「職業化와 醜化」 게재로 발행정지 처분됨. 7. 코민테른 본부, 조선공산당 재조직을 지령(12월테제).	2. 울산비행장 개장.

1. 조선총독부, 「小作慣行에 관한 件」 시달(小作契約의 書面化, 小作料 운반 2 里 이상은 지주부담 권장). 2. 일본 육군성, 한국 치안경비 담당할 獨立守備隊 설치키로 하고 소요예산을 대장성에 제출.	1. 내무성, 보안과 설치. 3. 좌익사상을 단속할 특별고등경찰망을 전국적으로 확대. 22. 무산대중당 결성.
6. 조선금융제도조사회규정 공포. 21. 조선금융제도조사회 개최.	
1. 전여객열차에 경찰을 승무시키는 移動警察制 신설 실시.	
10. 조선어업보호취제규칙 공포. 24. 개정은행령 공포 / 貯蓄은행령 공포. 29. 탄전조사위원회규칙공포 / 시가지세령 폐지.	20. 日本大衆黨 결성. 22. 新勞動者農民黨 결성대회. 25. 일본노동조합전국협의회 제1회 전국대표자회의 개최.

1929년	민족운동	사회·문화
1월		9. 경성자유노동조합, 노동자치회를 통합, 경성노동동우회 조직. 27. 원산노동연합회, 총파업 결의.
2월	* 봉천·길림 등지의 20여개 청년단체 통합하여 남만한인청년동맹 조직.	1. 천주교 용산신학교, 학제 변경(초등, 중등, 고등으로 분리). 18. 元山勞聯, 총독부의 노동운동 탄압에 항의.
3월	1. 韓國獨立黨 결성. 11. 3월 18, 19일 양일간 개최 예정이던 신간회 전국대회, 총독부에 의해 금지당함.	1. 불교연구회, 개운사에 설립됨. 3. 조선공학회 설립. 28. 타고르, 『동아일보』에 「조선은 아세아의 등불」 기고.
4월	1. 정의부·참의부·신민부 3府 대표, 滿洲 吉林省에서 통일회 개최하고 3부 통합하여 國民府 수립.	1. 여의도 비행장 개장. 6. 원산노동연합회, 자유복업 결의(원산총파업 실패). 22. 서울에서 전세 전차 전복, 진명여학생 70여명 중경상.
5월	6. 함흥고보 2·3년생, 조선사와 조선어문법 교수를 요구하고 맹휴.	
6월	21. 일본, 만주 등지에서 입국, 공산당을 재건하려던 인정식 등 50여명, 일경에 체포.	4. 목포상업학교의 한인학생들, 일인학생과의 차별대우에 반발 맹휴. 6. 전남 보성의 철도공사 인부 1천여명, 임금인상과 현금 지급을 요구하고 파업.
7월	1. 신간회 전국복대표 전체대행대회, 중앙기독교청년회관에서 개최, 간사제에서 집행위원제로 직제 개편. 10. 여운형, 상해에서 검거됨. * 김좌진 등 만주 영안현에서 신민부를 토대로 한족총연합회 조직(주석 김좌진).	4. 滿鐵계 昭和製鋼所(주) 설립. 9. 독립운동가 이시영, 만주에서 죽음.
8월	9. 김구, 상해교민단장이 됨.	15. 崔昌學, 三成金鑛을 三井鑛山(주)에 매도.

식민통치	일본(昭和 4)
25. 총독부, 1면 1교계획 하달. 26. 조선어업령 공포. 29. 동경 경시청, 재동경 한인단체를 총수색.	17. 勞農大衆黨 결성.
2. 조선공립소학교장 및 공립보통학교장 優遇슈공포 시행.	
29. 항공우편규칙 공포.	
11. 자원조사법 공포. 19. 조선교육령 개정 공포 시행.	16. 4·16사건, 공산당원 대량 검거.
4. 조선간이생명보험 특별회계법 공포. 7. 민사소송법 개정에 따라 민사령, 형사령, 총독부재판소령 등 개정 공포.	
10. 拓務省官制 공포. 17. 서당규정 개정. 20. 소학교와 보통학교규정 개정 공포. 24. 총독부에서 독직 사건 발생.	10. 拓務省 설치.
1. 조선저축은행 설립.	
17. 독직사건으로 山梨半造 조선총독 파면. 齋藤實 제5대 조선총독에 재임명됨.	29. 북해도철도 疑獄사건.

9월	20. 국민부, 제1회 중앙의회 열고 강령 및 헌장제정 등 결의.	7. 安益泰, 첼로독주회를 경성공회당 에서 열음. 10. 일본항공운수(주), 福岡·울산·서 울·大連간 여객항공선 개설. 18. 한강교 개축 및 용산방수공사 준 공식.
10월	30. 기차통학하는 光州고보 韓人학 생·光州중학교 日人학생, 羅州驛 에서 충돌.	26. 경춘간 자동차 신노선 개통 허가. 31. 각계 유지 108명의 발기로 조선어 학회 조선어사전편찬회 조직. * 『조선물산장려회보』를 창간.
11월	3. 光州學生運動 일어남. 4. 신간회, 광주학생운동 조사를 위 해 긴급간부회의를 소집. 8. 대성을 필두로 서울 고등보통학교 전체학생, 독립 만세 외치며 시위, 동맹휴학(~9일).	21. 금수출해금령 공포.
12월	12. 평양 숭실전문을 중심으로 시내 전중등학교 1600여 명, 만세시위. 13. 민중대회사건으로 신간회 간부 조 병옥·權東鎭·홍명희 등 44명 피 검. 14. 재일유학생·신간회원, 도쿄에서 광주학생운동 비판연설회 개최. 20. 국민부, 민족유일당조직동맹을 개 편하여 朝鮮革命黨 조직. 23. 신간회 간부 44명, 근우회 간부 47 명 검거됨(민중대회사건).	

10. 조선강점 20주년을 계기로 조선박람회 개막. 17. 농사시험장관제 공포 시행. 24. 조선간이생명보험규칙 공포. 30. 지방선거취제규칙 공포.	10. 문부성, 교화단체 총동원을 행하여 중앙교화단체연합회 설립. 13. 도쿄시, 한인 노동자 2만 명의 송환 결정.
1. 청년훈련소 규정(府令 89호) 제정하여 각 府·面에 청년훈련소 설치를 규정.	31. 大阪市, 大阪國際飛行場 구역에 거주하는 200여 한인의 강제 이전 단행.
8. 총독부사무분장규정 개정. 21. 金輸出解禁令 공포.	1. 勞農黨 결성. 7. 반제국주의민족독립지지동맹 일본지부 결성. 21. 대장성, 金解禁에 관한 省令 발표.
1. 총독부, 공장·광업·해사·전기·항만·자동차·사설철도자원조사에 관한 규칙 공포 시행. 20. 1930년도 조선총독부 예산 238,800,000원으로 확정(지난해에 비해 805만원 감소).	

1930년	민족운동	사회·문화
1월	8. 광주고보생 17명, 제3차 봉기계획 발각으로 퇴학. 9. 개성의 송도고보 등 400여 학생, 광주 학생운동에 동조 만세시위.	15. 『精選朝鮮語文法』 간행.
2월		14. 諺文改正綴字法, 중추원에서 통과되어 確定.
3월	1. 이동녕, 안창호, 김구 등, 상해에서 韓國獨立黨을 창립.	1. 京城放送局, 종래의 韓日語 혼용 방송제를 폐지, 韓國語放送 시간을 오후 9시부터 11시까지로 정함.
4월	1. 대한민국임시정부 독립운동자 일치단결 호소하는 선언서 발표.	24. 總督府 學務課, 奎章閣圖書를 城大 圖書館에 보관키로 결정.
5월	3. 新興郡 加平面 조선탄업주식회사 탄광노동자 동맹파업. 30. 동만주일대 한국공산주의자, 중국 공산주의자, 통합행동 대간도항쟁 발발(간도 5.30사건).	10. 朝鮮商工會議所令 공포.
6월		21. 延專, 제 1회 中等學校武道大會 개최.
7월	26. 洪震, 申肅, 李青天 등 吉林에서 韓國獨立黨과 韓國獨立軍 조직.	4. 朝鮮家畜傳染病 豫防令 제정.
8월	4. 臨政, 國務院을 개편. 7. 평양고무노동자 1,800여명 동맹파업. 29. 在東京留學生 6천여 명의 만세시위계획 발각으로 다수 검거됨.	19. 電氣事業調査會官制 공포 시행.
10월	1. 전국인구 및 호구조사(국세조사) 실시. 인구 총 수 21,058,305명.	18. 京城農業學校 한인학생, 日人과의 차별대우에 반발, 자진 동맹 퇴학.
11월	9. 신간회 중앙위원회 개최하여 金炳魯를 위원장으로 선출.	12. 朝鮮鐵道, 黃海線 완전개통. 19. 城大, 女子入學을 許容.
12월	6. 신간회 부산지회, 신간회 해소론을 주장.	13. 朝鮮語研究會, 한글 맞춤법 통일안 제정을 결의.

식민통치	일본(昭和 5)
	11. 금수출 解禁 실시. 21. 런던해군군축회의 개회.
25. 1930년 朝鮮國勢調査 시행공포(府令 제 8호). 1. 소금 수입에 관한 令 공포.	20. 제17회 총선거. 26. 공산당원 전국일제검거.
	25. 런던조약을 둘러싸고 통수권 간섭문제 발생.
1. 조선어업령(제령 1호) 시행. 10. 조선상공업회의소령 공포 (制令 제4호).	6. 일중 관세협정 정식조인. 20. 공산당 동조자사건.
	20. 全國大衆黨 결성(일본대중당, 전국민중 당, 무산정당통일전국협의회 합동).
18. 朝鮮電氣事業調査令 관제, 공포(칙령 제 149호).	
1. 簡易國勢調査 시행. 31. 朝鮮總督府 道視學官 特別任用令 공포 시행.	
	14. 세계공황, 일본에 파급(昭和 공황).
1. 조선총독부, 지방제도 개혁(道制·府 制·邑面制 개정공포).	

1931년	민족운동	사회·문화
1월	9. 신간회 中央常務執行委員會 개최. 10. 조선어연구회, 조선어학회로 개칭.	7. 조선총독, 중학교규정 및 고등보통학교규정 중 교수시간 증감에 대한 훈령반포.
2월		20. 조선일보, 春季文字普及班 개설하고 한글 교재를 무료 배포.
3월	1. 韓國獨立黨 결성.	2. 청진 運輸勞動會員 800여명, 임금 인하에 반발 총파업.
4월	14. 신간회 서울지회, 해체를 결의. 18. 臨政 대외선언을 발표하고 三均主義를 건국원칙으로 표명.	
5월	16. 신간회 해산 결의.	* 사회비평 종합지 『批判』 창간.
6월		26. 이광수, 장편소설 「이순신」을 동아일보에 연재 시작.
7월	2. 중국 東北地方에서 在滿韓農과 中國農民이 충돌(만보산사건 발생). 25. 조선어학회, 전국순회 조선어강습회 개최(8월 8일까지).	16. 동아일보사, 브나로드운동 전개, 학생단원을 모집. 25. 조선일보사, 27개 도시에서 제 1회 朝鮮語講習會 개최.
8월		1. 경남철도, 남포·판교간의 개통으로 천안-장항 간 전통.
9월		
10월	4. 상해의 항일독립단체, 중국 국민정부에 連名으로 독립운동자를 보호해 줄 것을 요청.	10. YMCA 농촌사업부, 계몽사업 시작. 14. 『中外日報』, 『中央日報』로 改題. 26. 조선어학회, 한글날을 10월 29일로 변경.
11월	9. 大韓人國民會, 美洲韓人聯合會 발기문 발표. 10. 한국독립당, 각 軍區에 총동원령 발포(소집 및 徵募 실행).	11. 평양고보생들, 경찰의 학원 간섭에 반발 맹휴. 25. 『중앙일보』 제 1호 발행.
12월	3. 상해한인반제동맹 창립대회 개최. 28. 임정, 재외대한교민단 규칙 공포.	

식민통치	일본(昭和 6)
17. 全朝鮮農民社, 全朝鮮農組로 개칭. 21. 한일은행, 호서은행을 합병, 東一銀行으로 개칭.	26. 일본농민조합 결성.
25. 府, 邑, 道會議員과 面協議會員의 선거에 관한 규정 공포.	
30. 미곡법 개정(7. 1. 시행).	
	1. 重要產業統制法(8. 11. 시행). 14. 제2차 若槻내각 성립. 22. 일본공산당 정치체제초안 발표.
20. 朝鮮取引所令 공포.	
17. 조선총독 齋藤實 사임하고 제6대 조선총독에 육군대장 宇垣一成 임명됨.	
28. 朝鮮農業倉庫令 시행규칙(府令 제96호) 제정 공포.	5. 전국노농대중당 결성.
21. 각도경찰부장회의, 사상범죄를 엄청히 取締키로 결정.	
11. 正米市場 규칙 공포.	18. 滿洲事變 발발. 22. 일본 각의, 朝鮮軍 出兵을 승인
5. 미곡의 수입 및 수출의 제한에 관한 미곡법 시행 규칙 공포.	17. 10월사건(군부내각을 수립하려는 쿠데타 시도).
11. 총독부 법무국, 소작법과 소작쟁의 조사법안에 관한 원안작성 완료. 27. 일본으로 수출하는 미곡 창고영업 보조규칙 공포.	
14. 금화폐, 금괴의 수출은 총독의 허가를 받게 함.	11. 若槻내각 총사직. 13. 高橋是淸, 藏相취임, 금수출 재금지.

1932년	민족운동	사회·문화
1월	8. 韓人愛國團員 李奉昌, 東京에서 昭和天皇에 폭탄투척 실패. 22. 민중대회사건의 許憲, 趙炳玉 등 6명, 서대문형무소에서 가출옥.	4. 조선은행 1원권 발행.
2월	1. 상해조선청년당 조직규칙 발표. 3. 조선보건협회 조직. * 조선인혁명군, 중국의용군사령관 李春潤과 합작, 한중연합군 조직.	16. 朝鮮簡易生命保險 적립금운용규칙 공포시행. 17. 조선전기사업공포. 23. 최대 농민조합 龍川小作組合, 강제 해체.
3월	9. 정의부 군사위원장 오동진, 신의주지법에서 징역 8년 언도받음. 11. 조선혁명군 양세봉 외, 中國義勇軍 梁錫福 부대 등과 합세해 永陵街城을 점령(永陵街戰鬪). 30. 天摩團員 김상옥 등, 신의주지법에서 판결공판 받음.	13. 간도 日領事警察, 공산당 혐의로 용정부근에서 청년 100명 검거. 22. 조선미술전람회규정 개정. 31. 총독부,『朝鮮史』38권 간행시작. * 김성수, 보성전문학교를 인수.
4월	1. 韓人愛國團, 崔興植 등을 大連에 파견. 29. 韓人愛國團員 尹奉吉, 上海 虹口公園에서 열린 上海事變勝利祝賀會場에 폭탄투척. 30. 안창호, 상해 虹口公園사건 관련 혐의로 佛租界 경찰에 검거됨.	15. 총독부, 북조선개척사업계획을 완성.
5월	12. 鏡城高普生 60여명, 檄文 살포혐의로 羅南署에서 검거됨. 24. 평양고보생 8명, 독서회 조직혐의로 검거됨. 25. 全上海韓僑 일동, 안창호를 일본영사경찰에 넘긴 주상해佛國總領事 및 佛國政府에 항의문 발표. * 임정, 상해에서 항주로 이전.	
6월	23. 전 총독 齋藤實을 저격했던 張基楚 등 5명, 신의주지법에서 징역 언도받음.	5. 이충무공의 현충사 낙성식과 영정 봉안식을 아산군에서 거행.

식민통치	일본(昭和 7)
1. 朝鮮商工會議所 설립 인가 / 朝鮮取引所令 시행. 28. 은행권의 金兌換停止緊急勅令 공포	3. 관동군, 錦州점령. 17. 或維會결성. 19. 사회민중당전국대회, 三反主義결정. 28. 상해사변
17. 조선총독부, 한국인 취체에 관한 협약인 三矢協約 폐기	5. 관동군, 하얼빈점령. 16. 聯盟理事會, 상해의 전투행위 중지를 일본에 경고. 20. 상해에서 육군, 총공격개시. 29. 립튼조사단 來日.
23. 조선총독부, 在滿朝鮮人對策 5개 근본방침 결정.	1. 滿洲國 괴뢰정부, 건국선언(溥儀, 執政에 취임). 5. 血盟團사건. 23. 만주사건 관계 예산 성립. 24. 일·중 정전회의 개시.
10. 朝鮮敎育令 제25조 개정 실시.	26. 三井, 三菱재벌, 대만주국 2000만엔 융자계약조인.
	5. 상해정전협정조인. 15. 해군장교등 수상관저등 습격, 犬養수상을 사살(5·15사건). 20. 코뮌테른 「32년 테제」 결정. 26. 齋藤實내각 성립.
25. 상업은행, 北鮮商業銀行 병합.	15. 만주중앙은행설립. 29. 경시청에 특별고등경찰부설치.

7월	15. 상해한인독립운동청년단 조직됨. 30. 조만식, 김원동 등, 평양에서 建中 會 설립.	15. 조선전기사업조사회관제 폐지. / 手形法 공포. 16. 폭약제조취제규칙 공포시행.
8월	1. 『조선일보』 경영난으로 임시휴간. 14. 金九, 韓人愛國團 宣言 발표.	13. 한강인도교 부근 수영장 완성.
9월	19. 제1차 雙城堡戰鬪, 한중연합군 일 시 雙城堡를 점령.	1. 총독부, 학생의 야구경기를 통제.
10월	8. 무정부주의계 姜秉奎, 朴戊錫 등 검거됨. 10. 이봉창, 동경 市谷형무소에서 사 형당함. * 의열단, 朝鮮革命軍事政治幹部學校 창립.	7. 朝鮮競馬令 공포. 12. 총독부, 중앙시험소 시험분석 및 감정규칙 공포 시행. * 총독부, 전국에 자력갱생운동을 전 개.
11월	7. 한국독립당의 한중연합군, 쌍성보 를 다시 공격 점령. 10. 김규식, 崔東昨 등 상해에서 韓國 對日戰線統一同盟조직. 27. 한중연합군의 중국측 考鳳林부대, 일군과 휴전으로 한중연합군 와 해. 29. 한국독립당, 중앙대회열고 中國救 國軍과 합작할 것을 결의.	1. 총독부, 種馬木匠 설치. 20. 統營운하 및 해저도로 준공.
12월	19. 윤봉길 사형당함. 25. 韓中聯合討日軍, 東滿 鏡泊湖 근처 에서 日滿연합군 2천명과 격전, 대승. 26. 朝鮮民族唯一黨策進會 中央執行委 員長 金東三, 신의주지법에서 징 역 언도받음.	

26. 총독부, 토지개량부를 폐지. 27. 총독부관제를 개정공포.	1. 자본도피방지법공포. 24. 사회대중당결성. 25. 만주국협화회결성.
4. 국유임야보호규칙공포.	25. 內田외상, 의회에서 만주국승인결의 표 명.
22. 文官分限委員會官制 공포 시행. 24. 조선곡물검사령 공포. 27. 對日輸出牛檢疫규칙 공포.	5. 내무성, 국민자력갱생운동 개시. 15. 일만의정서조인(만주국승인). 25. 일본노동조합회의결성.
1. 총독부, 곡물검사소 설치. 11. 총독부, 自作農地設定事業要綱 발표. 22. 조선부동산융자 및 손실보상령 공포.	1. 립튼조사단, 일본정부에 보고서통달. 24. 대일본국방부인회창립. 30. 공산당, 熱海에서회의, 전원검거당함.
10. 조선총독부, 精神作興運動 개시. 15. 총독부, 水産試驗場 설치.	20. 일본노동동맹(일본국가사회당)창립. 21. 松岡洋右全權, 립튼보고서에 반박.
3. 일본 농림성, 미곡법에 의하여 한국미 50만석을 매입할 것을 고시. 10. 朝鮮小作調停令(制令 5호) 제정. 16. 조선신탁주식회사 설립. 20. 조선총독부, 產米增殖計劃 중지 발표.	28. 일본학술진흥회창립.

1933년	민족운동	사회 · 문화
1월		26. 京城醫專, 만주인의 입학을 허가하기로 결정.
2월		15. 龍川에 한인 경영의 鴨綠江土地改良株式會社 설립.
3월	1. 남자현 · 이규동, 만주정부 건국기념식에 폭탄을 휴대 잠입하다가 검거. 11. 조선혁명당의 한중연합군, 興京縣城의 日滿연합군을 공격, 興京縣城을 점령. 17. 백정기 · 이강훈 · 이원훈, 주중일본공사 有吉明을 홍구공원에서 암살 기도하다 검거됨.	7. 낙동강교 준공 / 서울주식시장, 미국 공황으로 휴장. 8. 조선교육령 개정.
4월	15. 韓中聯合討日軍, 四道河子에서 日滿聯合軍 약 1개사단과 격전.	1. 동아 · 중앙 · 조선 3개 신문사, 한글맞춤법 통일안에 의한 철자법으로 발행. 5. 천도교학생회 동경부, 『學生時報』 창간. 26. 김동인, 「운현궁의 봄」을 『조선일보』에 연재(~ 1934.2.5)
5월	8. 韓中聯合軍이 永陵街를 피습한 日滿軍 1,500여명을 역습 격퇴시킴. * 임정 국무령 김구, 장개석과 낙양군관학교에 한인훈련반을 설치하기로 합의(11.15. 한인특별반 설치).	
6월	7. 韓中聯合討日軍, 日滿聯合軍을 격퇴하고 東京城 점령.	14. 서울, 방공 연습을 위해 3일간 燈火管制 실시.
7월	3. 한중연합토일군, 제2차로 만주 동경성을 점령.	1. 서울-도쿄간 전화 개통. 7. 소록도에 나병촌 완성(9월부터 환

식민통치	일본(昭和 8)
7. 朝鮮信託會社 업무 개시. 16. 임시조선미곡 조사위원회 규칙 공포. 17. 朝鮮刑事令 개정 공포(3. 1. 시행). 27. 조선소작조사령 공포.	1. 일본군, 중국군과 산해관에서 충돌. 23. 堺利彦 사망.

9. 林政事務協議會, 화전민의 신규입산을
  금지하기로 결정.
17. 조선무역협회 설립.
20. 총독부, 면화증산계획을 발표.
	4. 長野縣敎員赤化事件.
	23. 관동군, 열하작전개시.
	24. 국제연맹, 일본군의 만주철퇴권고안을
	  채택.

27. 사상범, 보통범의 分離原則을 결정.
28. 米穀統制令 공포(미곡의 최고 최저가격
  公定, 朝鮮米의 일본수출 규제) / 外國
  換管理法 공포(5.1. 시행).
	1. 만주국, 경제건설綱要 발표.
	27. 국제연맹탈퇴조서 발표.

	5. 皇道會결성. 6. 일본제철회사법공포. 10. 관동군, 華北침입개시.

10. 각도, 道制 실시 이후 최초의 道會議員
  총선거 실시.
	26. 瀧川교수 휴직발령, 宮本법학부장 등
	  38인사표제출(瀧川사건).
	31. 塘沽정전협정 체결.

7. 船舶輸入許可規則 공포.	1. 昭和제강소㈜, 만주鞍山제철소 합병. 7. 공산당간부 佐野學, 鍋山貞親, 옥중에 서 전향성명.
20. 호남은행, 동래은행을 인수합병.	1. 關東勞組協議會등, 反나치파쇼분쇄동 맹민중대회.

		자 수용).
		15. 서울－도쿄간 직통전화 개시 / 全北道內 普通學校 교원 600여명, 문맹퇴치 위한 농촌계몽운동에 동원됨.
		25. 조선경마회 설립 / 조선어학회, 한글맞춤법회의 원안 제2독회 개최 (～ 8.3)
8월	4. 상해 韓人反帝同盟, 상해 韓人讀書會로 개칭.	9. 조선고적·명승·보물·천연기념물 보존령 공포.
		13. 대동군에서 석회종유굴 발견
		25. 在滿 교포, 新京에서 親日系의 『滿鮮日報』 창간.
		27. 평양부립박물관 준공.
		30. 조선일보사, 주필제 신설.
		* 이효석·정지용 등 9인회 조직.
9월	1. 한국독립당군, 寧安 일대의 山林部隊와 연합, 東寧縣 日軍을 공격.	9. 만주사변 이후 최초의 총독부 알선 만주이민단, 서울역 출발.
		14. 윤치호 등 90여명, 서울에서 優生協會 조직.
		27. 이광수, 장편 「유정」을 『조선일보』에 연재.
10월		19. 조선어학회, 임시총회를 개최, 한글맞춤법 통일안을 가결.
11월	22. 상해 韓人靑年黨 위원장 金哲, 日本領事館警察에 검거.	4. 조선어학회, 한글 맞춤법 통일안 발표.
		* 조선중앙일보사, 『월간중앙』 창간.
12월	20. 間島共産黨 사건의 李東鮮 등 판결 공한, 京城地法에서 개정됨.	29. 외국전보규칙 및 외국미선전보규칙 공포(1934.1.1. 시행).

	10. 학예자유동맹결성. 11. 神兵隊사건(天野辰夫 등 대일본생산당 원의 쿠데타 계획 발각). 22. 國民協會결성.
17. 朝鮮金融組合聯合會令 공포.	9~11. 제1회 관동지방방공대연습.
	12. 海軍青年將校有志, 5·15 사건 구형에 반대결의.
12. 총독부에 理事官制 신설. 23. 米穀統制法 조선시행령 공포.	3. 국방, 외교관계에 관해 5상회의개최. 13. 미곡수입허가제공포.
	9. 5·15사건 해군측판결.
1. 조선신탁, 익산신탁을 합병.	

1934년	민족운동	사회·문화
1월	15. 在中國 각 독립단체 대표자 회의, 鎭江에서 3일간 개최. 20. 임정, 국무위원회의를 남경에서 개최, 閣員 선출.	22. 京城府, 시내 4개의 공립보통학교를 신설키로 결정.
2월		15. 조선어학연구회, 기관지 『正音』 간행.
3월	1. 한국독립당·신한독립당·조선혁명당·朝鮮義烈團·大韓人國民會·하와이 國民會대표, 한국대일전선통일동맹 제2차 대표대회 개최. 28. 해남, 목포 등지에서 공산주의 비밀결사 혐의로 300여명 검거.	
4월	12. 韓國對日戰線統一同盟, 각 독립단체통합을 위한 대회소집에 관한 건의서 발송.	
5월		11. 진단학회 창립.
6월		
7월		2. 경기도, 학생의 문맹 퇴치운동을 금지.
8월		18. 朝鮮緬羊協會 창립됨.
9월	17. 한국독립당, 중국 항주에서 최린에 대한 聲討文을 인쇄 배포.	
10월		
11월		5. 제 3차 만주 營口行 이민단 출발. 24. 조선일보사, 조선박물전람회 개최.
12월	20. 경성대제 반제동맹 사건의 趙正來 등 5명, 京城地法에서 징역 3년~4년 언도받음.	

식민통치	일본(昭和 9)
1. 拓務省, 일본인 한국 이주자에게 장려 금 지급을 폐지.	29. 일본제철주식회사 설립.
10. 조선농지령(소작계약 법정기한 3년 · 소작지임차권 상속인정) 공포. 11. 朝鮮府郡島小作委員會官制 공포. 27. 조선사설철도보조법 개정.	1. 만주국, 帝政실시. 28. 석유업법 공포. 29. 임시미곡이입조절법공포.
11. 조선농지령 공포. 28. 조선총독부, 세무관서관제 공포. 30. 조선소득세령 개정.	11. 미쓰비시중공업 설립. 17. 天羽성명. 18. 帝人사건.
18. 임시미곡 수입 조절법 시행령 공포. 30. 총독부, 증미증식계획에 의한 토지개량 사업의 중지를 성명.	2. 개정출판법, 출판법시행규칙공포.
22. 조선상속령 공포(7.1. 시행). 27. 石油業法 시행. 20. 朝鮮市街地計劃令 制定의 件 공포.	1. 문부성, 思想局설치. 27. 석유업위원회설치.
	3. 齋藤내각, 帝人사건으로 총사직. 8. 岡田啓介내각 성립.
6. 조선총독부 種羊場官制 공포 시행. 27. 임시치수조사위원회 규정 공포.	1. 日滿무선전화개통식. 6. 육군성, 在滿機關改組原案발표.
14. 朝鮮府郡島小作委員會官制 공포.	20. 국제전화통화규칙제정.
20. 朝鮮農地令 시행. * 산미증산계획 중지.	* 동북지방에 大冷害. 1. 만주특급아시아호, 大連-新京간 운수. 18. 일본노동조합전국평의회결성.
28. 조선부정경쟁방지령 공포. 31. 평양부, 里制를 폐지하고 町制로 통일 할 것을 결정.	5. 혈맹단의 西園寺公望 암살계획 미수. 26. 對滿사무국설치. 29. 워싱톤 海軍軍縮條約폐기통고.

1935년	민족운동	사회·문화
1월		29. 일본에서 열린 세계올림픽빙상대 표선발대회에서 李聖德, 金正淵 우승.
2월	13. 臨政 前 國務總理 李東輝, 블라디 보스톡에서 죽음.	27. 益山·絶影島간 전차 개통.
3월	25. 무정부주의자 鄭華岩, 嚴舜奉 등, 친일파 상해 조선인거류민회 부 회장 李容魯 암살.	
4월		27. 손기정, 서울에서 개최된 공인 예 정마라톤에서 2시간 25분 14초로 세계 신기록 수립.
5월	27. 한국독립당, 중국 항주에서 임시 대회 개최.	1. 조선은행, 5圓券을 새로 발행. 22. 北鮮 개척 지역에 南鮮 이재민 4천 명 이주.
6월	20. 한국대일전선통일도맹의 주창으 로 남경에서 민족혁명당 창당을 위한 민족주의단체대표대회 개최.	
7월	5. 民族革命黨, 의열단·한국독립당· 조선혁명당·신한독립당·대한독 립당의 통합정당으로 창당.	
8월		13. 沈熏의『상록수』,『동아일보』창간 15주년기념현상소설에 당선.
9월	25. 전 한국독립당의 박창세 등, 한국 독립당 재건선언 발표.	
10월		4. 최초의 발성영화 '춘향전', 단성사 에서 개봉됨. 17. 조선일보사,『조광』창간호 발행.
11월	2. 臨政議政院, 비상회의를 항주에서 개최. 3. 임정, 제 1회 국무회의 개최.	
12월		10. 京城府民館 낙성식 거행.

식민통치	일본(昭和 10)
12. 조선선박안전령 공포. 14. 총독부 직제개혁 실시.	10. 국제연맹, 일본의 南洋위임통치계속 승인. 22. 외상 廣田弘毅, 의회에서 日華친선론발표.
15. 조선총독부, 臨時歷史敎科用圖書調査委員會規程 제정.	18. 菊池武夫, 天皇機關說 공격.
22. 조선은행법 개정(4.1. 시행).	4. 岡田수상, 귀족원에서 천황기관설반대 언명. 23. 중추원, 國體明徵결의. 28. 飯米 3개월분 차압금지령공포.
6. 총독부, 日拓務省과 80만 韓農의 만주이민 원안을 결정. 20. 朝鮮臨時利得稅令 공포 시행.	1. 청년학교령공포. 23. 재향군인회, 천황기관설패격하는 팜플렛 배포.
7. 조선총독부, 초등교육 강화 위해 初等敎育調査委員會 설치. 11. 형사소송법 개정 공포.	11. 내각심의회, 내각조사국관제명공포.
	21. 三井, 三菱, 古河 등 공동출자로 일본알루미늄㈜ 설립, 대만에 공장개설. 24. 일본노동조합총연합, 일본주의로 전향.
29. 총독부, 소작관 110명을 증원하여 각도, 군에 배치. 31. 조선토지개량주식회사 해산됨.	16. 眞崎교육총감파면, 統制·皇道양파의 대립심화.
29. 총독부, 종합대박물관 설치계획 발표. 30. 植產契令 공포(12.13. 시행).	3. 정부, 國體明徵성명.
	1. 제1회 芥川賞, 直木賞 발표.
1. 조선총독부, 朝鮮始政25周年 記念式 거행 / 국세조사 실시.	7. 廣田외상, 日中제휴3원칙을 제의.
	9. 외무성, 중국幣制개혁반대 성명. 25. 冀東防共自治委員會성립.
29. 國際放送電報規則 공포.	6. 만주국 幣制통일에 관한 만주중앙은행, 조선은행업무협정.

1936년	민족운동	사회 · 문화
1월	1. 諺文紙面 改善事項에 따라 각신문 신년호에 宇垣총독의 연두사 「新年에 際하야」및 같은 면에 題字 「進德修業 丙子元旦 一成」을 게재.	8. 연희전문 농구단, 전일본남자종합 농구선수권 겸 베를린올림픽예선 대회에서 우승.
2월		25. 李圭煥, 제 11회 베를린올림픽대회 파견 권투선발대회 라이트급에서 우승.
3월	1. 興京의 교포 80 여명, 독립단과 연락한 혐의로 日警에 검거됨 / 일본 요인 암살을 계획한 맹혈단원 한도원 · 김승은 등 상해에서 검거됨. 14. 신채호, 旅順 감옥에서 옥사. 25. 反滿抗日軍 150명, 平北 文吉駐在所를 습격, 3명 사살.	6. 조선일보사, 여성잡지월간 『女性』 창간.
4월	1. 光復團 사건의 韓國源, 禹承昌 등 각각 무기징역을 언도받음.	1. 漢城商業學校 설립. 3. 남만주이민단 700명이 송정역 · 함평역에서 출발. 7. 간도공산당사건의 宋南洙, 서울복심법원에서 사형선고받음 / 조선결핵예방협회 발족. 25. 朝鮮中央日報社, 제1회 전국도시대항축구선수권대회 개최.
5월	5. 祖國光復會, 만주에서 조직됨. 10대 강령 발표.	

식민통치	일본(昭和 11)
15. 총독부, 府民館에서 心田開發委員會 개최. 25. 총독부, 교육자들의 사상 단속을 목적으로 學務局 내에 사상계 설치.	15. 런던군축회의 탈퇴 통고 / 전일본노동 총동맹결성. 17. 노동조합법, 소작법획득전국노농대회 개최. 21. 북만철도 양도에 관한 만·소 양국의 협정 성립 / 廣田외상, 일중제휴, 만주 국승인, 공동방공을 내용으로 하는 對華三原則연설.
4. 경성부 구역을 확장. 6. 조선토지측량표령 공포. 12. 조선소작조정령 개정 공포.	20. 제19회 총선거. 26. 황도파 청년장교, 구데타. 齋藤內大臣, 高橋廣相 등 살해(2. 26사건). 27. 동경시에 계엄령시행. 29. 반란군 원대복귀 / 岡田내각총사직.
	4. 袴田里見 검거, 공산당 중앙위 괴멸. 9. 廣田弘毅내각성립. 13. 내무성, 大本教에 결사금지 명령. 24. 내무성, 메이데이 금지 통달.
	6. 古賀良彦, 뢴트겐 간접촬영법 고안.
	4. 勞農無產者協議會결성. 18. 軍部大臣現役武官制부활. 28. 미곡자치관리법, 중요산업통제법개정 공포. 29. 사상범보호관찰법 공포 / 자동차제조사업법공포.

6월		25. 안익태, 애국가를 작곡.
7월		
8월	16. 전총독모살미수사건의 조득열 등, 경성지법에서 징역 10~12년 선고 받음. 25. 『동아일보』, 손기정의 마라톤제패 사진의 일장기를 말소하여 게재(日章旗抹消事件). 27. 『동아일보』, 일장기말소사건으로 무기정간.	9. 손기정, 제 11회 베를린 세계올림픽대회 마라톤경기에서 세계신기록(2시간 29분 19초 2)으로 우승.
9월	5. 『조선중앙일보』 일장기말소사건으로 휴간(1937년 11월 5일 폐간).	
10월		23. 한강인도교 개통.
11월		
12월		26. 조선인 氏名變更令 공포.

3. 총독부 발행 조선민역에 음력을 폐지. 　　양력 '新民曆' 발행을 결정.	3. 대만척식회사㈜법 공포. 9. 정부, 전력국가관리안발표, 재계동요.
9. 서울 시장통제를 실시. 13. 총독부, 각도에 外事課 신설, 外事警察 　　制 실시를 결정(7.31. 시행).	5. 육군군법회의에서 2.26사건 군관계자 　　판결. 10. 講座派학자와 좌익문화단체관계자를 　　일제검거. 27. 南洋拓殖㈜령공포. 31. 1940년 제12회 올림픽 동경개최결정.
4. 조선불온문서임시취체령 공포. 5. 南次郎 조선총독으로 부임. 11. 神社規則(府令 제76호) 제정. 14. 국유재산법 공포.	1. 輸出入絹織物의 전면적 수출통제실시. 7. 5相회의, 「國策의 基準」결정.
8. 조선총독부에 朝鮮産業經濟調査會 설 　　치됨.	10. 陸軍工廠노동자의 조합가입, 단체활동 　　금지.
	8. 商工組合中央金庫설립. 20. 정부, 전력국가관리요강 결정.
	18. 문교성, 교학쇄신협의회 설치. 25. 日獨防共協定조인.
12. 朝鮮思想犯保護觀察令 공포.	7. 만주흥업은행㈜ 설립.

1937년	민족운동	사회 · 문화
1월	26. 平壤에서 演劇團體 藝術座 幹部 11名이 思想運動 嫌疑로 체포.	12. 外國換管理法 공포 시행. 부산 부두의 300여 노동자, 임금 인상을 요구하고 파업. 31. 大邱 飛行場 개장.
2월	19. 上帝敎 布德師 崔善基, 일본천왕을 비방하는 글을 충남지사에 보내어 검거됨.	25. 주요 산업 통제에 관한 법(1931.일법 40)을 시행케 함.
3월		1. 崔鉉培, 『우리말본』 刊行. 3. 전주 須彼亞여학교, 총독부의 미션계학교 탄압정책에 따라 휴교를 선언 9. 경성, 봉천간 직통전화 개통
4월		13. 전국 대학, 전문, 중학 스포츠 단체, 일원화된 朝鮮學生體育總聯盟을 조직. 17. 경성방송국, 출력 50KW로 방송 개국.
5월		1. 崔南善 등이 朝鮮文藝會 組織.
6월	2. 日章旗抹消事件으로 停刊된 『東亞日報』 복간. 4. 東北抗日聯軍 第1路軍 第2軍 第6師, 咸鏡南道 甲山郡 普天堡 襲擊 (普天堡戰鬪).	5. 淸津방송국 개국. 露語방송 7일부터 실시. 29. 미국 북장로교 조선미선회총회, 대구의 啓聖, 信明 두 학교의 경영 중지를 결의.

식민통치	일본(昭和 12)
12. 총독부, 만주국과의 산업, 교통, 군사상의 지위향상을 목적으로 朝・滿간 기술위원회 설치를 조인. 15. 외국인토지법 적용 지정 구역 발표(국경, 국유철도, 교량, 터널 주위 일대와 해안 도서 전부). 30. 총독부 식산국, 名古屋에서 개최되는 汎太平洋 平和博覽會에 朝鮮館 設置를 決定.	23. 군부와 정당의 충돌로 廣田내각 총사직.
	2. 林銑十郞내각 성립.
6. 朝鮮重要肥料業統制令(勅令 第1號) 공포(3. 10. 施行). 10. 총독부 강권에 의한 제 1차 간도이민 11,900명 출발. 18. 총독부, 집무중에는 일어를 사용하도록 각 관서에 지시. 30. 朝鮮事業公債法 개정.	
1. 학교신체검사규정 공포 시행.	16. 외・장・육・해 4상, 대중국실행책・북중국지도방안을 결정. 30. 제20회 총선거 반정부세력의 승리.
11. 만주국에 한인노동자 10만명을 보내기로 결정. 13. 삼남 노동자 7천명, 서북지방으로 이송 개시. 23. 京城保護觀察所 開所.	29. 육군성, 중요산업 5년계획 요강 결정.
	4. 제1차 近衛文麻呂내각 성립.

	6. 치안유지법 위반혐의로 수양동우회 회원 150여명 투옥. 13. 독립운동가 장건상, 상해에서 체포됨. 17. 血盟團員 金樂濟, 駐中日本公使 有吉 狙擊 嫌疑로 被逮되어 仁川으로 압송.	
7월	15. 임정, 鎭江에서 국무회의 개최, 군무부에 군사위원회 설치를 결정.	
8월	1. 中日戰爭을 계기로 韓國國民黨, 韓國獨立黨, 朝鮮革命黨, 韓人愛國團 및 美洲 5개 단체가 연합해 韓國光復運動團體聯合會 결성. 10. 平北 大東郡 大豊面 大平內里 安昌浩 등 148명이 修養同友會를 조직 활동한 혐의로 鐘路警察署에 피체.	20. 愛國金釵會 조직, 전쟁협력과 國防費獻納을 목적으로 한 親日團體. 22. 서울 전역에 燈火管制 실시. 23. 尹致昊. 崔麟 등 25명이 朝鮮神宮 事務所에 모여 일본군의 國威宣揚에 대한 祈禱祭 거행을 可決함. 29. 전국에 音響管制 실시. 30. 고등보통학교 학과목에서 한문을 폐지.
9월	27. 순천의 梅山學校, 梅山女學校, 담양의 廣德학교, 신사 참배 거부로 폐교됨.	1. 日帝, 高等普通學校에서의 朝鮮語 및 漢文科目을 강압적으로 폐지. 5. 京畿道, 初中等學校生 및 敎職員들로부터 獻金을 징수해 高射機關銃 1정 을 구입. 6. 總督府, 전국 학생을 總動員해 神社參拜. 國防獻金. 慰問袋 贈呈 등

11. 총독부, 극비리에 總督府 局長 緊急會議를 열어 中日戰爭에 따른 인적, 물적 자원 징발문제를 토의함. 22. 총독부, 산하에 朝鮮中央情報委員會 설치, 中日戰爭 발발과 함께 朝鮮人의 思想統制와 戰爭協力을 유도하기 위해 설치. 27. 총독부, 中日戰爭 勃發로 各道에 戰時體制令 通牒.	7. 蘆溝橋에서 中·日軍 충돌, 中日戰爭 勃發. 28. 日軍, 화북에서 총공격개시.
2. 총독부, 日本 緊急閣議 決定에 따라 朝鮮財政을 戰時體制로 急轉. 6. 총독부, 각도에 사범학교를 1교씩 두기로 결정. 7. 日帝, 後方의 安全을 위해 朝鮮에 陸軍刑法을 强壓 實施키로 함.	15. 日政府, 전면전쟁 개시. 24. 각료회의, 국민정신총동원실시요강 결정.
15. 朝鮮産金令 공포. 12. 國民精神총동원 實施要綱 발표. 17. 日本의 軍需工業動員이 朝鮮에 適用 시행(勅令 제505호)됨.	10. 임시군사비특별회계예산 공포, 전시경제체제의 편성.

		각종 기념행사를 전개하도록 함. 7. 全州 新興學校長 린튼, 紳士參拜 拒否 自進 閉校宣言. 8. 平壤에 燈火管制 실시. 23. 全鮮農産漁村振興關係機關會同, 農産漁民報國日 결정. 30. 長老敎 미션會長 魯解理(Narry A. Rhodes), 北長老敎系統의 學校經營 中斷 및 引繼 등 宣敎會 決意內容을 平南道知事에게 통고.
10월	10. 조선의용대 조직.	2. 皇國臣民의 誓詞 제정. 5. 京畿道 全域에 防空訓練 실시. 8. 皇國臣民體操 제정.
11월	3. 日本 福岡縣 居住 朝鮮人 6萬余名이 朝鮮人團體聯合時局大會 열고 소비에트의 朝鮮人 迫害에 恒儀 決議文을 선포. 23. 임정, 鎭江에서 호남성 長沙로 이전.	5. 『朝鮮中央日報』 폐간. 13. 國防婦人會 京城本部 結成式 거행. 25. 전국 1,400 시장의 장날에 양력 사용을 결정.
12월	16. 新協劇團 關係者 黃正九가 治安維持法 違反嫌疑로 送致.	1. 在滿 한국인의 치외법권 철폐됨. 6. 月刊雜誌 『湖南評論』 폐간. 23. 日皇의 사진을 各級學校에 配付 敬拜케 함.

11. 軍紀保護法 공포 시행. 17. 총독부, 大田·群山·全州府에 市街地 計劃令 적용을 결정.	
18. 防空法 朝鮮施行令 공포. 24. 총독부 설립의 在滿龍井 도립병원, 간도중학교, 치외법권 철폐로 폐지됨.	5. 트라우트만 중국주재 독일대사, 일본의 화평조건을 중국에 통고(화평공작 시작). 6. 일·독·이 3국 방공협정 조인.
10. 朝鮮臨時肥料配給統制令 공포. 18. 朝鮮思想犯保護觀察令施行規則(府令 제128호) 제정 공포. 21. 京畿道는 民間 鐵工業者를 統合 軍需工業으로 전향시키기 위해 軍需品 再請負相談會를 개최. 29. 金使用規則 제정 시행.	13. 日軍, 南京 占領(南京虐殺事件). 27. 만주중공업개발㈜ 설립.

1938년	민족운동	사회·문화
1월	12. 全新聞 사장들, 朝鮮春秋會 組織.	10. 朝鮮敎化團體聯合會, 靑年指導者 養成 目的으로 指導者講習會 개최 결의.
2월	13. 平壤神學校 敎授 朴亨龍·學生 7 명, 紳士參拜 反對嫌疑로 구속. 14. 延禧, 梨花專門學校 圖書館의 赤色 書籍 압수. 26. 東大門警察署, 普成專門學校 圖書館 搜索. 赤色書籍 압수.	
3월	3. 金海農民組合 再建運動事件 虜在甲 등 5名, 釜山地法에서 公判 開廷. 7. 咸南 定評農民組合 再建運動 關係 韓永台 등 5名, 京城 복심법원에서 言渡 公判. 10. 興業俱樂部員 총 52명, 警察에 被檢. 10. 안창호, 동우회사건으로 복역 중 병 보석으로 출감, 대학병원에서 치료 중 죽음. 16. 赤色勞動組合 全朝鮮協議會事件 李鍾國 외 5名, 公判에 回附. 31. 신사참배 반대의 이유로 평양 숭실학교, 숭의여학교, 숭실전문학교 폐교됨.	24. 경성택시조합, 심야택시 運轉休止 결의. 26. 海州 조선시멘트회사 職工 600여 명, 賃金引上 勞動時間 短縮 등 要求 총파업.
4월		21. 永登浦 警察署, 基督敎代表 召集하여 皇國臣民誓詞 朗讀 등 강요.

식민통치	일본(昭和 13)
4. 金의 使用細則 공포 시행(金製品 製造 規制). 15. 朝鮮臨時肥料配給統制令 시행(肥料의 需給,價格 등 모든 것을 통제). 19. 總督府, 非常時局을 빙자하여 言論·出版 彈壓을 강화하기 위한 各道 高等警察課長會議 개최. 22. 총독부, 각 도에 일어강습소 1천여개소를 설치, 전국민에게 일어를 강습토록 지시. 25. 인조석유제조의 장려를 위한 인조석유제조사업법 공포.	16. 정부, 이후 중국의 국민정부를 상대로 하지 않는다는 성명 발표.
9. 總督府, 時局對策準備委員會 구성. 22. 17세 以上의 청년을 강제로 끌어내기 위해 朝鮮人 陸軍特別支援兵制 공포.	
3. 조선교육령 개정 공포(제3차 교육령. 학제를 일본과 통일하여 소학교, 중학교, 고등여학교로 함. 皇民化를 심화하기 위한 措置. 朝鮮語科目 폐지). 8. 경인·수원·개성 등지에서 國民防空訓練 실시. 22. 臨時軍事費 財源補充을 위한 特別會計에 關한 法律(제23호) 제정공포.	
1. 물자조달 위해 臨時物品措置法 실시. 國內 商品의 外國輸出을 억제하며 소	1. 국가총동원법 공포.

		25. 조선일보사, 조선특산품전람회 개최.
5월	12. 東京留學生 崔錫奎, 朝鮮獨立 宣傳 內容의 傳單 30枚 謄寫 印刷해 歸國 중 發覺 麗水警察에 被檢.	8. 親日牧師, 敎徒들, 京城府民館에서 朝鮮基督敎聯合會 발족. 23. 총독부, 보물과 고적의 보호를 위해 표석을 세우기로 결정.
6월	8. 劉載奇, 平壤神學校, 崇實專門學校 生 中心으로 基督敎社會主義 實現 위한 農村硏究所 組織 등으로 義城경찰서에 被檢.	4. 鐘路基督敎靑年會, 理事會 開催하여 日本基督敎靑年聯盟 加入 결정. 22. 國民精神總動員 朝鮮聯盟 결성.
7월		4. 京城 延喜專門學校, 學校生 400여 명으로 勞動報國隊 조직. 6. 조선음악가협회 해산 결의. 7. 朝鮮 國民精神總動員運動 開始, 中日戰爭 1週年을 祈念하여 國民精神總動員 朝鮮聯盟 발족. 20. 朝鮮敎化團體硏究會, 時局對應講演會 개최(講師 尹致昊 등). 24. 時局對應全鮮思想報國聯盟 결성(左右翼 朝鮮人 轉向者들의 思想報國團體). 29. 文世榮, 『조선어사전』 간행 / 조선사편수회, 『조선사』 35권, 『조선사료총간』 20종, 『조선사료집』 3집을 간행.
8월	15. 朝鮮防共協會 결성.	12. 가솔린절약책으로 京春鐵道, 버스, 運休. 27. 朝鮮總督府 時局對策調査會, 102名의 위원으로 구성.

비를 극도로 제한. 7. 朝鮮人 思想犯을 假釋放한 후 비밀리에 감시하기 위한 假釋放審査規程 발표. 8. 陸軍特別支援兵制 실시, 공포는 同年 2月 22日.	
5. 國家總動員法 朝鮮에 適用, 이로써 人的, 物的 資源은 물론 資金, 事業, 文化의 통제가 강력히 실시됨. 10. 국가총동원법의 조선적용 공포. 31. 임시통화법 공포.	
7. 朝鮮重要鑛物增産令 공포(6.10. 시행). 13 揮發油 販賣取締令 공포. 18. 總督府學務局, 各學校에 皇國臣民誓詞 提唱 지시. 23. 物資動員計劃 발표. 26. 總督府, 各道知事에게 勤勞報國隊 組織 통첩. 29. 全國에 防空訓練 실시.	
15. 慶北 學務課, 物資節約에 呼應하여 나막신, 짚신 自給策을 각 學校에 通牒. 29. 總督府, 物價騰貴 抑制 위해 釜山, 平壤 등지에 經濟警察官 150名 배치.	9. 물품판매가격 단속규칙 공포 11. 張鼓峰에서 국경분쟁 발생(일·소 양군 충돌).
2. 總督府 農林局, 戰時食糧 도모 위해 農米改良會義 개최 결정. 22. 總督府, 經濟戰時强調週間으로 설정하여 消費節約 실천요강 발표. 31. 學校卒業者使用制限令 공포. 大學의 理	

9월		1. 전국에 일제히 가솔린을 통제. 6. 京畿道, 愛國日에 道路修繕 등에 學生總動員하도록 通牒. 8. 學校卒業者 使用制限令 施行規則 공포시행. 10. 제27회 長老會總會, 紳士參拜 결의. 22. 國民精神總動員 朝鮮聯盟, 9대 實踐綱領 결의.
10월	10. 金元鳳, 朝鮮義勇隊 成立宣言書 발표. 16. 임정, 廣東에서 廣西省 柳州로 본부를 이전.	14. 紳士參拜問題로 無期休學中이던 平壤女子神學校 개교.
11월	15. 연희전문 교수 白南雲·李順鐸·盧東奎, 京城地方法院 檢事局에 送局.	3. 修養同友會 關係 李光洙 등 28명, 會合하여 思想轉向會議 개최.
12월		

工學部, 工業專門學校, 工業學校 出身者의 雇用時 總督府의 인가를 요구함, 時急한 時局産業에 인력을 투입하기 위한 통제조치.	
	1. 동아연구소 설립.
12. 朝鮮物品販賣價格 取締規則 공포.	
4. 고무 사용제한령 공포. 9. 經濟警察制度 導入, 이 制度를 통해 警察이 勞動問題 全般에 干與하면서 治安을 確保하고 勞動行政을 管掌함. 11. 國民總動員法에 의한 國民登錄制 실시 결정.	
	16. 興亞院 설치. 22. 近衛 수상, 중·일 국교조정에 대해 3원칙 성명 발표.

1939년	민족운동	사회·문화
1월		15. 國民精神總動員 京城聯盟, 10戶 단위의 愛國班 조직. 21. 조선변호사협회 경성변호사회, 인권옹호운동 전개. 24. 총독부, 초등학교 교과서 전면개정.
2월		11. 조선일보사, 國民精神總動員 조선일보연맹 결성.
3월	10. 임정, 柳州에서 四川省 綦江으로 본부 이전.	
4월		3. 天道敎靑年黨, 제13次 전당대회 개최, 國民精神總動員聯盟 가입 결정. 5. 學校技能者養成令 제정.
5월		15. 國民精神總動員 天主敎聯盟 결성. 30. 南次郞 總督, 國民精神總動員 朝鮮聯盟 任員總會 참석, 內鮮一體論 강조.
6월		9. 學務局, 全國師範學校長會議 개최·學校敎鍊 振作 등 지시. 11. 천도교 본부, 전국 20만 신도를 동원하여 정신연맹 결성. 15. 朝鮮春秋會, 排英國民大會 개최. 22. 日軍志願兵 李仁錫, 華北地方에서 志願兵中 最初로 戰死.
7월	17. 김구계의 한국광복운동단체연합회와 김원봉계의 조선민족전선연맹, 통합하여 전국연합전선협회 창립.	14. 紳士參拜 拒否한 馬山 昌信·義信 學校 폐교. 18. 전국 1천여 郵遞局, 英字看板 철거.
8월		1. 부여박물관 개관 11. 매월 1日을 興亞奉公日(愛國日)로 제정.

식민통치	일본(昭和 14)
1. 총독부, 物資動員計劃 樹立, 廢品回收運動에서 强制動員으로 전환. 7. 國民職業能力申告令 공포. 12. 노임의 공정제 실시 발표. 14. 가사조정력 공포(7.1 시행)	5. 平沼騏一郎내각 성립. 6. 독일, 3국동맹을 정식 제안.
6. 朝鮮肥料販賣價格取締規則 공포. 15. 피혁배급통제령 발표. 31. 國境取締法 공포.	9. 병역법개정 공포. 30. 군사교련이 필수과목이 됨(대학).
10. 못·철사·납·철관의 配給統制 실시. 20. 총독부, 황국신민사상 주입을 위해 교원강습기관인 교학연구소 조직.	26. 청년학교가 의무제가 됨.
18. 평양 8개 고무공장, 原料配給 杜絶로 휴업.	12. 滿蒙국경 노몬한에서 만주·외몽고 양국군대 충돌(노몬한 사건).
1. 國民職業能力申告令 朝鮮에 공포, 國民職業能力登錄制度 실시. 12. 工業事業場技能者養成令 제정, 조선의 군수산업 확충에 따른 노동자 수요를 충족시키기 위한 조치. 28. 軍用資源保護法 공포.	
1. 朝鮮木炭協會, 需給統制 目的으로 업무 개시. 4. 京城府廳, 서울 시내 빈민지역 敦岩町의 토막집 200호를 강제철거 빈민 방황. 29. 米價對策根本方針 발표.	8. 국민징용령 공포.
1. 賃金統制令, 工業就業時間制限令 朝鮮에 실시(전시통제기 과도한 노동시간과 파행적 임금지불이 문제가 되자 이	25. 각료회의, 3국동맹교섭 중지 결정. 30. 阿部信行내각 성립.

		15. 國民精神總動員 朝鮮聯盟, 旱害對策으로 節米運動 결의.
		16. 朝鮮映畵人協會, 映畵統制를 위해 결성.
9월	6. 위로시로프스크의 朝鮮人 蘇軍 제76聯隊(步兵 3천, 騎兵 800명) 解散·將兵, 카자흐스탄으로 强制移住.	1. 私立專門學校 延專, 普專, 佛專, 世專 등에 군사교련 실시.
		4. 防空訓練法에 의해 全國的인 防空訓練 실시.
10월		29. 親日 朝鮮文人協會, 府民館에서 결성.
11월		10. 朝鮮民事令 改正, 創氏改名 誘導.
12월		2. 전남 食糧配給統制組合, 창립식 개최.
		4. 全朝鮮國民精神總動員 各道聯盟, 志願兵制度 확장을 위한 예산을 대장성에 요구.

를 억제하여 노동력을 유지, 배양하기 위한 조치). 9. 過燐酸石灰, 石灰質素, 조제가리염 등 肥料의 輸出許可規則 공포.	
18. 國家總動員法으로 價格統制令 發布(一切의 物價와 流通價格을 戰時收奪體制로 轉換).	4. 영·불, 대독 선전포고 / 정부, 유럽전쟁에 개입하지 않는다는 성명 발표. 23. 大本營, 중국파견군 총사령부 설치.
1. 國民徵用令 공포(朝鮮에서 이 法令은 公布된지 2년이 지난 1941년 軍關係 勞動力에 대해만 徵用을 실시하다가 1944년 9월에야 全般에 걸쳐 實施됨). 4. 조선백미취체규칙 공포. 16. 電力調整令 공포. 27. 賃金臨時措置令 공포.	20. 물가·임금·지대 통제령 시행.
1. 외국인의 입국체재 및 퇴거령 공포 (11.15 시행) 25. 朝鮮輸移入雜穀中央配給組合 조직.	
11. 朝鮮米穀搗精制限規則 공포. 22. 總督府에 工場事業場 技能者養成委員會 설치. 27. 朝鮮米穀配給調整令 공포.	6. 소작료통제령 공포.

1940년	민족운동	사회·문화
1월		27. 京城食糧配給組合 창립. 31. 大田 節米混食協議會 개최.
2월		11. 創氏改名 실시. 17. 國民學校敎師調査委員會, 小學校를 國民學校로 改稱함에 따르는 敎育內容 調整 결정.
3월		5. 總督 南次郎, 創氏는 强制가 아니라 內鮮一體를 實現하는 어진 政治라 발표.
4월		23. 朝鮮學生精神聯盟 延專支部 결성.
5월	9. 韓國獨立黨 창당(韓國國民黨, 朝鮮革命黨·韓國獨立黨 統合). 中央執行委員長 金九 창립선언서 발표.	1. 서울지역 쌀배급에 賣出票制 실시. 17. 貯蓄增加目標額 各道 割當 결정.
6월		7. 朝鮮語學會, 한국어 로마자표기법, 외래어표기법, 일본어표기법, 韓國語音萬國音聲記號表記法 발표. 11. 평양박물관, 강서군 고려요지·낙

식민통치	일본(昭和 15)
4. 京畿道 외의 각도에 經濟警察課 설치. 9. 朝鮮增米計劃 실시. 10. 小作料統制令施行 방침 결정. 20. 朝鮮職業紹介令 발표, 조선 내의 노동력 동원에 허가제를 실시. 31. 육군통제령 및 해군통제령 공포(2.25 시행)	16. 米內光政내각 성립. 21. 淺間丸사건 발생.
1. 알루미늄, 고무제품,木材 등, 統制價格 適用品目으로 告示. 3. 侵略戰爭 物資保障 위해 朝鮮總督府 殖産局과 各 道廳에 物價調節課 설치. 10. 價格統制令에 의해 人絹織物 등 販賣價格 指定. 11. 경성·인천간 시험등화관제 실시. 20. 總動員物資使用收用令. 27. 總督府, 防空訓練計劃 발표. 29. 석탄 등 18개 품목, 수송통제품으로 결정.	
1. 總督府, 石油製品에 대한 統制強化 위해 石油配給統制規則 공포. 22. 總督府, 生活必需品에 대한 配給制 實施 위해 全國的으로 경찰 2만명을 동원하여 物資調査 敢行, 工場 商店의 倉庫를 搜索하여 在庫量 調査. 31. 총독부, 각종 세령을 개정 공포(4.1 시행, 사변특별세령·임시증징령 폐지).	
3. 京城府, 食糧配給 購買場 制度 실시. 5. 總督 南次郎, 道知事會議에서 食糧調達 對策으로 米穀의 紫楡賣買禁止 言及. 21. 總督府, 物價統制要綱 강화 발표.	
18. 麥類配給統制要綱 발표.	29. 외상 有田,「국제정세와 제국의 입장」을 방송(대동아공영권건설을 처음으로 선언).

		랑고분 발굴 착수.
7월		1. 李光洙, 皇民化와 朝鮮文學을 每日新報에 발표 / 총독부, 학생의 만주·중국 여행을 금지. 3. 陸軍特別支援兵 訓練所規程과 採用規程을 개정, 訓練期間을 短縮하고 5倍로 인원 증가. 14. 경기도 학생근로대 조직. 15. 총독부, 전문학교 학생 100여 명을 뽑아 만주국 건설봉사 학생근로대를 파견. * 경북 안동에서 훈민정음 반포 당시의 원본 발견.
8월		10. 『東亞日報』·『朝鮮日報』 강제 폐간. 20. 國民精神總動員 京城聯盟, 新生活基準案 결정발표.
9월	17. 大韓民國臨時政府, 韓國光復軍 創設布告文 발표.	9. 學生服裝을 國防色으로 통일.
10월		16. 國民總力運動 실시, 國民精神 總動員聯盟을 國民總力聯盟으로 개편하여 皇國臣民化運動을 본격화함.
11월		12. 國民總力朝鮮聯盟, 愛國班을 總動員하여 食糧供出運動을 각 도 聯盟에 通牒.
12월		

20. 朝鮮雜穀配給統制規則 공포. 24. 戰爭資材 動員을 위해 奢侈品製造販賣 制限規則 공포.	22. 제2차 近衛내각 성립. 26. 각료회의, 기본국책요강 결정.
1. 皇國의 基本國策要綱 발표, 主要食糧의 自給을 强調하며 朝鮮에서 農産物 確保에 主力함. 12. 毛織物 配給統制를 目的으로 毛織物統制組合 창립.	
	22. 일·불령 인도차이나 군사세목협정 성립 / 일본군이 북부 불령 인도차이나 진주. 27. 일·독·이 3국동맹 성립.
1. 小麥粉配給統制要項 실시. 4. 朝鮮産金協議會, 金增産計劃 협의. 14. 1941米穀年度 食糧對策 발표.	
2. 農林局, 木炭總數量 急速增産計劃 결정. 9. 從業者移動防止令 공포.	
5. 政務摠監, 農産村生産報國指導要綱 발표·農産村生産報國運動과 部落生産擴充計劃 실시. 19. 政務摠監, 市街地計劃令 改正하여 保健防共都市 完成計劃 등 발표.	6. 내각정보국 설치. 7. 경제신체제확립요강 결정(전시경제체제로 전환).

1941년	민족운동	사회 · 문화
1월		30. 臨時農地價格統制令 공포.
2월	2. 平壤 等地의 美國, 英國 宣敎師婦人 15名, 反戰運動 計劃嫌疑로 被檢.	
3월		30. 朝鮮重要物資 現 在庫 調査 全國에 일제히 시행.
4월		1. 農業勞動者의 賃金統制 실시. 2. 農村勞動力調整要綱 발표. 24. 價格統制令에 의한 朝鮮小豆 販賣價格 指定.
5월		
6월		
7월		15. 國民總力運動指導委員會, 전시국민생활체제 강화책 결정. 17. 國民總力聯盟, 自給肥料增産運動 實施要綱 발표.
8월		5. 國民總力京城府聯盟, 愛國班員의 戰時國民生活 實踐要綱 確定發表.

식민통치	일본(昭和 16)
	8. 육군상 東條, 전군에 「戰陳訓」 시달(살아서 포로의 모욕을 받지 않는 군인정신).
10. 治安維持法 개정(豫防拘禁令 폐지), 思想犯保護矯導所 설치. 12. 朝鮮思想犯豫備拘禁令 공포. 14. 臨時農地價格統制令 공포. 20. 國民貯蓄組合法 실시결정. 24. 總督府社會科, 勞務懇談會 개최하여 能率增進對策 협의. 26. 國民總力聯盟 殖産部의 水産報國運動 指導要綱 발표.	1. 국민학교령공포.
	7. 국가보안법 공포. 10. 개정치안유지법 공포.
14. 1941年度 春季農村勞務調整方針 通牒, 農繁期에 農村勞動力을 增産에 强制動員함.	13. 일·소 중립조약 조인. 16. 미국무장관, 일·비 諒解案을 제의.미일교섭 개시. 22. 독·소전 개시.
15. 國防保安法 실시. 17. 총독부, 全國 韓人勞務者 國勢調査 實施를 결정. 28. 朝鮮勞動者技術統計調査施行規則 공포. 16. 朝鮮鑛業令 개정. 27. 石油配給統制規則 개정. 28. 麥類統制要項 발표.	
1. 農林局, 식량수급대책을 위해 도시, 농촌, 어촌, 공장지대로 구분하여 식량농산물의 소비고 조사 개시. 18. 朝鮮鑛業令施行規則과 朝鮮重要鑛物增産令施行規則 개정. 30. 農林局, 10個年事業으로 제2차 自作農 10萬戶 創設을 計劃.	2. 어전회의, 「정세의 추이에 따른 제국국책요강」 결정(대소전준비) / 관동군, 특별대연습 시작. 23. 일·불령인도차이나방위협정 성립. 25. 미국, 일본자산 동결.
15. 殖産局, 朝鮮의 被服旣成品類의 配給統制要望 確立을 各道知事에 通牒.	1. 미국, 대일석유수출 전면정지. 30. 중요산업단체령 공포.

		6. 國民總力運動指導委員會, 總督府에서 節米運動 徹底 등 4大 方案 提唱. 20. 親日團體 臨戰對策協議會, 府民館에서 개최.
9월		2. 트럭 統制에 呼應하여 朝鮮貨物自動車運送事業組合 설립. 3. 朝鮮臨戰報國團 결성.
10월	3. 임정, 중국 外交總長과 정부승인 문제에 대한 회담.	8. 朝鮮中央酒類配給統制組合 창립.
11월		4. 國民總力朝鮮聯盟, 志願兵趣旨普及座談會 개최. 13. 京城府食糧配給組合, 京城府糧穀配給組合으로 改造하여 認可됨. 15. 親日團體 言論報國會 창립(會長 崔麟).
12월	9. 大韓民國臨時政府 제20次 國務會議 개최하여 對日宣戰布告 단행을 결정하고 對日宣戰聲明書 발표.	20. 朝鮮綿布統制委員會 개최하여 면포 생산과 배급수량 결정.

11. 1942米穀年度 食糧對策 발표. 16. 총독부, 中等以上 男女學生에게 學校總力隊 結成 指示. 30. 金屬類回收令施行規則 公布(10월 1일 시행).	
4. 총독부, 京城府를 7區로 나누어 區制 實施를 내정.	2. 미국, 4원칙 확인과 불령 인도차이나 및 중국에서의 철병요구각서 일본에 전달. 18. 東條英機내각 성립.
1. 총독부, 京畿道內 男女中等學校生 軍需物資生產을 위한 强制勞動에 動員시키려는 學校總力隊 組織. 26. 總督府官房에 情報課 신설.	5. 어전회의, 대미교섭 최종안과 제국국책 수행요령 결정. 26. 헐 미국무장관, 일본의 대미교섭안 거부, 강경안 제의.
1. 國民勞動報國協力令 公布, 14-40세미만의 남자, 14-25세 미만의 여자를 근로보국대에 편입 각종 공사장에 강제 동원. 3. 陸軍統制令施行規則 개정(12.5. 시행). 5. 物資統制令 公布. 17. 防共法 朝鮮施行令과 防共法施行規則 改正 公布(12월 20일 실시). 22. 鐵製品製造制限規則 公布(12월 25일 시행).	1. 어전회의에서 대영·미·네덜란드 개전 결정. 2. 日本厚生省, 勞務動員實施計劃에 의한 朝鮮勞務者 內地移入에 關한 件 發表. 8. 하와이 진주만 기습공격 개시 / 미·영에 선전포고, 태평양전쟁 시작. 10. 괌 점령 / 필리핀 북부 상륙. 11. 물자통제령 공포. 25. 홍콩 점령. 27. 농업생산통제령 공포.

1942년	민족운동	사회 · 문화
1월		9. 總督府 警務局, 決戰時局下 國民娛樂의 適切指導方針 10個項 發表.
2월		6. 食糧掠奪 목적으로 朝鮮興農會 제1차 增米競進會 표창식을 개최.
3월		1. 各 家庭의 金屬類 强制供出 開始 5. 100개 靑年訓鍊所에 傳任敎員 및 職員을 配置해 軍事訓鍊 强化. 14. 日本 愛國婦人會 朝鮮本部 結成式 開催.
4월		1. 이날 現在 國民總力聯盟 愛國班 戶代表 班員數가 4,478,949名.
5월	15. 임정, 김원봉의 조선의용대를 광복군 제1지대로 편입. * 광복군 제1·2·5지대를 제2지대로 개편(대장 이범석). 제3지대장에 김학규 임명.	2. 御用出版機關인 朝鮮新聞會 組織.

식민통치	일본(昭和 17)
10. 勞務調整令 發表(계속되는 노동력의 이탈을 방지하고 군수산업에 노동력을 집중적으로 배치함). 14. 朝鮮軍事令 公布. 16. 總督府, 侵略戰爭 所要財政을 調達하기 위해 鐵道運賃 30% 引上을 公布(2.1. 실시). 19. 總督府, 侵略戰爭에 必要한 資金調達 위해 通行稅 引上 決定 發表(2. 1. 施行).	2. 마닐라 점령. 17. 미얀마 진격 개시. 21. 東條수상이 의회에서 대동아공영권건설의 지도방침을 표명(대동아선언). 27. 일본무역회설립.
1. 總督府, 朝鮮神宮에서 新敎, 佛敎, 基督敎 團體 연합대회 열고 전쟁에 종교인의 적극 이용을 획책함. 10. 總督府 計劃局長 야마나, 京城放送局을 통해 놋쇠. 알루미늄 등 金屬類 回收를 强要. 11. 戰爭物資 調達 위해 企業整備令 公布	1. 大日本婦人會 결성. 6. 영화배급사 설립. 15. 싱가포르 점령, 싱가포르의 영국군 항복. 21. 식량관리법 공포. 24. 일본은행법, 戰時 민사특별법 공포.
19. 軍需産業用 鐵鋼材 保障을 위해 鐵鋼統制會 朝鮮支部 組織. 23. 朝鮮少年令 공포(3.25. 시행).	
7. 육군특별지원병 검사 실시. 8. 林業産品取締規則 公布. 조선인징병제 실시 각의 결정. 18. 侵略戰爭에 必要한 資金調達 目的으로 貯蓄目標를 9億圓으로 결정. 21. 勞務動員實施計劃에 의한 朝鮮人勞務者 移入에 關한 件 공포. 23. 侵略戰爭의 財政 마련 目的으로 大東亞國債 200萬圓을 발행.	1. 타이완육군지원병제실시. 18. 미군기 동경 등 일본을 처음으로 공습. 30. 제21회 총선거.
5. 總督府, 特殊鑛物增産會 組織. 6. 總督府, 總力聯盟指導委員會 열고 日本語 普及運動 强要를 결정. 16. 金融事業調整令 공포. 21. 소금 專賣令 공포.	8. 朝鮮徵兵制, 日本 閣議 通過. 26. 일본문학보국회결성.

6월		
7월	10. 金枓奉・崔昌益 등, 延安에서 朝鮮獨立同盟을 결성.	15. 朝鮮工業統制會, 日本工業統制會 가입.
8월		* 간장과 된장 配給制 실시.
9월		
10월	22. 李仁・李殷相・尹炳浩・安在鴻 등 29名이 朝鮮語學會事件으로 被檢됨.	1. 朝鮮語學會事件, 朝鮮의 말과 글을 탄압하기 위해 日帝가 朝鮮語學會 會員을 投獄한 事件.
11월	19. 國內 및 滿洲에서 大倧敎 主要幹部 21名이 日警에 被逮됨.	
12월		

29. 신임총독 小磯國昭 부임.	
1. 金融統制團體令施行規則 공포 시행. 18. 朝鮮木材統制令 공포.	5. 미드웨이해전에서 일본해군 참패.
1. 京城府, 米穀配給通帳制度 시행. 28. 海軍特別支援兵令 공포(8월 1일 시행).	11. 남태평양진공작전중지를 결정. 25. 독일의 대소련 참전 요청에 대해 불참 가 결정.
1. 堆肥生產倍加運動 실시. 5. 軍需用 水產物 加工品 調達을 위해 통 조림 輸出組合을 組織. * 조선 薪炭배급통제규칙 공포.	21. 中學,高專,大學校의 학년단축결정.
1. 工業用 製革品 配給統制 實施. 8. 金屬類特別回收 强制讓渡命令 發動. 15. 朝鮮化學工業統制會 組織.	
1. 朝鮮靑年特別鍊成令 결정. 19. 1943米穀年度 食糧對策要綱 및 糧穀의 手荷, 配給에 관한 具體的 方法 發表. 26. 朝鮮靑年特別鍊成令 施行規則 公布.	
3. 朝鮮靑年特別鍊成令 發表. 30. 朝鮮靑年特別鍊成 및 同施行規則 施行.	1. 대동아성설치, 대동아성관제 공포. 5. 산업에서 생산집중, 鐵生產戰前 최고.
1. 무선통신에 관한 전시특별규정 제정. 5. 일본각의, 조선에서 1946년도부터 의무 교육실시를 결정. 8. 조선농지개발영단령 공포. 24. 戰時下 農村再編成計劃 推進.	23. 대일본언론보국회 결성.

1943년	민족운동	사회·문화
1월		
2월	22. 朝鮮民族革命黨, 重慶에서 제7차 代表大會 開催. 宣言文 發表.	2. 京城府, 徵兵制 運營에 對比 戶籍 整備動員令 發布. 24. 軍事訓鍊 强化 目的으로 每週 月曜日을 鍊成日로 制定.
3월		
4월		17. 親日團體 朝鮮文人報國會가 府民館에서 結成.
5월		
6월		

식민통치	일본(昭和 18)
6. 總督府, 農産物 收奪과 農村青年의 强制徵用 目的으로 農業計劃委員會(委員長: 政務摠監) 組織 및 規程 公布. 26. 農地開發委員會 組織(委員長: 政務摠監).	9. 汪兆銘정권이 전쟁협력의 공동선언, 租界還付, 치외법권철폐협정조인. 汪政권, 美英에 선전포고. 21. 중등 학교령 개정, 수업연한 1년 단축, 교과서를 國定化.
17. 敎育令 改正(大學, 中學, 實業學校의 受業年限을 1년씩 단축.	1. 과달카날 철수 개시. 18. 출판사업령 공포.
1. 朝鮮青年의 徵用 위해 戶籍調査 整備. 22. 全鮮一齊必行事項. 學徒戰時食糧增産出動要綱 공포. 30. 조선전력관리령 공포.	18. 전쟁행정특례법, 내각 고문 임시설치제, 行政査察규정공포.
1. 朝鮮馬籍令 實施. 20. 식량공출 사전할당제 발표. 23. 조선석유전매령 공포(7.1 시행). 26. 總督府, 戰時學徒體育訓鍊實施要綱 示達.	16. 긴급물가대책요강 결정. 21. 여자근로동원촉진을 각의 결정.
5. 農林局長 通牒, 農民道場 擴充에 關한 計劃 發表, 農民에게 報國精神을 注入하여 勞動强度를 높이려 함. 20. 勤勞管理 懇談會 열고 産業軍團 組織運營을 具體化. 22. 勤勞報國隊 整備要綱 發表. 27. 大日本 海洋少年團 朝鮮本部 組織.	31. 어전회의, 대동아정략지도대강 확정.
10. 重要工場鑛山勞務者 充足方法에 關한 件 발표. 16. 工業就業時間制限令 廢止, 이로써 勞動時間의 無制限 延長을 法的으로 뒷받침함. 17. 政務摠監 通牒, 農業增産實踐員을 全國에 設置할 것을 下達.	1. 전력증강 기업정비요강 결정. 4. 식량 증산 응급대책 요강결정. 11. 공장취업시간제한령폐지. 15. 제82회 임시 의회소집. 25. 각의, 학도전시동원 체제 확립요강 결정.

7월		7. 詩人 尹東柱, 日本 京都에서 思想犯으로 체포됨.
8월		
9월		27. 總督府 寶物古蹟名勝天然記念物保存會, 戰爭用 시멘트 生産을 위해 高句麗 山城인 黃海道 봉산군 휴류산성의 石灰石 採掘을 決定.
10월		1. 軍需輸送을 위해 一部 旅客列車를 廢止. 5. 朝鮮食糧營團 設立..
11월	27. 朝鮮獨立을 保障하는 카이로선언 발표.	
12월	19. 韓中文化協會, 朝鮮 獨立을 主題로 한 講演會 開催.	

18. 釜山府, 食料品配給統制 實施. 29. 朝鮮石炭配給統制令 公布.	
1. 술 專賣令 實施. 5. 總督府, 工場就業時間 制限令 廢止에 대한 法令을 朝鮮에 適用. 22. 學徒戰時動員體制確立要綱 施行令 發表.	1. 東京都制시행 / 전국 9개 지방에 지방 행정협의회설치. 일본증권거래소 발족 21. 국민징용령개정 공포. 30. 여자학도 동원결정.
1. 勞務調整令, 賃金統制令 改正. 조선에 징병령 시행. 9. 朝鮮食糧管理令 公布.	1. 일본, 조선, 대만에 해군지원병제 실시.
13. 朝鮮石炭配給統制規則 公布. 30. 朝鮮靑果物配給統制規則 發表.	23. 17개 직종에 남자 취업 금지. 25세미만 의 미혼여자를 근로정신대에 동원. 대 만에 징병제실시각의결정. 30. 어전회의, 금후의 전쟁지도대강 결정 (절대방위선을 후퇴시킴).
13. 교육에 관한 戰時非常措置令 公布 15. 國家總動員法에 의한 統制會社令 公布. 20. 陸軍省, 朝鮮人 學生의 徵兵猶豫를 廢止.	2. 재학징집연기 임시특별법 공포. 12. 교육에 관한 전시 비상조치 방책 결정. 14. 필리핀동맹조약조인(필리핀 독립). 20. 여자근로정신대 결성. 31. 군수회사법 공포(민간군수공업의 직접 관리) / 각의, 전력 증원 긴급조치 요강 결정.
	1. 군수, 운수통신, 농상소를 설치. 5. 대동아회의 개최. 6. 공동선언발표. 28. 테헤란회담.
1. 朝鮮總督府 內 鑛工局 신설, 重要物資 증산을 뒷받침하고자 人的·物的 資源 動員體制를 개편함. 11. 조선금융통제회, 각 은행의 당좌예금 이자 폐지를 결정(1944.4.1 시행). 21. 도시소개실시요강 발표.	1. 제1회 학도병 입영. 24. 징병연령 1년 인하 / 제 84회 의회소집

1944년	민족운동	사회·문화
1월		25. 國民總力朝鮮聯盟, 34개 단체가 참가해 弘報挺身隊를 조직.
2월		
3월		
4월	22. 임정 의정원, 임시회의 소집, 제 5차 개헌안을 통과.	
5월	9. 한용운 사망	5. 교육에 관한 戰時非常措置方策 指導要綱 실시.
6월		

식민통치	일본(昭和 19)
10. 京畿道民의 圓滑한 食糧配給 目的으로 警察應急米制度 實施. 12. 京畿中學校 出身 特別志願兵志願者壯行會 擧行. 15. 金屬類回收令에 의해 朝鮮重要物資營團 指定. 20. 韓人學兵 入營 開始.	8. 閣議, 학도근로동원방책요강 결정. 18. 각의, 긴급국민근로동원 방책 요강 결정(여자정신대의 동원 강화). 29. 『중앙공론』·『개조』등의 편집자 검거 (橫濱사건).
1. 총독부 防衛總本部規程 공포. 2. 食糧加功 工業을 독점하기 위해 정미공장을 食糧營團으로 강제이관. 6. 農業生產責任制 실시요강 발표. 8. 鑛山 軍需工場에 대한 現員徵用 斷行. 16. 총독부, 朝鮮物品稅令, 朝鮮遊興飮食稅令, 朝鮮入場稅令, 朝鮮特別行爲稅令 공포. 18. 國民職業能力申告令 개정.	1. 미군, 마샬군도 상륙. 4. 군사교육전면적 강화 발표. 9. 중학교 교육의 전시조치를 결정.
11. 鑛工業生產責任制 강제 실시. 19. 學徒勤勞動員 실시요강 마련(4.1. 실시). 24. 臨時農地等 管理令 중 개정건 공포(4.20 시행).	6. 신문, 석간 폐지. 30. 일소 北樺太利權返還협정 조인.
1. 鑛夫雇用, 勞務規程 權限을 道知事에게 위임하는 件 발표 / 징병실시. 10. 京畿道, 總力運動 강화 위해 國民總力蹶起運動推進大本部 설치. 28. 學徒動員本部規程 발표, 각 도에 학도동원본부를 신설하고 학교별 학생동원 기준을 정함.	1. 6개 대도시에서 국민학교에 급실 결정. 17. 중국에서 大陸打通 작전개시.
5. 1944年産 麥類의 供出確保에 關한 件 發表. 10. 海軍特別支援兵令에 根據해 朝鮮總督府 海軍支援者 訓鍊所 設置.	1. 일본만주 양국 관세 면세 실시. 16. 문부성, 학교공장화실시요강 발표.
	6. 총동원심의회, 여자정신대 강제촉진결정. 19. 마리아나해전 일본해군 패배.

7월		
8월	10. 呂運亨·趙東祜 등이 建國同盟 組織.	
9월	30. 조선어학회사건의 최현배 등 12명, 예심종결.	
10월		
11월		
12월		

18. 京城府, 戰力倍加貯蓄運動 開始. 20. 國民徵用令 개정 실시, 朝鮮人 靑長年 남성을 일반 징용함. 21. 阿部信行이 제9대 조선총독에 임명됨 29. 조선에서 양곡의 증산 및 공출에 관한 特別措置要綱 발표.	7. 사이판도 수비대 전멸. 18. 일본, 東條英機내각 총사직. 22. 小磯國昭내각 성립.
5. 農業增産實踐員 特別指導要綱 決定, 農産物의 增産과 供出을 督勵함. 23. 女子挺身隊勤務令 공포, 만 12세에서 40세까지 배우자 없는 여성을 해외로 징용.	4. 각료회의, 국민총무장 결정 5. 大本營·정부, 연락회의 폐지, 최고전쟁지도회의로 개칭 23. 일본, 학도근로령을 공포
1. 정무총감 통첩, 「農業要員 設置要綱」 발표, 전국 순수농가 남성의 68%가 農業要員으로 지정됨. 5. 勤勞援護實施規程 발표.	1. 대만에서 징병제 실시. 13. 일본은행, 중국연합준비은행에 2억엔 공여.
5. 총독부, 勤勞動員本部規程을 制定 各道에 勤勞動員本部 設置. 15. 총독부, 근로동원본부 설치. 27. 군수회사법을 조선에 도입.	10. 미군, 오키나와, 미야코, 아쯔미오시마 공격. 18. 大本營, 捷1호작전발동 명령(필리핀 방면에 주력을 결집하여 결전을 수행한다는 작전). 24. 레이테 해전.
	1. 마리아나 기지에 B29, 東京을 처음으로 정찰. 7. 스탈린, 일본을 침략국이라고 발언.
1. 遞信局, 地下防空通信司令局 設置. 27. 軍需會社徵用規則 公布 施行.	1. 각의, 중등학교 졸업예정자의 근로 동원 계속 결정.

1945년	민족운동	사회·문화
1월		
2월	9. 임정, 독일·日本에 선전포고.	11. 尹致昊, 秦學文 등이 內鮮一體를 목적한 大和同盟 結成. 23. 戰鬪建設團 設置.
3월		
4월		3. 朴重陽·韓相龍·尹致昊·朴相駿·金明濬·李鍾憲·李琦鎔 등이 일본의 칙임 귀족원의원이 됨. 16. 朝鮮自給自戰態勢强化委員會 創立 總會 開催.
5월	28. 임정, 韓國光復軍 訓練班 설치에 대한 中國政府의 협조를 요청하는 공문을 장개석에게 보냄.	11. 학생으로 구성된 工作隊에 의해 京城府 建物疎開 開始.
6월		8. 親日團體 朝鮮言論報國會 結成. 24. 朴春琴 등, 親日團體 大義黨 創黨.
7월	20. 趙文紀·柳萬秀·康潤國·禹東學·權俊 등이 秘密結社 大韓愛國靑年團을 조직, 亞世亞民族憤激大會場에서 日帝要人 암살 기도.	4. 朝鮮言論報國會, 德壽宮에서 本土決戰府民大會 開催.
8월	8. 蘇軍, 慶興 일대로 진격. 11. 蘇聯 軍艦 2隻이 雄基港에 입항함 12. 華北朝鮮獨立同盟, 일본군내 조선인 병사 투항, 義勇軍 加入을 촉구하는 호소문 배포. 13. 蘇軍, 淸津 상륙.	1. 長老會 總會, 日本基督敎 朝鮮敎團으로 改稱(日本敎團에 完全倂合). 2. 『滿洲新聞』, 日本 無條件 항복설 보도로 발매금지. 7. 義親王子 李堈, 日本 廣島에서 原爆에 의해 사망(34세).

식민통치	일본(昭和 20)
26. 군수회사법에 의한 軍需充足會社令 공포 시행.	25. 최고전쟁지도회의, 결전 비상 조치요강을 결정.
10. 船員動員令施行規則 공포.	4. . 얄타협정 조인.
6. 輕金屬使用販賣制限規則 공포. 14. 決戰敎育措置要綱 발표(초등에서 대학까지 학생동원). 24. 조선체력령 공포 31. 國民勤勞動員令施行規則 공포	6. 국민 근로 동원령 공포. 9~10. B29. 야간에 동경 대공격, 이후 대도시에 공격.
15. 총독부 交通局, 戰時重要物資 輸送을 위해 全鐵道의 旅客輸送을 제한. 28. 朝鮮總督府學徒勤勞規程과 朝鮮體力令施行規則 公布.	1. 미군 오키나와 본도에 상륙. 5. 소련외상 몰로토프, 소련주재 일본대사에게 일·소중립조약의 불연장을 통고. 7. 鈴木貫太郎내각 성립.
15. 京城府, 綜合配給制 實施. 19. 朝鮮水産物配給統制規則 施行.	7. 독일, 연합군에 무조건 항복. 9. 정부, 독일항복 후에도 전쟁 계속이라고 성명.
16. 土木建築事業의 통제운영을 위한 朝鮮戰時建設團令 및 시행규칙 공포. 25. 國民義勇兵役法을 공포.	8. 천황이 참석한 최고전쟁지도회의, 본토결전방침 채택. 22. 천황, 최고전쟁지도회의구성원에게 종전의지를 표명.
2. 軍需充足會社令施行規則 공포.	26. 포츠담선언 발표(일본의 무조건 항복을 요구). 28. 수상, 포츠담선언 묵살, 전쟁매진의 담화.
	6. 廣島에 원폭 투하. 8. 소련, 대일 선전포고. 9. 長崎에 원폭 투하. 포츠담선언 수락. 10. 중립국을 통해 미·영·중·소에 포츠담선언 수락을 알림. 14. 천황 재결로 포츠담선언 무조건 수락하기로 결정.

1945 ~ 1965

해방 후
한일관계 연표

1945년	대한민국	조선민주주의인민공화국
8월	15. 광복. 조선건국준비위원회 발족. 17. 日軍, 서울 요지에 바리케이트 구축. 20. 조선공산당 재건위원회 결성(재건파) / 日軍·日警, 각지에서 朝鮮人 示威隊에 發砲. 30. 국군준비대 결성.	16. 평남건국준비위원회 결성. 17. 조선공산당 평남지구위원회 결성. 18. 일본인 소유의 각 기관 접수 개시. 26. 소련군 선발대 평양에 입성. 27. 평안남도 정치인민위원회 결성.
9월	1. 조선학병동맹 결성. 2. 日人 지폐남발, 15일간에 71억 4000만원 / 맥아더 북위 38선을 경계로 미소양군의 한반도 분할점령 발표. 6. 建準, 전국인민대표자대회 개최하고 조선인민공화국 수립선언 / 미군, 인천 상륙. 남한에 미군정 실시 포고, 주한미군사령관에 하지 중장 임명. 7. 중경 임시정부 지지하는 국민대회 준비위원회 발족(송진우·김성수). 8. 桂洞에서 在京 공산주의 열성자회의 개최, 박헌영을 임시지도자로 선출. 9. 한국민주당 결성, 강령과 정책 결정. 11. 군정장관에 아놀드 소장 취임. 하지 중장, 미군정 시정방침 발표. 12. 서울시인민위원회 결성. 13. 각지의 건준 지부가 인민위원회로 개조되기 시작함. 15. 조선공산당, 再建을 선언하고 투쟁목표발표. 19. 조선공산당 기관지 『해방일보』 발행.	15. 조선공산당 평남지구 확대위원회 개최, 「정치노선에 관하여」 채택. 19. 金日成, 원산항을 통해 입국.

한일관계	일본(昭和 20)
	15. 일본, 무조건 항복, 포츠담 선언수락을 발표(제2차세계대전 종결).
	17. 東久邇宮稔彦 내각 성립.
	18. 在日朝鮮人對策委員會 성립, 大阪·京都·神戶 등 日本 각지에 韓國人團體 속출.
	28. 연합군 총사령부를 橫濱에 설치, 미군 선견대 일본 厚木 비행장에 도착.
9. 在朝鮮 日本軍 및 總督의 降伏文書 調印式.	2. 미주리호 선상에서 항복문서 조인, 연합군 최고사령관 맥아더 일본항복 조인받고 연합군 최고사령부를 동경에 설치.
12. 미국 대통령 트루먼, 朝鮮內 日本人의 시급한 送還을 언명.	11. 東條英機등 39명 전쟁범죄인 체포 명령.
19. 朝鮮總督 阿部信行 日本 歸國.	
25. 美軍政法令 第2號 '적산에 관한 건' 발표, 日本政府 및 日本人 財産을 동결.	
28. 美軍政法令 第4號 日本陸海軍財産에 관한 건 公布, 일본 육해군의 재산을 미국 소유로 귀속.	

10월	2. 濟州道 駐屯 日本軍, 美軍에 投降. 5. 梁槿煥의 주재로 각 정당 수뇌간 좌담회. 8. 美軍先遣隊 목포 진주, 日軍 武裝解除. 논산읍민 궐기로 일본인 무장해제. 25. 조선독립촉성중앙협의회 발족.	8. 북조선 5도인민위원회연합회의 개최. 10. 평양에서 조선공산당 서북 5도당원 및 열성자 연합대회 14. 평양시 군중대회 개최, 이 대회에서 김일성 연설. 16. 북조선 주둔 소련군 제 25군 사령관의 성명서 발포. 평안남도인민위원회 「시정대강」 발포(19개조). 20. 조선공산당 북조선분국 결성. 21. 소작료 3·7제에 관한 규정총칙 발표.
11월	11. 조선인민당 결성. 20. 전국인민위원회대표자대회 개최. 23. 김구 김규식 등 대한민국임시정부 요원 1진 귀국. 30. 美軍政法令 第33號 「조선 내에 있는 일본인 재산 취득에 관한 건」 발표.	3. 조선민주당 결당 대회, 당수 曺晩植. 18. 5도행정국 조직. 27. 민주청년동맹대회 개최. 30. 조선노동조합전국평의회 북부조선분국 결성대회.
12월	8. 전국농민조합총연맹 결성대회. 22. 聯合軍司令部, 日本人의 朝鮮 入國 禁止시킴. 28. 모스크바삼상회의, 통일임시정부 수립과 신탁통치 등 조선에 관한 결정 채택.	1. 북한 각지 인민재판소 개정. 9. 북한 각도 보안부장회의 개최. 13. 조선독립동맹 金枓奉 이하 일부 입국. 17. 조선공산당 북조선분국 제3차 확대집행위원회 개최. 18. 평안남도인민위원회, 「접수일본인 토지관리규칙」 발표. 19. 소련 제25군 치스챠코프 사령관, 공업 기업들에게 개업 명령. 22. 평안남도인민위원회, 부재지주의 토지 매매 금지 발표. 24. 연극동맹 조직.

3. 맥아더, 日本의 南朝鮮行政權 행사에 警告. 10. 일본 민간인 본국 송환 시작(3000명 경성 출발). 11. 미군정, 재산양도절차를 발표하여 일본인 재산 처분 허가.	4. 연합국 총사령부, 정치·신교 및 민권의 자유에 대한 제한의 철폐 각서를 정부에 교부하여 정치범·사상범 2500여 명 석방됨. 9. 幣原喜重郎 내각 성립. 11. 맥아더, 부인해방, 노동자단결권 등 5대 개혁 지령. 15. 치안유지법 사상범보호관찰법 등 폐지의 건 공포, 在日朝鮮人聯盟 결성(東京 日比谷公會堂), 全國代表者 약 4,000. 20. 일본공산당 기관지 『赤旗』 재간.
13. 재일교포 46만 6825명 귀국. 18. 폴리 사절단, 재한 일본재산 처리문제를 미군정과 협의.	2. 일본사회당 결성. 6. 연합국 총사령부, 일본 경제의 비군사화와 민주화를 위해 재벌 해체를 권고. 7. 폴리(E.E. Pauley) 배상문제 담당대사, 도쿄 도착. 9. 일본자유당 결성. 16. 일본진보당 결성.
6. 미군정법령 제33호, 한국내 일본인 재산 매매 조치를 백지화. 8. 폴리 대사, 미군정하 일본인 재산의 장래에 대해 기자회견. 18. 폴리 대사, 트루먼 대통령에게 보내는 중간보고서에서 한국의 대일 배상 가능성 제시.	1. 일본공산당 제4회 대회. 6. 在日朝鮮人 選擧權 停止. 9. 연합군총사령부, 농지개혁령 지령. 15. 연합군총사령부, 국가와 神道의 분리를 지시. 17. 중의원 의원 선거법이 개정 공포되어 부인참정권이 실현됨. 18. 일본협동당 결성. 20. 국가총동원법 폐지. 22. 노동조합법 공포됨.

1946년	대한민국	조선민주주의인민공화국
1월	2. 조선공산당, 모스크바삼상회의 결정 지지 선언.	2. 조선공산당 북조선분국 등 5개 정당 사회단체, 모스크바삼상회의 결정 지지 선언. 15. 북조선중앙은행 창립.
2월	1. 임정 중심의 비상국민회의 결성. 8. 대한독립촉성국민회 결성. 14. 남조선국민대표민주의원 발족. 15. 민주주의민족전선 결성.	8. 북조선임시인민위원회 결성. 16. 조선독립동맹, 조선신민당으로 개칭.
3월	20. 제1차 미소공동위원회 개최.	5. 토지개혁 법령 공포.
4월		
5월	7. 제1차 미소공동위원회 결렬.	
6월	3. 李承晩, 남한단독정부 수립 계획 발표. 14. 좌우합작회담 시작.	8. 북조선임시인민위, 일제하의 일체 법령을 폐지. 24. 노동법령 공포.
7월	25. 좌우합작위원회 정식회담 개시.	22. 북조선민주주의민족전선 결성. 30. 남녀평등에 관한 법령 공포.
8월		10. 중요산업 국유화에 관한 법령 공포. 28. 북조선노동당 창립대회.
9월	7. 박헌영 이강국에 체포령.	1. 『노동신문』 창간. 15. 김일성대학 개교.
10월	3. '10월 인민항쟁' 사건. 7. 좌우합작위원회, 합작 7원칙 발표.	
11월	23. 남조선노동당 결성.	3. 도, 시, 군 인민위원회 위원 선거.
12월	2. 남조선과도입법의원 개원.	6. 건국사상총동원운동 전개.

한일관계	일본(昭和 21)
	1. 天皇, 신격화부정의 조서. 4. 연합국총사령부, 군국주의자 공직 추방 및 초국가주의자 단체의 해체를 지령함.
	3. 맥아더, 일본헌법초안 작성을 지시. 8. 헌법개정요강(松本 試案)을 GHQ에 정식 제출. 13. GHQ 松本試案 거부, 맥아더초안 교부. 17. 금융긴급조치령 공포.
16. GHQ, 在日朝鮮人 귀국자의 재입국 금지를 발표.	
	10. 총선거.
	3. 극동국제군사재판소 개정. 22. 제1차 吉田茂내각 성립.
15. 일본에 보관중이던 舊韓國 國璽 返還.	1. 일본노동조합총동맹 결성대회. 19. 전일본산업별 노동조합회의 결성대회.
	27. 노동관계 조정법 공포.
3. 동경에서 在日本朝鮮人居留民團 결성.	21. 농지조정법 개정, 자작농창설특별조치법 공포.
16. 남조선국민대표민주의원, 대일배상문제에 관한 성명서 발표.	3. 일본국헌법 공포.

1947년	대한민국	조선민주주의인민공화국
1월	5. 미군정, 민정장관에 안재홍 임명.	
2월		19. 북조선인민위원회 창설. 21. 제 1차 북조선인민회의 개최. 25. 북조선 각리(동) 인민위원회 선거.
3월		5. 면인민위원회 선거 실시.
4월	19. 서윤복, 보스턴 마라톤에서 우승.	4. 천도교청우당, 제 1차 전당대회. 5. 북조선주둔 소련사령관 치스챠코프 대장 사임, 코로트코프 중장 신임사령관으로 부임.
5월	21. 제2차 미소공동위원회 개막.	
6월	3. 군정청 산하기구를 남조선과도정부로 개칭. 5. 근로인민당 결성.	
7월	10. 미·소 2차공위 사실상 결렬. 19. 여운형 피살.	1. 미소공위, 북한측 청원 단체 대표와 평양에서 합동 회의.
8월		1. 革命者遺家族學院 개교. 29. 북조선 애국가 제정. 30. 귀환 재일동포 118명 흥남 상륙.
9월	19. 일본군이 제작 보관 중이던 조선지형도 원판 환수.	1. 학생절. 8. 소련측, 조선문제에 관한 4개국 회의 개최안 거부.
10월	30. 미군정장관에 딘 소장 임명.	21. 미소공위 소련 대표 평양 철수.
11월	14. UN총회, 한국총선안, UN한국임시위원단 설치안 등 가결.	1. 직맹, 각급 단체 선거 실시. 12. 각도 행정 구역 변경. 18. 조선임시헌법제정위원회 조직.
12월	20. 민족자주연맹 결성.	1. 신구화폐 교환 발표 22. 「지하자원, 삼림자원 및 水域국유화법령」 공포.

한일관계	일본(昭和 22)
	18. 전관공서노조공투위원회, 2·1총파업 선언.
	1. 맥아더 연합군 사령관, 공산당계의 산별회의와 사회당계의 총동맹이 계획한 2월 1일의 총파업에 중지 명령을 내림. 24. 참의원 의원선거법 공포.
	31. 교육기본법·학교교육령이 공포되어 소학교 6년, 중학교 3년의 의무 교육 제도가 시작됨.
	7. 노동기준법 공포. 14. 사적 독점의 금지 및 공정 거래 확보에 대한 법률 공포. 17. 지방자치법 공포. 20. 제1회 참의원의원 선거 실시. 25. 제23회 총선거 실시.
2. 일본, 外國人登錄令公布. 조선인은 외국인으로 간주하여 등록의무화.	3. 일본국 헌법 시행.
	1. 片山哲연립내각 성립.
28. 입법의원, 미·영·중·소 4개국에 한국의 대일 강화회의 참가 요청 결의안 제출.	
	17. 경찰법 공포. 18. 과도 경제력 집중 배제법 공포. 22. 개정민법 공포.

1948년	대한민국	조선민주주의인민공화국
1월	7. 의무교육제도 실시 / UN한국임시위원단 입국. 16. 장덕수암살사건 배후로 한독당 김석황 체포(미군정, 김구를 배후로 지목하여 재판정에 세움). 27. 김구, UN한국임시위원단에서 남북주둔 외국군 철수 후 자유선거 실시 주장.	23. 소련측, UN 한국위원회의 북한 입경 거부 통고.
2월	6. 김구·김규식, UN한위에서 남북협상방안 제시. 7. 남로당, 남한단독선거반대 총파업 시위를 일으킴('2·7구국투쟁'). 10. 김구, 남한단독정부 수립 반대 성명. 16. 김구·김규식, 김일성·김두봉에게 남북정치지도자간의 정치협상을 제의하는 서한을 보냄. 26. 유엔 소총회, 남한 지역에서만 선거 결의.	4. 민족보위국 설치 결정. 8. 인민군 창군. 10. 조선임시헌법 초안을 발표.
3월	8. 김구, 남북협상 제의. 22. 미군정, 동양척식주식회사를 해체하고 토지행정처 설치.	18. 북조선·중국 비밀군사협정 체결. 27. 북로당 제2차 전당대회(30일에 북조선노동당규약 채택).
4월	3. 제주 4·3사건.	18. 남북 제정당·사회단체 대표자 연석회의.
5월	10. 제헌국회의원 선거. 31. 제헌국회 개원.	

한일관계	일본(昭和 23)
24. 日本 文部省學校教育局長, 朝鮮人學校 設立 不承認. 在日朝鮮人의 日本人小學校 就學을 義務化, 朝鮮語教育을 正科에서 제외할 것 등을 通達.	7. 재벌동족 지배력 배재법 공포.
10. 미국의 스트라이크(C.S. Strike) 보고서, 대일배상정책 수정하여 생산설비를 배상 대상에서 제외.	10. 芦田均 내각 성립. 15. 民主自由黨 결성. 24. 日本 文部省, 1月 24日付의 통달에 복종하지 않는 학교는 폐쇄한다고 통고.
10. 岡山・兵庫・大阪・東京 各 知事, 조선인학교에 폐쇄 명령. 20. GHQ, 東京의 조선인학교 폐쇄를 명령. 23. 東京美軍政廳 교육담당관, 재일조선인은 일본의 법률에 복종하라고 성명. 26. 조선인 약 2만명, 학교폐쇄에 항의하여 大阪府廳에서 시위.	24. 阪神教育事件 발생, 미군은 新戶지구에 비상사태 선언.
10. 미국의 존스톤(P.H. Johnston) 보고서, 한국의 대일 배상 가능성 백지화.	3. 朝鮮人教育對策委員會 崔溶根 代表와 日本 森戶辰男 文部大臣, 私立學校의 自主性이 認定되는 범위 내에서 朝鮮人의 獨自的인 教育을 認定한다는 覺書 交換(5. 5. 調印).

월		
6월	8. 미군기 독도부근 폭격으로 어선 23척 침몰, 16명 사망. 10. 국회법 국회 통과(10.2 공포)	
7월	17. 헌법 공포, 정부조직법 공포. 20. 국회, 대통령에 이승만, 부통령에 이시영 선출. 24. 이승만 대통령 취임.	24. 김두봉, 「신국기 제정과 태극기 폐지에 관하여」 발표.
8월	1. 초대 국무총리에 이범석 임명. 4. 국회의장 신익희, 부의장 김약수 선출. 7. 정부기구를 11부 4처 66국으로 결정. 15. 大韓民國 정부 수립 선포.	24. 남조선인민대표자대회 개막. 25. 조선최고인민회의 대의원 선거.
9월	7. 국회, 반민족행위자처벌법 통과. 11. 한미간 '재정 및 재산에 관한 최초 협정' 체결.	2. 조선최고인민회의 제1차회의(~10일). 9. 조선민주주의인민공화국 정부 수립 선포.
10월	20. 여수·순천 군반란사건.	
11월	20. 국가보안법 통과. 25. 반민족특별조사기관법 국회 통과 (12.7 공포)	
12월	12. UN총회, 한국 정부 승인.	25. 북한 주둔 소련군 철거 완료.

	28. 福井지방 대지진.
	20. 정부, 경제안정 10원칙 발표. 31. 정령 201호 공포(맥아더 서한으로 공무원의 단체교섭권·파업권 부인).
30. 이승만 대통령, 시정연설에서 일본의 제국주의 침략 포기와 민주주의 재건을 엄중 감시하고 한국이 대일 강화회의에 참가할 것을 연합국에 요청.	
12. 國會, 在日同胞財産搬入緊急措置에 관한 建議案 채택. 19. 이승만 대통령, 맥아더의 초청으로 일본 방문. 20. 이승만 대통령, 한일 양국 무역재개를 공식 발표.	
	12. 극동국제군사재판 판결. 23. 東條英機 등 7명 교수형 집행.
	18. 미국 정부, 연합국총사령부를 통해 일본 정부에 경제안정 9원칙을 제시함. 24. 岸信介 등 A급 전범용의자 19명 석방.

1949년	대한민국	조선민주주의인민공화국
1월	1. 미국, 한국 정부를 정식 승인. 8. 반민특위 발족.	6. 2차대전시 일제에 의해 강제 徵募되었던 한국인 출신 포로병 3,182명, 소련으로부터 귀환.
2월	10. 한국민주당, 민주국민당으로 개편. 21. 반민특위, 본격 활동 개시.	
3월	29. 초대 주한미대사 무초 취임.	4. 방소 대표단 모스크바 도착. 17. 조선과 소련 사이의 경제적 및 문화적 협조에 관한 협정 조인. 30. 북한 지역 도·시·군·구역 인민위원회 대의원 선거 실시.
4월	27. 적십자조직법 국회 통과.	20. 황해도 안악군에서 고구려 벽화고분 발견.
5월	1. 제1회 총인구조사 실시, 남한 인구 2016만 6758명. 3. 『서울신문』 정간 / 전국애국단체연합회 제2차 회의, 태평양동맹 촉진 국민대회 개최하기로 결정. 4. 개성 송악산에 북한군 내습하여 국군과 전투. 5. 해군사관학교령 및 해병대령 공포. 17. '국기는 우상이 아니다'로 기독교 각파 의견 일치. 20. 국회프락치사건.	25. 조국통일민주주의전선 준비위원회 제1차 회합.
6월	3. 국회, 모든 국무위원 인책사임안 가결(6.18 재결의).	25. 조국통일민주주의전선 결성대회 개최.

한일관계	일본(昭和 24)
4. 한국, 東京에 駐日代表部 설치(首席 鄭翰景大使 任命). 6. 對日本 賠償要求 宣言. 26. 日本 法務省, 在日 韓國人의 國籍은 平和條約까지 日本國에 있다는 見解 표명.	23. 제24회 총선거, 민자당의 절대다수 획득. 26. 호류사 금당에서 화재가 발생하여 벽화 12면이 소실됨.
22. 對日賠償調查審議會 設置.	16. 제3차 吉田내각 성립.
10. 東京에서 韓日通商豫備會談(제1차 한일통상협상)을 개시. 22. 韓日通商暫定協定案 타결.	7. 미국 닷지 공사, 일본경제안정을 위한 9원칙을 공표.
1. 韓日通商暫定協定(한일교역조정서) 발효. 7. 한국정부,『대일배상요구 조서』를 연합군최고사령부에 제출. 23. 韓日通商暫定協定 정식 조인. 28. 日本 最高裁事務總長, 戰前부터 日本에 거주하는 朝鮮人은 講和條約 締結까지 日本國籍을 가진다고 표명.	23. 연합군사령부, 일본 화폐 엔에 대한 공식 환율설정 각서를 교부하여 1달러 360엔의 단일 환율 실시.
20. 이승만 대통령, 對日賠償要求 貫徹을 主張.	25. 通商産業省 설립.
9. 이승만 대통령, 일본의 어구확대에 반대 성명.	18. 독점금지법 개정 공포.

	7. 제주 4·3사건 소탕전 종식(사령 관 이덕구 사살). 21. 농지개혁법 공포. 24. 제1회 전국체조대회를 서울에서 개최. 26. 김구 피살.	30. 조선노동당 발족.
7월		
8월	6. 장개석 총통 내한, 이승만과 진해 회담 개최. 병역법 공포. 12. 김호경 총경 피살. 안두희 특사운 동 시작.	
9월	6. 한미석유협정 조인. 26. 법원조직법 공포. 27. 金台俊 등 9명의 남로당원에게 사 형이 선고.	
10월	4. 반민특위를 해체하고 특별재판부 업무를 대법원으로 이관. 12. 공군 창설(초대 참모총장 김정열). 19. 남로당 기타 前 民戰 산하 133개 정당·사회단체 등록취소 처분.	1. 외무상 朴憲永, 유엔 아시아 및 극 동 경제위원회에 북한 가입 요청. 6. 중화인민공화국 정부와 국교관계 수립.
11월	1. 서울~부산간 민간항공취항. 16. 外資購買廳 신설.	7. 독일민주주의공화국 정부와 국교 관계 수립.
12월	17. 만국우편조약 가입. 19. 귀속재산법 국회통과.	25. 소련과 영사 협정 체결. 25. 중화인민공화국과 통상우호협정 체결.

22. 외무부, 100여 점의 國寶 返還을 日本에 要求.	5. 下山사건(국철총재 피살된 채 발견, 이후 여러 사건이 속발하여 노동운동 및 좌익에 불리한 여론 조성).
	26. 샤우프 사절단, 세제개혁권고안 발표.
8. 日本, 在日朝鮮人聯盟 및 在日朝鮮人民主靑年同盟 외 2個 團體에 해산 명령. 17. 鄭恒範 주일 특사, 對日講和會議에 韓國代表 參加 意思 表明.	
5. 韓日通商 中間會談(제2차 한일통상협상), 서울에서 개막(~14). 7. 駐日代表部 鄭恒範 大使, 在日 韓國人을 聯合國人으로 대우하라고 맥아더 司令部에 요청. 20. 日本政府, 在日僑胞學校 閉鎖令 發表. 26. 國務會議, 對日賠償要求條項 決定.	29. 로간, 동경상공회의소에서 대외무역에 관한 의견 발표.
23. 미국무성, 무초(J.J. Muchio) 주한대사에게 대일 강화조약 참가문제에 대한 의견 요청. 28. 在日同胞人權擁護共同鬪爭委員會 결성(가맹단체 24개).	3. 湯川秀樹 노벨물리학상 수여 발표.
3. 무초 주한대사, 미국무성에 한국의 대일 강화조약 참가 필요성을 밝힌 보고서 제출. 17. 韓日通商協定 批准. 21. 發效.	4. 사회당중앙집행위원회, 평화 3원칙 결정.

1950년	대한민국	조선민주주의인민공화국
1월	1. 제1회 건국국채 발행. 10. 애치슨 미국무장관, 한국은 미국의 태평양방위선 밖이라고 언명. 24. 이승만, 내각책임제 개헌안에 반대의사 표명. 26. 한미상호방위원조협정 체결.	21. 중화인민공화국과 우편물 교환 및 전신 전화 연락 협정 체결. 31. 베트남 사회주의공화국 정부와 국교관계 수립.
2월	6. 내각책임제개헌안 공고. 17. 이중과세 폐지 조치.	1. 정치·경제학아카데미 개원식.
3월	13. 국회 내각책임제 개헌안 부결. 27. 남로당총책 金三龍·李舟河 체포.	
4월	3. 농지개혁 착수, 이범석 국무총리 사임. 21. 국무총리 서리에 申性模임명. 22. 대한정치공작대 사건.	
5월	25. UNESCO, 대한민국 가입 가결. 30. 제2대 민의원총선.	15. 내각, 「인민경제발전채권 발행에 관한 결정 제109호」 채택.
6월	12. 한국은행 발족. 17. 미국무장관 덜레스 내한, 38선 시찰. 19. 제2대 국회 개원. 25. 6·25전쟁 발발. 유엔 안보리, 침략으로 규정, 철퇴를 요구. 27. 미군 참전. 정부 대전으로 이전. 28. 서울 함락.	5. 조국통일민주주의전선 중앙위원회, 평화통일 기본방침 채택. 17. 남북총선거 제의. 26. 군사위원회 조직(위원장 金日成).
7월	1. 연합군 지상부대, 부산상륙 / CRIK 원조 도입 시작. 4. 구국총연맹결성. 6. 부산에 한미연합 해군방위사령부 설치안 가결(총사령관 맥아더). 7. 한국군, UN군에 편입. 12. 한국군 통수권의 미군이양에 관한 한미대전협정 체결.	1. 외무성, 미군의 한국 참전 결정 비난 성명 / 최고인민회의 상임위, 전시 총동원령 선포. 4. 김일성 수상을 인민군최고사령관으로 임명. 7. 林彪 휘하 중국인민군 내 조선인부대 약 10만명 북한으로 이동 개시.

한일관계	일본(昭和 25)
7. 日政府, 降服調印式前 在日同胞 62만명에게 强制登錄 실시. 16. 駐日大使, 日本의 在日同胞 强制登錄에 抗議. 27. 이승만, 日本漁船 拿捕는 맥아더선을 지키기 위한 것이라고 기자회견.	1. 맥아더, 일본의 자위권을 부정하지 않는다고 성명. 6. 코민포름 기관지, 일본공산당 지도자 野坂參三의 평화혁명론을 비판함. 19. 사회당 제5회 대회에서 좌우 양파로 분열.
2. 林炳稷 外務部長官, 日本政府의 對韓賠償要求에 대하여 强硬 聲明. 10. 韓日 국제전화 개통. 23. 駐日韓國代表部, 日本政府의 '한국' 명칭 수용 환영 성명.	1. 소련, 천황과 4人을 세균전 책임자로서 전범재판 요구. 6. 野坂參三, 코민포름비판에 관해 자기비판.
27. 韓日通商協商(제3차) 개최.	1. 민자당과 민주당 연립파 합동 자유당 결성.
	15. 공직선거법 공포.
	5. 원폭금지 스톡홀름 어필 서명운동. 30. 문화재보호법 공포 / 인민광장사건.
8. 大韓民國과 占領下 日本間의 貿易協定 調印(1950.4.1. 遡及 發效).	4. 제2회 참의원 의원선거. 6. 맥아더, 공산당 중앙위 전원 24인의 공직추방을 지시.
	2. 金閣寺, 방화로 전소. 4. 각료회의, 한국에서 미국의 군사행동에 대해 행정조치의 범위내에서 협력한다는 방침 결정. 8. 맥아더, 일본정부에 경찰 예비대 창설과 해양보안대의 증원을 지령. 24. 연합국총사령부, 신문협회 대표에게 공산당원과 동조자의 추방을 권고함. 적

19. 대전 함락, 딘 소장 실종. 27. 채병덕 소장 전사 / 국회, 부산극장에서 개회. 28. 비상향토방위령 실시.	25. 남한 '해방지구'에서 군·면·리 인민위원회 선거 실시.
8월 3. 낙동강 철교 폭파. UN군 워커라인 구축. 22. 국민병 소집. 29. 피난민구호중앙위원회 구성, 假수용소 설치.	18. 내각, 「공화국 남반부 지역에 농업 현물세제 실시에 관한 결정」 발표. 31. 인민군, 낙동강선까지 진출.
9월 15. UN군 인천상륙, 조선은행권의 유통금지. 16. 낙동강 전선에서 UN군 총반격 개시. 28. 서울 수복. 이승만, 38선 이북 진격명령. 30. 원주·주문진 탈환(38선에서 대기). 워커 사령관 38선 돌파명령.	3. 내각, 남한지역에서 토지개혁을 위해 18,000개의 농촌위원회가 조직되었다고 발표. 15. 인민군 후퇴, 일부 군부대는 남한 지역에서 유격전. 28. 인민군, 서울 지역에서 후퇴. 30. 내각, 「남한에서의 토지개혁 실시 총괄에 관한 보도」 발표.
10월 1. 맥아더, 김일성에게 항복 요구. 7. UN총회 북진안 가결, 신 UN한위 구성. 19. 국군 평양탈환. 26. 국군, 압록강변에 도달. 27. 정부, 서울로 환도. 29. 경원선 시운전. 31. 서울 부역자 1만 1592명 적발.	17. 인민군 및 정권 각 기관 平壤에서 철수. 19. 북한 정부, 신의주로 이동. 25. 중국인민지원군, 6·25전쟁 참가. 인민군 재반격, 연합군·국군은 청천강 이남으로 후퇴.
11월 10. 한미환율 2500대 1로 인상. 11. 경의선 개통. 23. 국무총리에 장면 임명.	20. 김일성 수상, 인민군연합부대장 및 정치부장회의(禿魯江軍政幹部會議)에서 반격 작전 지시.
12월 4. UN군, 평양철수. 13. UN政委서 한국정전 13개국안 가결. 19. 10억 원대의 위폐단 검거. 21. 국민방위군 설치령 공포. 23. 워커 사령관, 차량사고로 사망, 후임에 리지웨이 중장 취임. 24. 서울시민에 피난령, 흥남 철수.	6. 인민군, 平壤 회복. 10. 金奎植, 평북 滿浦에서 신병치료중 사망. 21. 노동당 중앙위 제3차 전원회의 개최(~23일), 金日成 수상, 「현정세와 당면 과업에 대하여」 보고.

	색분자 추방이 시작됨.
	10. 경찰예비대령 공포 / 미정부, 일본의 공산권 전략물자 수출 금지조치를 실시한다고 발표. 30. 맥아더 연합국 최고사령관, 全勞聯의 해산을 지령.
4. 한일잠정해운협정 발효.	17. 문부성, 국기 게양과 기미가요 제창을 통달. 31. 점령목적저해행위처벌령 공포.
	10. 정부, 舊 군인 3250명의 추방을 해제 발표.
	3. 芦田均, 반공·자위대 증강·안전보장에 관한 의견서를 연합군최고사령부에 제출. 13. 지방공무원법 공포(지방공무원·공립학교교원의 정치활동, 쟁의 금지). 28. 大村不法入國者收容所 開設.

1951년	대한민국	조선민주주의인민공화국
1월	1. 중국군 6개군단, 38선 넘어 남진. 4. 정부, 부산으로 이전(1·4후퇴). 5. 서재필 사망.	4. 인민군, 다시 서울 점령.
2월	1. 국민병 점호 실시. 4. 반민법 폐지안 국회통과(폐기 3.3). 11. 거창양민학살사건 발생. 18. 전시연합대학 개강(부산).	2. 군사위원회, 國家 非常防疫委員會 조직 발표.
3월	5. 전국 피난민 총수 581만 7012명, 수용소 939개소. 7. 국회, 교육법개정안 국회 통과(6·3·3·4제) 19. 20만 국민방위군 해산. 24. 맥아더, 38선 이북 진격명령. 25. 38선 돌파. 29. 국회, 국민방위군의혹사건 폭로.	22. 내각 결정 223호, 「전시하 인민생활 안정을 위한 생활 필수품 증산과 상품 유통 강화에 관하여」 발표.
4월	3. 경부선 완전복구. 30. 국민방위군 향토방위대 해체안 국회통과(5. 12. 공포).	22. 중국군, 춘계 제1차공세 개시.
5월	4. 대학교육 전시특별조치령 공포. 8. 국회 정·부의장 개선. 9. 부통령 이시영, 이승만 성토하고 사표제출. 15. 제2대 부통령 김성수 선출. 21. 『시사통신』 창간.	
6월	11. '철의 삼각지' 탈환. 23. 소련 UN대표 말리크, 38선 정전회담 제의. 27. 참전 16개국, 말리크 제의를 공동수락. 29. 미대통령 트루먼, 리지웨이에게 한국 정전교섭 지시.	11. 인민군, 38선 일대에서 진지방어전에 들어감.

한일관계	일본(昭和 26)
4. 장면 주미대사, 미국무성에 한국의 대일 강화교섭 참가를 요청. 26. 덜레스 미국무장관 고문, 장면 주미대사에게 미국은 한국의 대일강화교섭 참여를 지지한다고 언명.	19. 제7회 당대회를 개최하여 평화 3원칙·재군비 반대를 결의함.
	2. 덜레스 특사, 대일강화와 관련하여 미군주둔·집단안전보장방침 표명. 10. 사회민주당 결성.
21. 영국 외무차관 스코트(R.H. Scott), 한국의 대일 강화교섭 참여에 반대. 22. 한일통상협상(제4차) 개막(~31일).	10. 미 국가안전보장회의, 일본에서 군수품 제조를 결정.
8. 맥라인撤廢反對國民大會(침범일본어선 20일간에 33척 나포). 23. 요시다 수상, 덜레스 미국 대사와 회담에서 한국의 대일 강화교섭 참가 반대.	11. 트루먼 미국 대통령, 맥아더 연합국 총사령관을 해임.
	5. 아동헌장 제정.
	21. 일본, ILO 복귀, 유네스코 가입.

7월	1. 서울시 행정기관 복귀, 시민 入京은 불허. 8. 개성에서 휴전예비회담 개최. 19. 미국무부, 평화 수립될 때까지 미군 계속 주둔을 발표. 23. 남자17~27세 장정 소집 공고.	27. 산업성을 3개성으로 개편(중공업성, 화학·건재공업성, 경공업성).
8월	3. 한·필리핀 상호안전방위조약 체결, 전국에서 정전반대국민대회. 24. 귀속재산처리법 공포.	
9월	6. 여군 창설. 10. UN군 추계공세. 이승만, 휴전수락 4대 원칙 제시.	
10월	17. 국무회의, 대통령직선 양원제 개헌안 의결. 25. 판문점에서 정전회담 재개.	
11월	5. 국회, 李淳鎔내무장관 불신임 결의. 6. 국무총리서리에 許政임명. 22. 미부통령 버클레이 부처 내한.	1. 노동당 중앙위 제4차 전원회의 개최(~4일). 2. 허가이, 부수상에 임명.
12월	1. 부산·대구를 제외한 각 지역에 비상계엄령 선포. 15. 조선방직노조, 신임사장 강일매 반대 삐라 시내 각처에 뿌림, 거창양민학살사건 선고공판. 18. 판문점 휴전회담에서 포로명단 교환. 23. 자유당, 院內자유당과 院外자유당으로 분리발족.	13. 사법상에 李承燁 해임하고 李鏞 임명. 도시경영성을 도시건설성으로 개칭하고 도시건설상에 金承化 임명. 경공업성을 신설하고 경공업상에 李鍾玉 임명.

27. 對日講和草案反對國民大會. 28. 對日講和條約 準備 代表 兪鎭午, 林松本 日本 訪問.	31. 전후 최초의 국내 민간 항공 회사인 일본항공주식회사가 설립되어 도쿄~후쿠오카 간의 운행을 개시.
	25. 라디오 민간방송 개시.
4. 샌프란시스코 강화회의 개최, 한국은 참석하지 못함.	8. 샌프란시스코강화조약, 미일안전보장조약 조인.
1. 卞榮泰 外務部長官, 대일정책 발표. 8. 국무회의, 재일교포 법적 옹호 결정. 12. 民團, 재일동포의 법적 지위·대우문제 등에 대해서 성명. 20. 제1차 한일회담 예비회의를 東京에서 개최, 기본국교, 교포의 법적지위, 어업문제 등 논의 / 民團, 在日同胞 기득권 확보 민중대회 개최.	16. 공산당, 제5차 전국협의회에서 신강령 채택(무장투쟁방침 구체화). 24. 사회당 임시대회에서 강화조약과 안보문제를 둘러싸고 좌파와 우파로 분열함.
19. 韓日예비회담 國籍分委서 在日同胞의 기득권 영주권 재산반출권을 원칙적으로 인정하기로 합의.	21. 사회운동가 大山郁夫, 스탈린평화상 수상.

1952년	대한민국	조선민주주의인민공화국
1월	6. 광주육군종합학교기지를 '상무대'로 명명. 10. 전국에 방공비상사태 선포. 16. 국회, 포로석방건의안 가결. 18. 제2차 개헌안 부결. 20. 4년제 육군사관학교 개교. 21. 조선방직 여공 1000여 명, 국회의 사당앞에서 시위.	
2월	1. 재향군인회 발족. 7. 조선방직 노조위원장 박정태, 부위원장 이상옥 등 7명 구속. 18. 反民慮국회의원 소환요구 관제데모(부산) / 거제도 포로수용소에서 폭동, 69명 사살, 미군 1명 사망.	20. 군사위원회, 「적의 세균무기대책에 관한 결정 제65호」 채택. 22. 朴憲永 외무상, 미군이 세균전을 감행했다고 성명.
3월	12. 조선방직 노동자 파업단행, 출근거부. 13. 대한노총위원장 전진한, 파업철회와 직장복귀, 당국에 무조건 굴복을 발표. 15. 전국피난민 일제 등록, 1046만 4491명. 19. 광무신문지법 폐기. 20. 원외자유당 전당대회(총재 이승만).	
4월	17. 국회의원 123명, 내각책임제 제3차 개헌안 제출. 20. 국무총리 장면 퇴임, 장택상을 총리 지명. 25. 지방 시읍면의원 선거. 28. UN군사령관 리지웨이 사임, 후임에 클라크 미육군대장.	27. 전국과학자대회 개최(~30일).
5월	1. 경부선 복선 운행. 2. 휴전회담에서 포로교환 제외한 의제 대체로 합의. 7. 거제도에서 공산포로 폭동.	

한일관계	일본(昭和 27)
18. 李承晚 大統領, 「인접해양에 대한 주권선언」 발표, 平和線 선포. 24. 日本政府, 隣接海洋에 對한 主權宣言에 反對聲明. '獨島'가 日本領土임을 主張.	
8. 이승만 대통령, 평화선 설치에 대한 성명. 12. 駐日代表部, 獨島 領有權에 관한 日本政府의 주장에 항의. 15. 제1차 한일회담 본회의를 東京에서 개최(~4.25).	28. 미·일 행정협정 조인.
13. 日本에서 船舶 55척 歸還.	6. 吉田수상, 자위를 위한 무력은 위헌이 아니라고 발언. 8. GHQ, 병기제조허가를 정부에 지령.
25. 제1차 한일회담 결렬. 28. 샌프란시스코 평화조약의 발효로 재일한국인 일본 국적 상실. 29. "日本의 對韓財産請求는 無效"라고 美國務省에서 覺書 發表.	28. 대일평화·안보조약 발효. 對日理事會·GHQ 등 폐지. 중국 국민정부와 평화조약 조인.
2. 卞榮泰 外務部長官, 日本政府에 맥아더선의 遵守 要求. 13. 韓國政府, 不法日本入國者 送還 引受 拒否.	1. 二重橋 메이데이사건, 시위대 6천명이 궁성앞 광장에서 경관 5천명과 충돌. 8. 미국무부, 일본에 對韓재산권 청구 무효각서 전달.

	10. 제1회 전국도의원 선거 실시. 14. 정부, 제4차 개헌안 제출, 동일 공포. 25. 부산을 중심으로 경남·전남북에 계엄령. 26. 대통령직선제 강행으로 정계 격동. 임시 중앙청 정문에서 국회통근버스 헌병대에 연행, 국회의원 10명 체포. 29. 김성수 부통령, 이승만 대통령 탄핵하고 사표 제출.	
6월	8. 휴전회담 가조인. 12. 관제 반민족국회해산 국민총궐기대회. 18. 국회, 임시의장에 신익희, 부의장에 조봉암·김동성 선출. 20. 부산국제구락부에서 야당인사들 반독재호헌구국선언, 회의장에 괴한 난입(국제 구락부사건). 25. 6·25 2주년 기념식장에서 이승만 저격 사건 발생. 30. 이승만이 조종하는 민중자결단 청년들, 국회의사당 포위 / 제12회 정기국회 개회, 이대통령 국회폐회연설에서 발췌개헌안 불채택시는 국회해산할 용의있다고 표명.	2. 폴란드와 무역협정. 22. 미군, 수풍발전소 폭격(24일 재폭격). 24. 미제반대투쟁의 날 平壤시 보고대회. 25. 독일민주주의공화국과 차관협정.
7월	3. 헌법 심의위해 구속의원 전원석방, 등원거부 의원 경찰이 강제호송. 4. 경찰 포위 속에서 제3차·제4차 개헌안 발췌통과. 10. 국회 정부의장 선거, 의장 신익희, 부의장 조봉암·윤치영. 18. 重石弗사건 국회비화, 조사위원회 구성. 19. 자유당 전당대회, 대통령 후보에 이승만, 부통령 후보에 이범석 지명 / 한강철교 복구 개통.	

	1. 중·일 민간무역협정 조인.
	1. 주민등록 실시. 21. 파괴 활동 방지법 공포됨.

8월	2. 제2대 대통령선거(직선제) 투표결과 대통령에 이승만(자유당), 부통령에 咸台永당선. 13. 근로기준법 국회통과.	
9월	17. 전국에 수해. 30. 장택상 총리 인책 사임.	
10월	1. 제주도 포로수용소 폭동, 45명 사망, 120명 부상. 6. 마산수용소 민간인억류자 1만 명 석방시작. 18. 국회, 이윤영 총리 인준 부결.	
11월	9. 대한노총전국대의원대회 개최. 10. 이승만의 지시로 대한노총 위원장 전진한 제거되고 최고위원 3명 선출.	
12월	2. 미대통령당선자 아이젠하워 내한. 14. 한미경제협정 체결. 15. 蜂岩島포로수용소에서 폭동, 82명 피살, 120명 부상. 31. 인구조사 실시, 연말 피난민집계 261만 7625명.	1. 과학원 개원. 15. 노동당 중앙위 제5차 전원회의. 22. 최고인민회의 상임위원회, 面 폐지 결정.

	1. 보안청 신설. 大村收容所 설치. 13. 일본, 국제통화기금 가맹.
16. 한국정부, 일본 어선의 領海侵犯에 항의. 20. 클라크(M.W. Clark) 유엔군 사령관, 클라크 라인(한국방위수역)을 공포. 27. 일본어선 海洋侵犯糾彈國民大會. 30. 일본인 古市進 입국 문제화.	
4. 한국정부, 평화선 침범 어민의 형사처벌을 규정한 포획 심판령 공포.	1. 제25회 총선거 실시. 10. 일본, 경찰예비대를 보안대로 개편. 30. 제4차 吉田내각 성립.
	21. 각료회의, 독립회복 후의 신정책 발표.

1953년	대한민국	조선민주주의인민공화국
1월	30. 부산국제시장에 화재.	1. 전반적 무료치료제 실시. 26. 평화옹호전국민족대회 소집.
2월	15. 제1차 통화개혁.	4. 중국 주은래, 한국 즉시휴전 용의 표명. 6. 미군, 평양시와 상원 일대 폭격.
3월	11. UN총회, 한국 경제원조 결의. 15. 각 시군에 징병서 설치, 만19-32세 장정 일체 신검. 22. 헌병총사령부 설치. 23. 노동조합법 통과. 30. 노동쟁의조정법 통과.	30. 주은래, 送還不願포로 중립국 이송 제안. 31. 김일성 수상, 周恩來의「송환 불원 포로 중립국 이송 제안」지지 성명.
4월	2. 휴전반대 시민궐기대회. 11. 상이군포로교환 협정 조인. 20. 상이군포로 판문점에서 교환시작. 22. 전국에서 '통일없는 휴전반대' 국민대회 개최. 24. 국회, 국무총리에 백두진 인준. 29. 휴전회담 재개.	1. 김일성 수상과 彭德懷, 클라크에게「상병 포로 교환문제와 정전회담 재개 문제에 관하여」서한 전달. 26. 북한측, UN측의 상병 포로 전부 인도.
5월	8. 이승만, 미정부에 휴전 불수락 통보.	15. 교육성, 교원 심사 등록사업 개시.
6월	8. 포로교환협정 조인. 11. 북진통일궐기대회. 18. 정부, 반공포로 2만 7312명 석방.	19. 김일성 수상과 彭德懷, UN측 포로 석방과 관련 클라크에게 서한.
7월	3. 간통쌍벌죄안 국회 통과. 20. 민병대(향토방위)령 공포. 27. 휴전협정 조인. 아이젠하워 미대통령, 대한원조 2억 달러를 의회에 요청.	13. 朴義琓을 내각 부수상에 임명. 28. 최고인민회의 상임위원회, 金日成과 彭德懷에게 공화국 영웅칭호를 수여하고 大赦를 실시함에 관한 정령 채택.

한일관계	일본(昭和 28)
5. 이승만 대통령 訪日. 22. 이승만 대통령, 일본의 在韓 재산권 주장에 대해 경고.	10. 베트남·라오스·캄보디아, 대일국교 회복을 통고.
4. 한국경비대, 평화선을 침범한 일본 어선 제1大邦丸 나포. 16. 한일협상준비회의. 27. 한국정부, 독도영유권의 재확인 발표.	1. NHK방송 개시. 23. 일본정부, 이승만라인(평화선) 부인성명.
5. 日 外相, 獨島의 日本 領有權을 주장. 10. 海洋主權線守護 총궐기대회.	14. 일본국회, 야당3파가 제출한 吉田 총리 불신임안을 가결, 중의원 해산. 18. 분열파 자유당 결성. 19. 중의원선거. 21. 일본, 제5차 吉田내각 성립.
15. 제2차 한일회담 東京에서 개최.	2. 미·일 우호통상항해조약 조인. 9. 제26회 총선거 실시. 24. 제3회 참의원 선거.
26. 일본인, 독도에 불법 상륙.	26. 상호 방위원조에 대한 미일 교환문서를 발표.
8. 국회, 독도침해사건에 관한 건의안 채택. 12. 독도에 침입한 일본 보안청 선박에 발포. 23. 제2차 한일회담 무기휴회(청구권 어업문제로 대립). 30. 일본정부, 평화선 철폐를 연합군총사령부에 요청.	

8월	1. FOA 원조도입 시작, 도입실적 2억 6000만 달러. 2. 미군사령부, 서울대 건물 반환하고 용산으로 이전. 3. 중립국감시위원회 군사정전위본부 판문점에 설치. 5. 포로교환 시작. 8. 한미상호방위조약, 서울에서 가조인. 15. 정부, 서울환도.	3. 외무상에 南日 임명. 5. 노동당 중앙위 제6차 전원회의 개최, 金日成 수상, 「모든 것을 전후 인민경제 복구 발전을 위하여」 보고. 6. 李承燁 일파 사형 언도. 21. 전국교육자대회 개막. 25. 南日 외무상, 남북한간 정치회담 문제에 관하여 성명.
9월	1. 송환불원 포로 관리위해 인도국 내한 / 전국 호구조사 실시. 12. 이승만, 族靑系 제거 성명. 18. 신형법 공포. 21. 북한공군대위 노금석, 소련제 미그기 몰고 귀국.	1. 김일성 수상, 정부대표단 인솔 소련 방문 17. 전국과학자대회 개최. 19. 동독과 경제 및 기술 협력 협정 및 상호 신용 협정 체결. 20. 소련과 부흥원조협정 성립. 26. 전국작가예술가대회 개막. 28. 문예총을 해소하고 작가동맹 조직 (위원장 千世鳳).
10월	1. 한미상호방위조약 조인. 26. 휴전협정에 의한 한국문제 정치회담 예비회담 판문점에서 개최.	1. 미술가동맹 창립.
11월	12. 닉슨 미부통령 내한. 30. 참의원 선거법 국회통과, 자유당 최고위원에 이기붕.	23. '조선과 중국 간 경제 및 문화합작에 관한 협정' 체결.
12월	1. 삼남지방에 비상계엄령. 14. 한미합동경제위원회 협정조인. 31. 국제마약협정 가입.	

4. 주일대표부, 독도 침범사건에 항의. 28. 金溶植 駐日公使, 해양주권선언의 정당성 천명.	7. 쟁의규제법 공포.
7. 한국해군, 평화선 침입금지를 일본어선에 통고(3척 나포). 10. 재일거류민단, 해양주권선언과 독도문제에 대하여 재일동포의 단결을 요청.	
6. 제3차 한일회담 개최(~10.21). 12. 平和線守備海岸警備隊 創設. 15. 한일회담에서 久保田 日本代表 발언으로 파문(샌프란시스코 강화조약 체결 전의 한국독립은 국제법 위반, 일본지배는 한국에 유익, 미군정의 재한일인 재산 처분은 불법 등). 23. 일본정부, 한국 내에 일본대부부를 설치하겠다고 요청.	2. 池田·로버트슨 회담 개시, 일본방위력의 점증에 의견 일치.
24. 한국 국회, 일본정부의 '久保田 발언' 지지성명을 취소할 것을 요구하는 긴급 건의안 채택.	
1. 卞榮泰 外務部長官, 在日同胞에 대한 일본 정부의 학대를 비난.	24. 奄盆美群島 반환 미·일협정 조인(25일 발효).

1954년	대한민국	조선민주주의인민공화국
1월	9. 국방대학 창설. 중국외무장관 주은래, 한국정치예비회의 재개를 제의. 18. 휴전 협정에 따른 정치회담 예비회담 결렬. 21. 인도군으로부터 반공포로 21,500명 인수. 25. 실향민 월북희망자 등록 시작.	15. 내각, 「영세농민들의 생활 개선, 융자적 방조에 관한 내각 결정 제3호」, 「상업 유통부문 사업 개선 대책에 관한 내각 결정 제5호」, 「국가보험제도 실시에 관한 내각 결정 제6호」 등 채택. 25. 북한·중국간 직통철도 운행 협정 체결.
2월	5. 진해에서 한미군사회담. 7. 포로교환 감시 인도군 철수 완료. 17. 합동참모회의 설치. 21. 휴전협정에 의한 중립국 포로송환 임무 완료.	8. 정부, 각 지방 정권 기관에 실향사민 및 외국적 사민의 귀향 지도 협조를 통고. 11. 고구려 고분 벽화 전람회, 개성박물관에서 개최. 14. UN 북한 조사단 입북 거부.
3월	7. 루이 생로랑 캐나다 총리 내한. 11. 정비석 소설 『자유부인』 사회문제화. 21. 표준시간 변경. 31. 식산은행 폐쇄.	12. 북한 訪中 대표단(단장 金應基) 중국으로 떠남. 23. 朴昌玉을 부수상 겸 국가계획위원장으로 임명하는 등 내각 개편. 30. 「조선과 중국 간 소포, 우편물 교환에 관한 협정」 체결.
4월	3. 산업은행 발족. 26. 제네바회의 개최, 한국문제 토의.	1. 북한·중국간 직통화물열차 개통.
5월	20. 제3대 민의원 총선. 22. 제네바회의에서 변영태 한국대표 통일방안 제시.	18. 국제정기민간항공 수송운행 개시.
6월	15. 제1회 아시아민족 반공대회 개최. 제네바회의에서 한국참전 16개국 공동성명, 한국문제 토의종결과 UN 감시하의 통일을 선언.	5. 제네바회담에서 南日북한대표 6개항의 통일방안 제시. 15. 南日 외무상, 제네바회의에서 통일원칙 수정안 제기. 25. 북한·소련간 외상회견(모스크바).
7월	25. 이승만 대통령 방미. 30. 한미 양국정상 공동성명, UN방침하 통일노력 언명.	1. 국립중앙박물관 개관.

한일관계	일본(昭和 29)
18. 독도에 영토표시 설치. 30. 이승만 대통령, 日本의 再侵을 嚴斷하고 太平洋同盟 結成을 促求하는 談話.	
6. 梁裕燦 駐美大使, 日本의 反韓主義에 警告 聲明.	
10. 일본 吉田 首相, 이승만 대통령과의 會談 希望 示唆. 11. 이승만 대통령, 일본 吉田首相의 회담 제의에 담화. 12. 韓日海運協定 1年間 延長. 27. 平和線 侵犯 日船員에 魚族保護法에 依據 體刑.	8. 미·일 상호방위원조협정 조인.
28. 이승만 대통령, 아시아반공연맹에 일본 참가 반대.	21. 犬養健 법무장관, 지휘권을 발동하여 검찰청의 佐藤榮作 자유당 간사장 체포 허락 청구를 저지함.
1. 독도에 민간수비대 파견.	
11. 獨島에 海洋警察隊를 재급파. 16. 이승만 대통령의 特赦로 억류중인 日本人 전원(453名) 釋放.	3. 교육 2법 공포(교육의 중앙집권화).
30. 南日 외무상, 「재일 조선인 불법 수용 박해에 대하여」 일본에 항의성명.	1. 방위청 자위대 발족.

8월	18. 국회, 미군철수 반대 결의.	13. 조국해방전쟁기념관 개관. 14. 국립개성역사박물관 개관. 국립중앙도서관 개관.
9월	8. 초대대통령 중임제한 철폐 개헌안 제안. 23. 형사소송법 공포. 24. 미군철퇴반대 국민총궐기대회(학생동원) / 미곡 40만 석 수출 결정.	1. 조·소문화협회, 『조·소친선』창간. 9. 중국인민지원군 7개 사단 철수 28. 김일성 수상, 정부대표단 인솔 중국 방문(~10. 5.).
10월	3. 정부, 수복지구 행정권을 UN군으로부터 인수. 9. 미국, 對韓석유공급 중지. 21. 한미 油類회담 개최. 26. 국민당 선전부장 함상훈, 신익희와 조소앙이 인도의 뉴델리에서 밀회했다고 발설(뉴델리 밀담사건).	8. 金策製鐵所 제1호 해탄로 생산 개시. 15. 내각, 개인 양곡상을 금지할 데 대하여 「결정 제130호」 발표. 30. 남북한 연석회의 제의 / 兩江道, 黃海南·北道 신설.
11월	11. 국회, 북한만의 선거를 통일방안으로 하는 결의 채택. 17. 한국에 대한 군사 및 경제원조에 관한 한미간 합의의사록 서명발표. 27. 국회, 개헌안 재적의원수 3분의 2 이상 미달로 부결처리. 29. 국회, 개헌안 부결을 번복, 사사오입통과 선언. 30. 야당의원 단일교섭단체로 호헌동지회 결성.	2. 최고인민회의, 평화적 통일 촉진 호소문을 남한 국회의장 이기붕에게 발송. 18. 재무상 崔昌益 해임, 李周淵 임명. 22. 군사정전위원회에서 북한측 대표, 국민들이 남북한 자유로 내왕할 데 대한 제안 제출. 22. 평화옹호전국민족위원회, 국제 긴장 상태 완화를 위한 국제 회의에 대표 파견 결정하고 조선준비위원회 결성. 30. 조선민주법률가협회 창립.
12월	20. 정부기구 개편(12부 1실 1원).	1. 체신상, 남북 우편 연락 재개를 위한 회담 제안.

9. 이승만 대통령, 한일회담 재개 용의 표명, 日 태도반성 촉구. 31. 駐日代表部, 독도문제에 관한 日外務省 항의를 반박.	
2. 경찰, 상시주둔으로 독도 완전무장 결정.	
16. 駐日代表部 不法 渡日者 强制送還에 關한 日本 外務省 聲明에 반박 성명. 28. 한국정부, 독도문제의 일본 국제재판 제소 요청 거부.	
30. 日本外務省, 독도경비대에 의해 日本 경비선이 포격된 데 대해 항의.	5. 일·버마 평화조약, 배상협정 조인. 24. 자유당 분파·개진당·일본자유당 3당, 합동하여 일본민주당을 결성하고 총재에 鳩山一郎가 취임.
	10. 제1차 鳩山一郎내각 성립. 22. 헌법 제9조에 대한 정부의 통일해석 발표(자위권 보유, 자위대는 합헌).

1955년	대한민국	조선민주주의인민공화국
1월	7. 정부, 중·고교 분리안 가결. 17. 한미 군사원조의정서 조인.	27. 「조선과 독일민주주의공화국 간 과학기술협조에 관한 협정」 조인.
2월	15. 노농당 결성(전진한 중심으로).	5. 「조선과 소련간 과학기술협조에 관한 협정」 조인. 11. 중국 부주석 朱德 平壤 방문.
3월	7. 미해외활동본부장관 스타센 내한. 17. 동아일보 '傀儡오식사건'으로 무기 정간.	31. 중국인민지원군 6개사단 철수 개시. 31. 최고인민회의 상임위원회, 「조선 민주주의인민공화국 내각구성법 정령」 채택.
4월	19. 피푼 타이 총리 내한.	1. 노동당 중앙위원회 4월 전원회의 개최. 2. 김일성, 「우리 혁명의 성격과 과업 에 관한 테제」 연설.
5월	1. 서울시내 무허가건물 철거. 10. 북한, 조기잡이 어선 습격. 1척 침 몰, 4척 실종. 16. 자유당 전당대회. 22. 주한 미군사원조 고문단 설치. 31. 한미 석유협정과 한미 잉여농산물 원조 협정 체결.	15. 金策製鐵所 제1호 용광로, 부전강 발전소 제3호 발전기 조업식. 16. 전국평화옹호자대회.
6월		23. 세계평화대회(6.5일~)에서 朴正愛, 주한미군 철수 주장 연설. 25. 중공업성을 금속공업성으로 개칭.
7월	1. 서남지구전투사령부 해체 / 한미 원자력 협정 체결. 25. 미 극동지상군 사령부와 8군사령 부, 서울로 이동.	25. 북한·불가리아 간 문화협조에 관 한 협정. 28. 베트남 방문 인민대표단(단장 白 南雲) 平壤 출발.
8월	8. 증권시장 개장.	5. 원자 및 수소무기 반대 平壤시 군

한일관계	일본(昭和 30)
10. 주일대표부, 한국인 전범자의 대우문제에 관하여 日本外務省에서 交涉.	
1. 鳩山一郞 日本 首相, 韓日會談 재개 위해 이승만 대통령과 會談 요청. 25. 북한 남일 외상, 북일관계 정상화의 가능성을 밝히고 무역관계와 문화교류 제안.	27. 제27회 총선거.
26. 하토야마 총리, 북한과의 관계 개선의사 표명.	19. 제2차 鳩山내각 성립.
27. 亞細亞民族反共聯盟, 일본참가 반대 성명 / 일본정부, 외국인등록법에 지문날인 강제 개시.	
17. 아시아제국회의 일본대표단 북한 방문.	25. 在日本朝鮮人總聯合會 결성.
13. 북한·일본간 어로협정 조인. 17. 鳩山一郞 日首相, 金溶植 駐日公使에게 北韓과의 一切 關係를 斷絶하겠다고 確約.	1. 일·소 교섭 개시. 7. 제1회 일본모친대회 개최됨. 12. 재일조선인 사회과학자협회 결성(동경).
17. 한국정부, 한국인의 대일왕래 금지.	1. 자위대법 개정 공포(항공단 신설).

	11. 전국의 판잣집 철거. 26. 국제통화기금·국제개발은행에 가입.		중대회. 11. 흥남비료공장 유안비료 생산 시설 조업식.
9월	15. 조봉암·서상일·장건상 등 20여 명, 광릉에서 혁신계 통합회의. 19. 호헌동지회의 자유민주파, 민주당 창당(대표의원 신익희).		
10월	1. 해방10주년기념 산업박람회 개최, 처음으로 TV등장.		
11월			
12월	15. 국회 무소속구락부, 헌정동지회로 발족. 18. 이승만 대통령, 한일문제·남북통일방안 등 제반 문제에 언급. 22. 조봉암·서상일 외 9명 대표명의로 가칭 진보당 발기취지 발표.		7. 북한·소련간 항공운수에 관한 협정 조인(平壤). 15. 최고재판소 특별 재판(朴憲永에 사형 판결). 28. 김일성 수상, 당 선전·선동 일군들 앞에서 「사상 사업에서 교조주의와 형식주의를 퇴치하고 주체를 확립할 데 대하여」 연설.

18. 한국정부, 대일무역 정지(1956.1.18. 해제).	6. 제1회 원수폭 금지 세계대회를 히로시마에서 개최함. 23. 미·일 워싱턴 회담.
1. 한국정부, 재일동포는 對共 접촉 버리라고 日本政府에 통고. 6. 재일본조선인조국방문단 平壤 도착.	10. GATT 가입, 정식 발효. 13. 정부, 다치가와 미군기지 확장 예정지를 강제 측량함.
15. 북한 조선무역상사, 일본 東工物産 간 상품교역협정 체결(北京). 18. 일본 사회당, 제1차 방북단 파견 19. 「조·일 무역 촉진에 관한 담화록」 발표. 26. 重光葵 日外相, 北韓과의 통상불승인방침 천명 / 일본 사회당, 제2차 방북단 파견 29. 김두봉과 일본국회의원단장 호아시 게이 간 공동 콤뮤니케 발표.	13. 사회당 통일대회. 15. 일본 방중실업단, 총액 1200만 파운드의 수출입계약과 일·중국통상의정서에 조인(북경).
15. 日朝協會 결성. 18. 일본정부, 日漁船의 평화선 內의 출어선박에 대피령.	15. 자유민주당 결성. 미·일 원자력 협정 조인. 22. 제3차 鳩山내각 성립.
5. 金溶植 駐日公使, 日議會 外交委 代表와 平和線問題에 관하여 會談. 6. 덜레스 美國務長官 韓日漁撈紛爭에 언급(平和線問題解決 의사 표명). 7. 양유찬 駐美大使, 로버트슨 美國務省 極東關係擔當次官補와 한일관계 개선책 협의 / 駐日代表部, 일외무성 당국자에게 平和線問題에 대한 일본 태도에 항의. 15. 美國務省, 한일간 분쟁에 양국 요청이 있으면 조정 용의 있다고 언명. 24. 金溶植 駐日公使, 韓日協會員 북한파견에 대일 항의.	

1956년	대한민국	조선민주주의인민공화국
1월	2. 제2여당인 민정당 발족. 9. 한미경제회담 서울에서 개최. 25. 국회조사위, 국방부 원면사건을 보고. 30. 육군특무부대장 김창용 소장 피살.	5. 平壤방직공장, 방적·직포공장 준공식.
2월	3. 한미 원자력협정 조인. 13. 지방자치법 개정안 공포.	
3월	5. 자유당전당대회, 정부통령후보 지명, 이승만과 이기붕. 13. 미 잉여농산물협정 조인, 1956년도 4400만 달러. 17. 덜레스 미국무장관 내한. 28. 민주당 전당대회, 대통령 후보에 신익희, 부통령 후보에 장면 지명. 31. 진보당 준비위, 정부통령 후보로 조봉암과 박기출 지명.	20. 노동당 중앙위 전원회의 개최(소련공산당 20차대회에 참가한 대표단 귀환 보고). 26. 조·소간 연합 핵연구소 조직에 관한 협정 조인(모스크바).
4월	12. 이승만, 선거에서 대북협상과 친일주장은 불가하다고 언명.	10. 민주과학자협회 결성. 23. 노동당 제3차 전당대회 개최.
5월	1. 농업은행 발족. 2. 민주당, 한강백사장에서 정견발표회 개최. 5. 신익희 민주당 대통령후보, 전국 유세중 급서. 15. 제3대 대통령선거 투표결과 이승만 당선. 18. 전국에 비상경계령.	5. 국립예술극장 개관 경축 공연. 11. 최고인민회의 상임위, 기계공업성·석탄공업성, 收買糧政省 설치 결정. 31. 인민군 8만명 축소 성명. 31. 조선 아시아·아프리카 단결 위원회 창립.

한일관계	일본(昭和 31)
1. 對日貿易 再開. 23. 金溶植 駐日公使, 日정부가 今 會計年度 財源으로써 舊朝銀財産 使用說에 대하여 진상 설명 요구. 26. 駐日代表部, 舊朝銀財産 문제에 관하여 日政府에 再次 항의.	1. 원자력 위원회 설치.
5. 日外務省 아세아국장, 을사조약 무효 언명. 14. 대마도 부근 해상에서 일본 선박 2쌍이 한국 선박을 습격. 26. 북한 무역상사와 일본상사간의 상품교역에 관한 계약 체결. 28. 駐日代表部, 한일회담 재개 예비교섭 개시 결정.	9. 衆院, 원수폭실험 금지요망 결의안 가결(10일 參院 가결).
13. 이승만 대통령, 한일국교 정상화의 최소 조건 제시(久保田 망언 취소, 한국에 대한 청구권 철회, 평화선 승인 등). 14. 鳩山一郞 日수상, 한일분쟁에 대한 제3국의 조정을 희망한다고 언명. 24. 曹正煥 외무부장관 서리, 한일분쟁에서 미국의 우호적 조정 역할을 환영하며 對日善隣政策 不變이라고 언명. 30. 日外相, 한일간 국교재개 조건의 제1단계로서 억류자 송환문제 해결을 제의.	
2. 韓日外相, 抑留者 相互釋放에 合意. 22. 韓日간, 抑留者 情報交換 問題 合意.	
	2. 일·소 어업조약 조인. 24. 매춘 방지법 공포.

	20. 국무위원 총사직.	
6월	6. 제1회 현충일. 8. 국회, 의장 이기붕, 부의장 조환규·황성수 선출. 16. 초대 주한베트남공사 두웅 반 덕 취임. 적십자사, 납북자 신고 접수.	7. 김일성, 정부대표단을 인솔하고 독일, 루마니아, 헝가리, 체코슬로바키아, 불가리아, 소련, 알바니아, 폴란드, 몽골 방문 20. 입북한 전 국군장교들을 인민군에 편입시키기로 결정.
7월	26. 야당의원들 '국민주권옹호투쟁위원회' 구성, 민의원 지방선거에 대한 관권배제 운동 전개.	2. 재북평화통일촉진협의회 결성. 12. 북한 적십자, 한국 적십자사에 남한의 수재민 원조 제의.
8월	8. 시읍면장 및 시읍면의원 선거. 13. 특별시 및 도의원 선거.	1. 전반적 초등 의무교육제 실시. 30. 노동당 중앙위원회 8월 전원회의에서 '8월 종파사건' 발생.
9월	27. 국회, 장면 부통령 경고결의안 가결. 28. 민주당 전당대회장에서 장면 부통령 저격사건.	5. 북한·소련간 문화협조에 관한 협정 체결. 15. 방소 북한대표단(단장 李英) 출국. 23. 노동당 중앙위 9월 전원회의.
10월	1. 제1회 국군의 날. 15. 서울에서 아시아반공학생대회 개막.	
11월	9. 북한동포궐기촉구 시위. 10. 진보당 창당. 28. 한미우호통상항해조약 조인.	3. 최고인민회의 상임위, 「월남자들에게 공화국 공민으로서의 권리를 보장할 데 관한 정령」 채택.
12월	26. 민주혁신당과 대중당 합당준비위원회 구성.	11. 노동당 중앙위 12월 전원회의.

20. 북한 내각, 일본에서 귀국하는 동포들의 생활 보장에 대한 명령 제53호 채택. 21. 속초에서 일본공산당원 16명 체포.	1. 신교육법안을 둘러싸고 국회 난투, 경찰이 원내 출동함. 8. 헌법조사법 공포.
21. 韓國政府, 在日同胞 北韓移送問題에 대하여 國際赤十字社에 엄중 항의. 22. 북한 무역상사와 일·조 무역회 대표단 상품 청부 계약서 조인.	1. 일본공산당, 1951년 발생 제정한 강령 개정을 발표(평화혁명방식으로 전술 전환). 4. 沖繩 문제해결 국민총궐기대회(반환운동 고조).
18. 日本의 北韓 및 共産陣營과의 接近 傾向에 대하여 韓國政府는 對日 通商斷交 및 往來禁止措置 斷行. 30. 외무부, 재일교포(48명) 축출문제에 대해 규탄.	
1. 金溶植 駐日公使, 日本에 韓日會談再開 제의. 15. 최고인민회의 상임위 대표와 일본 국회의원단간 공동성명.	12. 立川 미군기지 확장을 위한 제2차 강제 측량이 행해짐. 이에 반대하는 지역민과 경찰이 충돌하여 부상자가 다수 나옴. 19. 소일 국교 회복에 대한 공동 선언, 조인됨.
	8. 남극예비관측대, 觀測船 宗谷으로 東京港에서 출발.
6. 駐日代表部, 日政府의 재일교포 20명의 북한 송환에 엄중 항의. 9. 한국정부, 재일동포 북한행을 허용한 일본 정부에 경고 성명. 26. 石橋 日首相, 在韓財產權 및 久保田聲明 撤回 등 문제는 재개되는 한일회담에서 논의되어야 한다고 언명.	18. 유엔총회, 일본의 유엔가입 가결. 23. 石橋내각 성립.

1957년	대한민국	조선민주주의인민공화국
1월	14. 儒道會 분규 격화. 정통파 김창숙을 축출. 15. 독립운동가 이청천 사망.	
2월	7. 미국 경제조사단 내한. 14. 농업은행법·협동조합법 공포.	
3월	15. 쿠바 친선사절단 내한.	
4월	24. 한미항공협정 조인.	18. 노동당 중앙위 전원회의 개최.
5월	5. 어린이헌장 제정.	25. 적십자 중앙위, 대한 적십자총재에게 남북 이산가족 서신연락에 관한 시안 발송.
6월	21. 군사정전위원회, UN군측 군사휴전위에서 신무기도입조항이 사실상 무효화됨. 30. 미국, 현대무기공급 정식통고.	20. 북한 축구협회, 국제축구연맹 가입.
7월	1. UN군총사령부, 도쿄에서 서울로 이동. 15. 미국, 주한미군의 핵무장 착수 발표. 31. 학생 在營기간 1년으로 확정.	7. 베트남 호지명, 북한 방문.

한일관계	일본(昭和 32)
10. 岸信介 외상, 김용식 주일공사에게 久保田 발언 취소와 재한 일본인재산 청구권 철회를 약속. 14. 石橋 日首相, 한국 平和線 반대 성명.	16. 대미면제품수출 자주규제 조치 발표. 29. 일본의 관측대, 남극 쇼와기지를 건설함. 30. 지라드사건 발생.
	23. 일본, 石橋 내각 총사직. 25. 岸信介 내각 성립.
13. 曺正煥 外務部長官, 在日同胞 北韓送致 不當性을 밝히는 對日 강경 성명. 28. 일본, 을사조약의 무효와 재한일본 재산포기를 선언.	
20. 일본 외무성, 5월 하순 소련으로부터 일본에 귀환할 전범자 중 한인 146명 포함되었음을 발표. 23. 한국정부, 일본의 SEATO 가입반대 성명. 24. 이승만, 억류자 석방하면 한일회담 개최 언명. 25. 在日 2차대전 한인전범자 148명 석방. 26. 이승만, 한일간의 조속한 정상관계 회복을 선언.	
17. 岸信介 日首相, 韓日會談에 앞서 訪韓 使節團 派遣을 고려한다고 언명.	
2. 岸信介 日首相, 韓·日·臺·越 등 4개 中立同盟을 提案. 11. 金裕澤 駐日大使, 岸 日本首相과 會談하고 韓日會談 再開·抑留者 석방 등 합의. 20. 정부, 일본 여행을 금지.	21. 岸信介 首相, 미국을 방문하여 아이젠하워 미국 대통령과 미일 신시대의 강조, 미일안보위원회의 설치, 미지상군의 철수등을 내용으로 하는 미일 공동성명을 발표.
	27. 일·중 국교회복국민회의 결성 총회.

8월	3. 조봉암·장건상 등 혁신세력, 대동통일 운동 추진. 세계은행, 대한원조 거부 통고.	3. 교육문화성과 지방경리성 설치. 건설성을 건설건재공업성으로 바꿈. 문화선전성, 도시경영성 폐지. 21. 전쟁 희생자 보호에 대한 제네바 협정 가입.
9월	9. 한국 UN가입안, UN안보리에서 소련의 반대로 좌절. 18. 고 딘 디엠 베트남 대통령 내한. 20. 진보당 혁신세력 통일준비위원회 구성.	
10월	9. 『우리말 큰사전』 6권 발간. 15. 민주혁신당 결당. 19. 전북 임실에서 북한지하공작대 37명 검거. 21. 사할린에서 교포 60명 귀환.	18. 노동당 중앙위 전원회의 개최.
11월	5. 간첩 정정호와의 관련혐의로 장건상·정복식·오중환·이재춘 등 구속. 12. 간첩 박정호, 조봉암·유화청·진승국·정현모를 민참의원 선거에 당선시키라는 북한지령을 받았다고 진술. 14. 안재홍의 밀서 전달한 장남 안정용 등 검거. 통일당 결당.	3. 김일성 수상, 당 및 정부대표단을 인솔하고 소련 방문(~23일). 20. 북한·베트남 간 문화협조에 관한 협정 체결.
12월	5. 국회, 동성동본과 8촌내 인척의 결혼금지안 채택.	5. 노동당 중앙위 확대전원회의 개최. 10. 북한·애급간 무역협정, 지불협정 체결. 18. 북한 올림픽위원회, 남북한 단일팀 구성을 제안. 19. 梁주미대사, 자본주의 진영에 상호의존선언 채택 제의. 31. 북한·중국간 과학기술협조에 관한 협정 체결.

	1. 재일 미국지상군 철수 시작. 27. 東海村의 일본원자력연구소에서 원자로 완공.
	1. 일본, 유엔안전보장이사회 비상임이사국이 됨.
	1. 일본원자력발전 설립.
10. 주한적십자사, 한일억류자 상호석방을 위한 18개 항목의 제안을 일본정부에 제시 / 주한외교단 독도 시찰. 20. 김일성 수상, 대일국교 정상화의 필요성 강조. 29. 한일회담 예비교섭에서 억류자 상호석방 및 본회담 재개에 합의.	6. 일·소 통상조약 조인. 22. 일본교직원조합, 국가에 의한 교육 통제에 반대하여 근무 평정반대 투쟁의 강화를 결정하고 비상사태 선언을 발표함.

1958년	대한민국	조선민주주의인민공화국
1월	1. 민참의원선거법안 국회 통과. 13. 조봉암 외 진보당 간부 7명을 국가보안법 혐의로 구속. 16. KLA여객기 납북, 탑승객 34명 중 26명 귀환. 19. 주한 UN군 대규모 훈련 '눈송이 작전' 전개, 핵무기 등장. 29. 주한미군, 핵무기 도입 정식 발표.	
2월	20. 육군특무대, 조봉암과 접선한 이중간첩 양명산 검거발표. 조봉암 부인. 22. 신민법 공포. 국회, 휴전협정폐기·중국군 철수·북한지역 자유선거 등 결의안 채택. 25. 정부, 미군정법령 55호에 의거 진보당 등록취소.	
3월	12. 외자관리법·원자력법 공포. 31. 한미 양국, 국군 6만 명 감군에 합의.	3. 노동당 제1차 대표자대회 개최(金枓奉 숙청, 천리마운동 개시). 8. 부수상 朴義琓 해임, 李周淵 임명.
4월	1. 산업개발위원회 발족.	
5월	2. 4대민의원 총선거. 10. 장건상, 근민당재건사건으로 재입건. 15. 한강인도교 복구.	
6월	7. 제4대 민의원 의장에 이기붕, 부의	5. 노동당 중앙위 전원회의 개최.

한일관계	일본(昭和 33)
8. 한일간, 억류자 매월 90명씩 석방키로 결정. 8. 이승만 대통령, 한일정상회담 및 일본 사절단 파견은 불필요하다고 언명. 12. 大村收容所 수용자들 단식투쟁. 19. 在日大村收容所 抑留僑胞 제1차로 69명 석방. 28. 일본측, 억류동포 북한불송환 확약.	20. 일본·인도네시아, 평화조약 및 배상협정 조인.
1. 평화선침범 어부 300명 제1차 송환. 13. 일본정부, 재일동포 북송 정식 결정. 21. 제1차 재일억류동포 249명 부산항 도착. 26. 평화선침범 어부 200명 제2차로 송환. 28. 일본측의 태도 변화로 3月 1日의 한일회담 연기.	4. 인도와 통상 협정 조인함. 26. 日中철강협정 성립. 10. 일본정부, 제네바 국제해양법회의에 평화선 문제 제기를 언명.
5. 제2차 재일송환교포 252명 부산 도착. 9. 일본외상, 한일회담 앞서 억류자 전원 석방을 요구. 13. 駐日大使, 日外相에게 한일회담 무조건 재개를 요구.	5. 제4차 日中무역협정 조인. 24. 전일본농민조합연합회 결성.
2. 이승만, 일본수상에 한일회담 개최문제의 친서 발송. 10. 제4차한일회담 본회의 개최(~1960.4). 16. 한일간, 재일억류동포 250명 송환에 합의. 22. 한일회담 본회의, 국교정상화 등 4개 의제를 결정.	
6. 한일회담, 기본관계 한국청구권 어업 및 평화선 재일한국인 법적지위의 4위원회 설치에 합의. 24. 제4차 재일송환동포 251명 부산 도착.	2. 長崎 우표전시회에서 한 청년이 중국 국기를 끌어내림(10월 일·중 민간무역 중단). 22. 제28회 총선거 시행.
9. 韓日會談에서 同胞地位問題 토의.	

	장에 이재학·한희석 선출. 9. 제2대 대법원장에 조용순 임명.	9. 최고인민회의 제2기 3차회의 개최. 20. 북한·프랑스 친선협회 창립.
7월	12. 소년법안 국회 통과, 16세 미만에는 사형·무기 금지.	4. 대외문화연락위원회 창설 결정.
8월		
9월		26. 노동당 중앙위 전원회의 개최.
10월	2. 국립의료원 준공. 16. 1959년도 대한원조자금 2억 1000만 달러 확정.	3. 북한·중국 친선우호협회 창설(北京). 11. 내각, 농업협동조합을 리 단위로 통합 결정.
11월	18. 국가보안법 신안 국회에 제출(보안법 파동 시작). 20. 농업협동조합중앙회 발족.	1. 전반적 의무교육제 실시. 14. 트랙터 천리마호 생산 개시. 18. 화물자동차 승리호 생산 개시. 21. 김일성, 정부대표단 인솔 중국과 베트남 방문.
12월	3. 집총거부에 첫 판례, 안식교도 7명에 6개월형 선고. 11. 보안법반대 전국언론인대회. 24. 국회, 보안법안 등 27개의안 통과. 28. 보안법반대 국민대회준비위원회, 국민주권사수투쟁위원회로 개편.	29. 북한·중국간 무상원조(중국화폐로 8억元)를 결산하는 의정서 조인.

8. 남일 외상, 일본 大村수용소 억류 조선 인의 남한 송환 반대, 즉시 북한 송환 요청.	
7. 일본정부, 재일동포의 본국왕래 제한. 20. 한일회담, 어로 및 평화선분과위원회 무기 연기. 22. 일본정부, 한국측의 북한행 희망자 불 송환보장 서면 요구를 거부.	
13. 한일회담, 日의 동포북송 문제를 본회 의 상정 결정. 22. 한일회담재개에 합의.	
2. 한일회담 어업 및 평화선위원회, 제1차 회담을 일본 외무성에서 개최. 28. 재일거류민단, 재일동포 북한로동자 강 제모집방지 대책위원회 구성.	4. 일·미 안보조약 개정, 제1회 일·미회 담 개최. 8. 정부, 경찰관 직무 집행법 개정안을 국 회에 제출. 전국적으로 반대 운동이 전 개됨.
13. 한일회담 평화선위, 일본측 요청으로 연기. 28. 한일회담서 일본측은 평화선 해역의 어업권 공동관리안 제의.	
20. 제4차 한일회담 휴회.	

1959년	대한민국	조선민주주의인민공화국
1월	5. 신보안법 반대시위 전국에서 발생. 7. 한미간 DLF협정 조인. 15. 신보안법 발표. 18. 김창숙, 대통령 하야 요구. 22. 반공청년단 결성. 26. 이승만, 4선출마 용의 표명.	20. 金一을 내각 부수상에 임명. 21. 김일성 수상, 당대표단 인솔 소련 방문(~2.7.).
2월	19. 국회, 재일한인북송반대에 관한 결의안 가결. 13. 서울·부산·대구 등지에서 재일교포 북송규탄국민대회 개최. 21. 재일동포북송반대전국대회. 27. 진보당사건 상고심 선고공판(조봉암·양명산 사형언도).	6. 김일성 수상, 후르시초프와 회견.
3월	3. 증권시장 개장. 10. 제1회 노동절 기념행사. 17. 충주 수력발전소 건설에 대미 150만 달러 차관 성립.	2. 내각, 학생 수업료 폐지 결정. 8. 降仙제강소에서 천리마작업반 운동 발기. 14. 직총 중앙위 확대전원회의, 천리마작업반 확대 발전 결정서 채택. 17. 소련, 북한에 공장기업소 확장을 위한 기술원조 제공 협정 조인(모스크바).
4월	22. 주한 UN군 사령관에 맥그루더 임명.	3. 崔庸健, 소련·동구권 및 몽고 등 9개국 순방(~6.19.).

한일관계	일본(昭和 34)
24. 외무당국, 한일회담 대표와 회동하여 일본측의 정치타협안 검토. 26. 한국정부, 한일회담에 평화선 불양보 결정. 29. 藤山 일본외상, 재일한국인의 북한행 허가할 것이라고 성명. 30. 최규하 주일대표부 참사관, 일본정부의 재일동포 북송문제 결정을 반대하는 항의문을 일본 외무성에 전달.	1. 미터법 시행.
3. 日外相, 한일회담은 한국동포 북송과 별개문제라 언명. 11. 한국정부, 북송하면 대일단교 불사 언명. 13. 일본정부, 교포북송을 정식 결정 / 류태하 주일공사, 한일회담 결렬을 일본에 통고 14. 일본외상, 한일회담 결렬 아니라고 언명. 16. 일본정부, 북송계획 UN 제소를 보류. 27. 노동당과 일본 공산당 대표 공동성명. 28. 日外務省, 재일동포 북송강행 발표 / 류태하 주일공사, 한일회담 재개를 거부.	
2. 井上 日赤代表, 재일동포북송문제에 관한 일본외상 서한을 적십자국제위원장에게 전달. 17. 류태하 공사, 澤田 일본대표 방문하고 한일회담 재개 조건 협의. 19. 재일동포북송반대전국위 유진오 대표, 납북인사 송환에 국제적십자 협조를 요구. 30. 다우링 美大使, 외무차관 방문하고 한일회담 재개를 촉구.	19. 일본정부, 자위를 위해 적의 기지를 공격하는 것은 합헌이라는 통일견해 발표. 28. 사회당·총평·原水協 등 미일안보조약 개정 저지 국민회의를 결성함.
4. 류태하 주일대사, 일본에 대북한회담 포기 및 한일회담 재개를 요청.	10. 황태자 明仁과 正田美智子의 결혼식 거행.

	30. 『경향신문』 폐간.	
5월	9. 경제개발 5개년계획 발표(연간 성장률 5%목표).	4. 노동당 중앙위 상무위원회 확대회의 개막. 28. 국가검열성 폐지, 지방행정성 신설. 29. 내각, 농업은행을 중앙은행에 통합.
6월	1. 제5차 아시아반공대회 개최(서울), 14개 가맹국 및 지역대표와 6개국 옵서버 참석. 13. 민권수호총연맹, 서울에서 언론수호대회 개최. 29. 제9차 자유당 전당대회, 대통령후보 이승만, 부통령후보 이기붕.	
7월	18. 미국에서 국보 197점 귀환. 22. 제네바에 한국대표부 설치. 29. 양명산 사형집행.	
8월	10. 농학자 우장춘 사망. 20. 가칭 전국노동조합협의회 선언 강령채택.	25. 북한·중국간 黃海 어업 협정 조인(北京). 31. 동력화학공업성을 신설하는 등 정부기구 개편.
9월	1. 농림부, 농지분배 총 538만 정보라고 발표.	25. 김일성 수상, 당 및 정부대표단 인솔 중국 방문(~10.3.).

11. 일본·북한 적십자대표, 재일동포북송 문제에 관한 본회담 개시. 15. 외무부, 한일회담 즉시 재개를 일본에 요청. 28. 일본정부, 한일회담 재개가 무조건이면 수락용의 있다고 정부에 통고.	15. 최저임금법 공포.
7. 國赤委長, 대한회한에 재일동포 북송은 당사국 동의가 선결임을 지적. 17. 조봉암 구명호소운동에 재일동포 8000 여 명이 서명.	13. 남베트남과 배상 협정에 조인.
15. 재일동포북송 대항책으로 대일본 교역 중단(10.8. 해제). 18. 재일한인북송반대전국대회. 24. 재일동포북송반대위, 류태하 주일대사의 파면을 촉구.	2. 제5회 참의원 선거.
15. 한국정부, 재일동포 指導費로 우선 30만 달러를 송금하기로 결정 30. 한국정부, 한일회담의 무조건 재개를 제의. 31. 일본정부, 한일회담 무조건 재개를 위한 한국 제안을 수락.	
1. 일본 방위청장관, 한국이 독도 침략했다고 망언. 12. 한일회담 재개. 13. 북한·일본 적십자사간 재일조선 공민들의 귀국 협정 조인(캘커타). 14. 藤山 日本外相, 한국과 재일동포송환협정 체결용의 표명. 18. 한일회담, 제1차 실무자회의 개최. 29. 한일회담실무자회의, 억류자 명단 교환에 합의.	25. 三井 광산, 노조에 4580명을 정리하는 제2차 안을 제시함.
1. 藤山 日本外相, 북송계획과 한일회담을 분리해서 추진하겠다고 언명.	12. 태풍 15호가 중부지방 습격(明治시기 이래 최대의 피해).

	2. 초대 주한伊대사 스파라지 입국. 17. 태풍 사라호 남부지방 강타, 사망 924명, 이재민 98만 5000명, 피해 129억 환. 21. 한국석유㈜ 창립. 28. 매켈로이 미국방장관 방한.	28. 김일성 수상, 毛澤東과 회담.
10월	23. 부산택시노조, 일제히 파업. 26. 서울에서 전국노동조합협의회 결성대회.	1. 김일성 수상, 劉少奇 · 朱德과 회견. 23. 외무상에서 朴成哲 임명.
11월	26. 민주당 정부통령 후보자 지명대회. 대통령후보 조병옥, 부통령후보 장면. 27. 민주당 전당대회에서 대표최고위원으로 윤보선 · 백남훈 · 박순천 · 곽상훈 선출.	
12월	1. 최초의 지방은행인 서울은행 개점. 8. 공군 제2비행단 격납고 완성(최초의 비행기 수리시설). 28. 국회, 호적법 통과(假호적 존속, 여자의 상속권 인정).	1. 노동당 중앙위 12월 확대 전원회의. 27. 上海에 북한영사관 설치.

2. 외무당국, 북송과 한일회담을 분리한다는 藤山 일본외상의 발언을 비난. 18. 한국정부, 한일회담에서 동포지위문제 우선 해결 후 어업 및 평화선문제 해결키로 결정.	
25. 한일회담, 일본측의 북송안내서 수정으로 난관에 봉착.	
	11. 무역자유화 개시. 27. 안보저지 제8차 통일행동의 시위대 2만 명, 국회에 난입.
4. 전국에 재일교포 북송반대 시위 재연. 14. 재일교포북송 시작(975명), 북송선 니가타(新潟)항 출발. 16. 재일동포 제1차 귀국선 청진항 도착. 18. 일본정부, 재일동포북송문제를 국제사법재판소에 제기하자는 한국측 제의를 정식으로 거부. 30. 한일회담 중단.	

1960년	대한민국	조선민주주의인민공화국
1월	15. 육군, 군수기지사령부 신설(사령관에 박정희 소장).	26. 李鍾玉, 부수상에 임명.
2월	15. 조병옥, 미육군병원에서 急逝. 17. 김포공항 청사 준공.	
3월	15. 정부통령선거 실시. 제4대 대통령에 이승만, 제5대 부통령에 이기붕 당선. 민주당 무효선언. 제1차 마산부정선거 규탄시위.	15. 내각, 「국가 수매체계와 그 경영조직을 개편하며 수매활동을 강화할 데 관하여」 채택.
4월	18. 고대생 시위. 19. 4월 혁명이 시작됨. 25. 서울시내 각 대학 교수단 400여명, 계엄하 시위행진. 26. 이승만, 하야성명. 28. 과도정부 수립(내각수반 허정).	18. 고등교육성 신설. 21. 노동당 중앙위, 「남조선에 조성된 현 사태와 관련하여」 호소문 및 「남조선 인민들에게 고함」 발표. 정당·사회단체 지도자 연석회의, 통일문제 해결을 위한 남북조선의 제정당 사회단체 연석회의 구성 제의.
5월	1. 서울시 교원노조 결성준비위 구성. 3. 최인규 전내무장관 구속. 정부, 학도호국단 해체 결의. 11. 국회, 내각책임제 개헌안 제출. 13. 사회대중당 발기. 21. 鄭飛石작『혁명전야』말썽, 연대생들, 한국일보 앞에서 시위. 22. 대한교원노조연합회 결성. 29. 경북지구 교원노조연합회 결성 / 이승만, 하와이로 망명.	
6월	1. 부정축재 자수기간 설정. 19. 아이젠하워 미대통령 내한.	3. 북한·동독간 영사조약 체결(平壤). 23. 민족음악연구소 설치.
7월	3. 서울대 문리대 학생 1500명 국민계몽대결성.	

한일관계	일본(昭和 35)
	19. 신일미안보조약・행정협정 조인. 25. 三井광산 노조 무기한 파업돌입(전후 최대의 쟁의).
18. 한일 양국, 억류자 상호 석방과 韓國米 3만톤 수출에 합의.	
10. 柳泰夏 駐日大使, 일본외무성 伊關 亞洲局長과 회담에서 3월중으로 억류자 상호석방에 합의.	
15. 제4차 한일회담 재개. 19. 4월혁명으로 제4차 한일회담 중단.	30. 소니, 세계 최초의 트랜지스터 텔레비전 판매 개시.
4. 일본정부, 주일대표부에 한국 내 일본 대표부 설치 제의.	20. 자민당, 신안보조약 단독 체결(안보 소동).
	15. 안보개정저지 제2차 실력행사(6·15사건). 19. 신안보 조약・신협정, 자연 성립. 23. 신일미안보조약 발효.
25. 일본, 북송연장을 결정. 27. 북송협정연장문제에 관한 한미간의 회	19. 제1차 池田勇人 내각 성립(첫 여성각료 등장).

	17. 대한교원노조연합회, 한국교원노조총연합회로 개편. 29. 민의원·참의원 총선실시.		
8월	3. 전국교원노조대회(대구). 8. 제2공화국 민의원·참의원 개원. 13. 제2공화국 대통령에 윤보선취임. 19. 민의원, 총리에 장면 의원 인준.	8. 노동당 중앙위 확대전원회의 개최 (~11일). 14. 김일성 수상, 8·15남북연방제 창설 제의.	
9월	3. 민족자주통일중앙협의회 준비위원회 발기. 22. 민주당 구파 분당선언. 24. 김명환 대령 등 육군장교 16명, 최영희 합참의장에 정군건의, 사퇴요구.		
10월	11. 4·19 부상학생, 25분간 국회 점거, 혁명입법요구. 15. 국제자유노련 조직부장 교원노조 지원서한 접수. 19. 대법원, 진보당사건 무죄확정. 12명에게 보상금 주기로 결정.	7. 북한 판문점 출입기자들, 판문점에 남북한 무역센터설치 제의. 13. 북한·소련간 경제협조 의정서 조인. 13. 북한·중국간 4억 2천만 루불 차관 협정 체결(北京).	
11월	23. 상공장관, 북한 송전제의를 거부. 24. 사회대중당 결성. 400여 비구승, 대법원에 난입.	22. 최고인민회의, 남조선 민·참의원 및 제정당 사회단체에 보내는 서한 발표.	
12월	6. 사회대중당(위원장 김달호), 영세중립에 입각한 통일 희구, 국민투표를 제창하는 민주적·평화적 조국통일촉진방안 성명 발표. 12. 특별시도의원 선거. 15. 첫 종합경제회의. 31. 부정선거처리법·공민권제한법 공포.	6. 북한·쿠바 간 통상 및 지불에 관한 협정, 과학기술협조에 관한 협정 체결. 20. 노동당 중앙위 12월 확대 전원회의 개최. 27. 교육문화성을 폐지하고 보통교육성·문화성을 신설하는 등 정부기구 개편.	

담 개최.	
5. 조·일 적십자회담 정식 개최(17일까지 8차 회담). 6. 小坂 日本外相 來韓. 22. 한국정부, 한일통상예비실무자회담 개최 제의 결정. 23. 북한 적십자 대표단, 일본정부당국의 정치적 목적 추구로 조·일 적십자회담이 결렬되었다고 성명.	10. 컬러 텔레비전 방송 개시.
1. 최고인민회의 상임위원회 대표와 일본 국회의원단간에 공동 콤뮤니케 발표. 25. 제5차 한일회담 개최(~1961.5.15). 28. 한국정부, 일본정부에 북송협정 연장에 대해 엄중 항의.	12. 淺沼稻次郎 사회당 위원장, 우익 청년에게 찔려 죽음.
	20. 제29회 총선거 시행.
1. 한일정기해상항로(釜山·博多) 해방후 처음으로 취항. 19. 日本 池田 首相, 衆議院에서 日本政府는 韓國에 2개 政府가 있다는 認識下에 韓日會談에 임할 것이라고 언명. 20. 외무부, 19일자 일본 수상의 발언을 반박하고 한국만이 합법정부임을 강조. 27. 日韓經濟協會 설립 총회.	27. 각의, 국민소득 배증 계획을 결정. 29. 제2차 池田내각 성립

1961년	대한민국	조선민주주의인민공화국
1월	1. 민의원, 혁신계 신문 『민족일보』 자금출처 조사 개시. 3. 사회대중당 유병묵, 남북한 시찰단 상호파견과 서신교류 등을 주장한 성명서 발표. 5. 신민당 소장파의원들, 남북간의 경제교류 주장. 6. 장면 총리, 연두기자회견에서 중립화통일과 남북교류 반대 언명. 8. 혁신당 결성(대표위원 장건상). 16. 혁신당, 통일방안의 단일화, 영세중립국실현, 남북간의 경제교류 등 주장. 21. 통일사회당 발족.	17. 조선영화인동맹 결성. 18. 조선무용가동맹 결성. 19. 조선연극인동맹 결성. 20. 조선음악가동맹 결성. 22. 조선사진가동맹 결성 / 건설성 신설.
2월	4. 한국교원노조, 국제자유교원노동조합에 가입서신 발송. 5. 서울 시내버스, 운임인상 요구하며 총파업. 20. 신민당 결당. 21. 統社黨 등 혁신계 우파, 중립화조국통일연맹 발기. 25. 민족자주통일중앙협의회 결성.	14. 조선과학지식보급협회 창설.
3월	8. 데모규제법 검토 완료 / 반공특별법안 成案. 18. 장면 부통령 저격 배후사건 항소심. 22. 혁신계 주최로 데모규제법과 반공법을 2대 악법으로 규정 반대하는 성토대회. 28. 61개 우익단체, 서울·대구·부산 등지에서 용공규탄데모. 30. 병역기피 공무원 2700명 해임.	20. 노동당 중앙위 전원회의(~22일).
4월	17. 최인규에 사형 선고. 19. 서울대 민통학련 중심 학생들, 4·19국선언문 발표 후 침묵시위.	

한일관계	일본(昭和 36)
25. 한일 예비회담 개막.	
3. 민의원, 대일결의안 채택(배상후 국교). 22. 일본 외상, 대한 재산권 포기 확인.	1. 우익 청년, 中央公論社의 嶋中鵬二 사장집을 습격하여 부인과 가정부를 찌름. 5. 사회당, 구조개혁론에 의한 신운동방침 결정.
8. 주일대표부, 재산청구권에 관한 한일간 합의의사록을 공표.	
7. 韓日會談 法的地位委, 同胞歸國에 180 만환 搬出案 제시. 20. 일본, 22일부터 對韓 輸出 制限 撤廢.	1. 국민연금, 보험제도 발족. 14. 재일동포 북송 재개. 19. 라이샤워 주일미국대사 부임.

5월	5. 민족통일전국학생연맹, 남북학생의 판문점회담에 대한 공동선언문 발표. 10. 민족자주통일중앙협의회, 서울특별시협의회 결성대회에서 정부와 국회 및 전민족에게 호소하는 결의문 발표. 15. 민족통일당 발족. 16. 5·16 군사정변. 18. 장면내각 비상계엄 추인 후 사퇴. 20. 혁명위원회를 국가재건최고회의로 개편. 27. 최고회의, 비상계엄 해제, 경비계엄 선포.	4. 내무상, 남북학생회담 제안에 성명. 북한 학생위와 민청 학생위, 남북학생회담 제안과 관련하여 서울대학민족통일연맹에 서한.
6월	10. 국가재건최고회의법, 중앙정보부법, 농어촌고리적정리법, 재건국민운동에 관한 법률 공포. 19. 이병철, 전재산을 사회에 환원하겠다고 동경에서 최고회의에 서한. 21. 혁명재판소 및 혁명검찰부조직법에 관한 임시조치법 공포. 24. 버거 주한미대사 도착.	14. 북한 학생위와 민청 학생위, 남북학생회담 제안과 관련하여 서울대학민족통일연맹에 서한. 29. 김일성 수상, 당 및 정부대표단을 인솔하고 소련 국가방문(~7.10.).
7월	1. 한국전력 발족. 2. 최고회의 의장에 박정희 소장, 내각수반에 송요찬. 3. 반공법 공포. 9. 반혁명세력 44명 체포, 장도영 중장 연금. 22. 정부기구 1원 11부 1처로 개편, 경제재건 5개년계획 발표. 27. 러스크 미국무장관, 한국군사정부 지지 성명.	5. 북한·말리 간 무역 및 지불에 관한 협정, 문화협조에 관한 협정 체결. 6. 북한·소련 간 우호·협조 및 호상원조에 관한 조약 체결. 10. 김일성 수상, 당 및 정부대표단을 인솔하고 중국 국가방문(~15일). 11. 조선과 중국 간 우호·협조 및 호상원조에 관한 조약. 29. 북한·모로코간 무역협정. 31. 북한·아랍연합공화국 간 총영사 관계 설정 합의.
8월	1. 중소기업은행 발족. 5. 고리채 신고. 10. 표준시간 변경(30분 앞당김).	5. 일본에서 귀국한 과학기술자협의회 결성. 8. 아프리카국가들을 친선방문한 북

6. 일본 국회의원 방한친선단(단장: 野田卯一), 방한(광복 이후 최초의 일본 국회의원 방한).	
	12. 농업 기본법 공포.
	25. 공산당 8회대회, 신강령 채택(2단계 혁명론).
2. 한일예비회담 개최. 7. 日本 外務省 東北亞課長 前田利一 來韓.	16. 小松川事件의 李珍宇, 最高裁判에서 死刑 확정.

	17. 혁명재판소, 이정재에 사형선고. 계엄령없이 군대출동 가능케 한 수도방위사령부법 공포. 28. 혁명재판소, 민족일보사건 조용수·안신규·송지영에게 사형 선고. 29. 한국노동조합총연맹 결성.	한대표단 귀국.
9월	14. 혁명재판소, 최인규, 이강학, 한희석에게 사형 선고. 20. 농공부, 71개 무역상사의 자격취소. 25. 부정축재처리위 제1조사단 전원구속. 30. 군재, 경무대 앞 발포사건 홍진기·곽영주에 사형 선고.	11. 노동당 4차 전당대회 개최, ① 인민경제발전 7개년 계획 채택(61년-67년) ② 당 중앙위 및 당 중앙검사위 사업 총화 ③ 당 중앙지도기관 선거(~18일). 22. 북한·중국 간 과학기술협조 의정서 조인.
10월	2. 새정부조직법 공포.	2. 실론·북한친선협회 창립(콜롬보). 14. 김일성 수상, 당대표단 인솔 소련 방문(~11월 2일).
11월	1. 교원노조사건 첫공판. 2. 혁명재판소, 前최고회의의장 장도영 법정 구속.	8. 농촌건설성 신설. 27. 노동당 중앙위 제4기 2차 확대 전원회의 개최(~12.1.).
12월	2. 세제 전면 개편. 4. 근로기준법 개정 공포. 5. 청계천 복개공사 완료, 개통. 12. 재향군인회 결성. 13. 서독과 3750만 달러 차관협정 조인. 20. 경제기획원 외자도입촉진위원회 구성. 30. 부정축재처리위, 부정축재액을 최종통고.	6. 김일성 수상, '대안의 사업체계' 창안.

1961년 *391*

17. 일본 경제사절단 내한.	
17. 일본 사회당, 한일회담 재개 반대 성명. 20. 제6차 韓日會談 개최(~1964.4.6). 24. 金鍾泌 중앙정보부장 渡日. 25. 김종필 중앙정보부장, 日本 池田 首相과 要談. 26. 제6차 한일회담 일반청구권 소위원회 활동(~1962.3.6).	
2. 杉道助 일본수석대표 내한. 5. 朴正熙 議長, 韓日會談 年內解決 희망을 언명. 11. 박정희, 訪美・訪日. 12. 박정희, 일본 池田 수상과 회담.	2. 제1회 미일무역 경제합동위원회를 개최함.
5. 제1차 한국방문 경제시찰단 내한. 26. 일본 外務省, 獨島 領有權 주장. 27. 한국정부, 일본의 독도영유권 주장에 항의 각서.	12. 구 육사 출신자들, 정부 요인을 암살하고 쿠데타를 일으키려는 계획이 발각되어 13명이 체포됨.

1962년	대한민국	조선민주주의인민공화국
1월	1. 공용연호를 西紀로 변경. 10. 혁명재판소, 군내반혁명사건에 언도. 15. 제1차 경제개발 5개년계획 발표. 16. 혁명재판소, 부정축재 조사단 사건 선고.	15. 김정일, 「현대제국주의의 특징과 침략적 본성에 대하여」 집필. 17. 건설성 설치.
2월	1. 국민은행 개점. 3. 김종필, 대통령 특사로 동남아 순방. 10. 국토건설단 창단. 26. 한국광공진흥회사 발족.	
3월	15. 군재, 부정축재 등 관련자 선고. 16. 정치활동쟁화법 공포, 정치정화위원회 구성. 19. 최고회의, 1963년 민정이양 발표. 22. 윤대통령 하야 성명.	6. 노동당 중앙위 제4기 3차 전원회의 개최(~8일). 9. 북한·소련간 문화 및 과학협력협정 체결.
4월	1. 증권거래소 보통거래 시작. 2. 농촌진흥청 발족. 4. 4·19희생자 186명에 건국포장, 원호대상 156명 결정. 24. 김종필 중앙정보부장, 외신기자회견에서 7월말까지 자율적인 언론 정화 없으면 조치하겠다고 밝힘.	5. 최고인민회의 제 2기 10차 회의 개최(~7일). 24. 중국 국가인민회의 대표단, 최고인민회의 초청으로 방문(단장 彭眞, ~5.3.).
5월	1. 해양경찰대 발족. 9. 革裁 革檢 폐소식. 16. 5·16군사정변 1주년 맞아 재소자 2만 1970명 감면.	14. 일본 사회당 중의원 의원 북한 방문(~21일). 14. 평양예술대학 창립. 17. 수로 1천리 靑丹 관개 제 1계단 공사의 몽리 구역 급수 개시.
6월	10. 제2차 통화개혁(10환 대 1원으로 평가 절하). 15. 버거 미대사, 한미행정협정에 관한 新案제시. 16. 박정희 대통령 권한대행, 내각수	5. 북한 올림픽 위원회, 국제 올림픽 위원회에 가입. 7. 반미투쟁 남조선 청년학생들을 지지하는 평양시 학생·청년 군중 대회.

한일관계	일본(昭和 37)
16. 제6차 한일회담 재개.	
7. 한일회담, 매주 1회씩 財産請求權小委員會와 전문가회의를 개최하기로 합의. 16. 한일회담과 일본 경제시찰단 남한 입국 반대 배격 평양시 군중대회.	
5. 外務部, 독도문제는 정치회담 안건될 수 없다고 언명. 日, 독도문제를 정치협상의제로 제기. 12. 한일 외무장관회담(제1차 정치회담) 개최(~3.17.).	6. 일·미 GATT관세약정 조인.
10. 한일회담 사실상 중단. 18. 小坂 日外相, 衆議院서 한일협상을 중단한 이유는 한국이 38선 이남을 관하라면서도 全한국문제의 해결을 요구했기 때문이라고 언명. 27. 小坂 日外相, 衆議院서 독도문제 해결 없인 한일국교정상화가 불가능하다고 언명.	
	10. 신산업 도시 건설촉진법 공포.
18. 일조협회 이사장, 북한 방문(~21일).	

	반 겸임. 21. 무역진흥공사 발족. 26. 통화대책위원회 발족.	20. 최고인민회의 제2기 11차 회의 개최(~6.21.).
7월	6. 육군판결심사위, 한강인도교 폭파책임자 故 崔昌植 대령에 무죄 판결. 11. 헌법심의위원회 구성.	1. 辛수舟, 쯔나멘스키 형제상 쟁탈을 위한 육상경기에서 400m와 800m 세계기록 수립.
8월	10. 제3차 한미경제회담 개최, IDA차관 첫 케이스로 1400만 달러 확정. 27. 새나라자동차공장 준공.	
9월	20. 한미 행정협정실무자회담 18개월만에 재개.	3. 쿠바에 대한 미국 정책 규탄 평양시 군중대회.
10월	15. 장면, 49일만에 출감.	8. 최고인민회의 제3기 대의원선거 실시(383명). 14. 제1차 전국대학생 체육축전 개막(~20일). 22. 최고인민회의 제3기 1차 회의 개최(~23일).
11월	5. 제5차 개헌안 공고. 7. 박정희, 혁명주체세력도 민정에 참여한다고 발언. 13. 한독차관협정 조인.. 27. KNA 취소하고 KAL에 취항권 부여.	12. 군사사절단 소련 방문. 13. 金日成 수상, 평안남도내 당 및 농촌경리부문 일군 협의회에서 「군협동농장 경영위원회를 더욱 강화 발전시킬 제 대하여」 연설. 19. 김일성 수상, 「대안의 사업체계를 더욱 발전시킬 데 대하여」 연설.
12월	17. 개헌안 국민투표 실시. 26. 제5차 개정헌법 공포. 27. 박정희, 대통령 출마 의사를 표명. 31. 정당법 공포 / 집회 및 시위에 관한 법률 공포.	10. 노동당 제4기 5차 회의 개최(~14일), 4대 군사노선 채택. 15. 북한·중국간 통상 및 항해에 관한 조약 비준. 26. 노동당 조선인민군 위원회 전원회의 확대회의 진행.

	1. 제6회 참의원 선거.
21. 제2차 정치회담 예비절충 시작.	5. 제8회 원폭금지 세계대회.
17. 日本經濟人團 來韓. 20. 한일회담 예비교섭 제7차 회의 개최.	
3. 한일회담 예비교섭 제9차 회의. 5. 한일회담, 예비교섭 어업관계 제1차 회의 및 법적지위 제1차 회의 개최(東京). 10. 한일회담 예비교섭 제10차 회의. 11. 한일회담 예비교섭 법적지위 제2차 회의. 12. 한일회담 어업관계 제2차회의. 15. 한일회담 법적지위 제3차회의. 20. 김종필 중앙정보부장, 동경에서 大平正芳 외상과 회담. 22. 김종필, 池田首相과 회담하고 한일회담 조속 타결 합의.	
12. 김종필·大平 메모 합의(11.13. 귀국).	27. 사회당 정기대회.
10. 大野伴睦 일본 自民黨부총재 등 정치인 40명 내한. 26. 한일회담에서 재산청구권 문제 타결(일본 무상 3억달러, 차관 3억달러 제공).	

1963년	대한민국	조선민주주의인민공화국
1월	8. 한미영사협정 조인. 14. 박정희, 야권 대표와 면담. 18. 민주공화당 발기선언. 27. 민정당창설 당준비발기인대회.	8. 『로동자』誌, 중국노선 지지 논설 게재. 도시 및 산업건설성과 농촌건설성 폐지, 건재공업성 신설. 31. 북한·헝가리 간 통상협정 체결
2월	5. 교육공무원 정년 65세로 높이고 교감제를 부활. 18. 박정희, 2·18성명(5·16 군정 인수 등 9개 제안이 수락될 경우 민정 불참 하겠다고 선언). 20. ROTC 제1기생 1,768명 임관. 25. 김종필, 순회대사 자격으로 외유. 26. 민주공화당 창당.	
3월	6. 중정, 4대 의혹사건 수사 발표. 16. 군정연장 개헌안공고 / 정당활동 정지, 언론출판, 집회를 제한하는 비상사태수습임시조치법 공포. 22. 군비상지휘관회의, 군정연장 지지. 재야 정치인, 구국선언대회 열고 군정연장반대 시위. 30. 박정희·윤보선·허정 등 제1차 朝野영수회담 개최.	10. 탁구 선수단, 부카레스트 국제 탁구대회 단체전에서 우승. 18. 최고인민회의 상임위원회. 20. 전국과학자·기술자대회 진행. 24. 북한, 아랍공화국과 국교 수립.
4월	16. 농림부, 곡가인징 위해 양곡 50만석 긴급 방출. 26. 한·프 특허상호보호협정 체결.	11. 『로동신문』 논설, 「출로는 민족의 자주통일에 있다」. 23. 『로동신문』 논설, 「자립적 민족 경제의 건설은 조국의 통일과 독립과 번영의 길이다」. 27. 북한·캄보디아간 문화 및 과학협정 체결.
5월	9. 증권거래소 73일 만에 재개. 14. 민정당 창당대회 개최. 23. 참모의장에 김종오 대장, 육참총장에 민기식 중장 임명.	8. 최고인민회의 상임위원회. 9. 최고인민회의 제3기 2차 회의 개최. 13. 노동당 중앙위 제4기 6차 전원회의 개최.
6월	2. 인천 무허가화약공장 폭발, 사망 9명, 부상 100여 명.	18. 최고인민회의 대표단 베트남 방문.

한일관계	일본(昭和 38)
	24. 조총련 중앙위 전원회의 개최. 26. 미국무성, 원자력잠수함의 일본 기항을 요청함.
13. 제2차 정치회담 예비절충에서 청구권 또는 경제협력 문제를 다루기 위한 위원회 설치.	16. 구마모토대학의 미나마타병 연구반, 미나마타병은 신일본질소 비료공장에서 내보내는 배수에 포함된 수은이 원인이라고 발표함.
	27. 원자력 과학자 154인, 미국의 원자력잠수함 기항을 반대하는 성명 발표.
30. 제2차 정치회담 예비절충 제40회 회의.	
7. 박정희 의장, 일본 기자와의 회견서 한일회담 타결을 희망.	

		23. 崔庸健·劉少奇 공동성명 발표.
		28. 북한·말리공화국 경제협조 및 기술원조에 관한 협정 체결(바마코).
7월	13. 중앙정보부장에 김형욱 임명. 18. 민주당 창당대회 / 한미경제위 신설에 관한 협정 체결. 31. 주한 UN군사령관에 하우즈 대장 임명.	17. 북한·루마니아간 문화 및 과학협정 조인.
8월	19. 재야 5당대표 간담회, 대통령 단일 후보 옹립에 합의 발표. 24. 영화 '오발탄' 상영금지 해제. 30. 박정희 예편, 공화당 입당.	13. 김일성 수상 참석하 兩江道 당위원회 전원회의 확대회의 24. 북한·아랍연합공화국간 국교수립
9월	1. 노동청·철도청 발족. 3. 자민당 창당대회. 7. 자유당 창당대회. 23. 박정희 공화당후보, 사상논쟁유발. 24. 윤보선 민정당후보, 전주에서 박정희 사상문제 언급. 27. 중앙정보부, 황태성사건 발표.	5. 중국 국가 주석 劉少奇 북한 방문 (~9.20.). 20. 『로동신문』, 소련 과학아카데미가 조선역사를 왜곡했다는 비판 기사 게재. 21. 농업대표단 중국 향발(~12.6.).
10월	10. 서울가정법원 개원. 15. 제5대 대통령선거 실시. 19. 강원도 인제에서 이득주 중령 일 가족 7명 몰살사건 발생.	9. 최고인민회의 상임위원회, 「공화국 국적법을 채택에 대한 정령」. 21. 국제 올림픽위원회의 정식 성원으로 가입. 23. 북한 경제 대표단, 동남아 나라들을 방문하기 위하여 평양 출발. 28. 『로동신문』 사설, 소련을 현대수정주의라고 통박.
11월	1. 부산에 수산센터 개장. 16. 외화고갈로 해외송금중단. 24. 박정희 의장 방미. 26. 제6대 국회의원 총선거 시행.	6. 과학자 대표단, 중국 향발. 15. 북한·인도네시아 간 통상 과학 문화 기술협정 조인. 26. 북한·캄보디아 간 통상협정 체결.
12월	2. 공화당 의장에 김종필 지명. 12. 제3공화국 초대내각 구성. 17. 제3공화국 탄생. 제6대 국회 개원.	3. 지방 대의원 선거실시. 10. 최고인민회의·조국전선 평화통일위 연석회의서 남북협상 관련 남조선 국민, 정치인, 사회활동가에게 보내는 호소문 발표.

13. 한일회담에서 일본측, 국교정상화 전에 민간차관 1억 달러 제공한다고 표명.	
	8. 방위청, 일본최초의 공대공 미사일 발사시험 성공.
	5. 제9회 원수폭 금지 세계대회 분열됨. 14. 부분적 핵실험정지조약에 조인함.
	31. 日銀, 뉴욕연방준비은행과 쌍무통화협정 조인(스와프협정).
	9. 三井鑛山(株) 三池鑛業所 폭발 사고. 458명이 사망하고, 555명이 다침. 21. 제30회 총선거. 23. 미일 간 텔레비전 중계 실험이 성공.
	29. 제3차 池田내각 성립.

1964년	대한민국	조선민주주의인민공화국
1월	1. 미터제 실시(길이 m, 무게 g). 16. 제주도 일원에 통금 해제. 18. 케네디 미법무장관 내한. 29. 러스크 미국방장관 내한.	
2월	1. 민주당의원들, 3粉 폭리진상 폭로로 정치문제화.	
3월		10. 사회과학원 신설. 18. 金正日, 졸업논문 「사회주의건설에서 郡의 위치와 역할」 집필. 26. 최고인민회의 제3기 3차 회의(~28일).
4월	1. 3粉暴利 조사전모 판명.	11. 조선언어학회 창설. 24. 국가계획위원회 산하에 도(직할시)・군(시 구역)계획위원회 신설.
5월	7. 울산정유공장 준공. 9. 최두선 내각 총사직, 총리에 정일권 임명. 12. 한미석유협정 조인.	9. 북한・중국간 기술 원조협정 체결. 12. 민청 제5차 대회 개막(폐막일인 16일에 민주청년동맹을 사회주의로동청년동맹으로 개칭).
6월	5. 김종필, 공화당의장 사퇴. 8. 제1공수단 장교 8명, 밤중에 동아일보사에 난입.	16. 아시아경제 토론회, 34개국 참가. 25. 노동당 중앙위원회 제4기 9차 전원 회의(~26일) ①농업근로자 동맹을 조직할 데 대하여 ②직업 동맹 사업을 개선할 데 대하여.

한일관계	일본(昭和 39)
15. 북한·일본간 청산계약 체결. 25. 최규하 대사, 방일. 29. 러스크 美國務長官 來韓, 韓日會談 촉구.	
25. 재일교포 60만 명 중 민단계는 3분의 1로 외무부 집계.	
9. 全야당 및 각계대표 200여명 대일굴욕외교반대범국민투위 결성하고 대정부 경고문 채택(3.15전국 유세시작. 부산에서 장준하 연설). 10. 한일 농상회담(~4.6). 12. 제6차 한일회담 본회의 개막. 24. 서울대·고대·연대생 약 5000여명 대일굴욕외교 반대시위, 전국에 파급(3.27. 16개 도시로 확대), 긴급구속 34명). 30. 박정희 대통령, 학생대표 11명과 면담. 정부 여당 연석회의에서 한일회담 그대로 추진키로 결정.	
1. 국회, 김종필·大平 메모 공개로 말썽.	28. OECD 정식 가맹.
20. 서울시내 9개 대학생 2000여명, 서울문리대 교정에서 한일굴욕외교 반대 시위.	25. 조총련 제7차 전체회의.
3. 서울서 對日屈辱外交反對데모(6·3 한일회담반대운동), 서울 일원에 비상계엄령 선포. 각급학교에 휴교령.	1. 三菱重工業 발족(기업집중합병 성행). 16. 新潟에 지진 발생. 24. 폭력처벌법 개정안, 참의원 본회의에서 가결.

7월	28. 국회, 계엄해제요구결의안 의결. 29. 비상계엄 해제. 30. 6·3한일회담반대운동 주동학생 352명 정·퇴학 처분.	
8월	2. 신문윤리위원회법 국회통과. 10. 언론윤리위법 철폐투쟁 결의. 14. 중앙정보부, 제1차 인민혁명당 조작 수사결과 발표. 31. 언론윤리위법 불찬성 5개사에 보복조치 단행.	31. 『로동신문』, 최초로 소련을 지칭한 직접 비난 사설 게재, 「사회주의진영을 분열시키는 세계공산당대회 소집을 반대해야만 한다」.
9월	10. 자유언론수호연맹 발족. 11. 국회 국정감사권 부활. 12. 박한상 인권옹호협회장, 인혁당사건 피고들이 고문을 당했다고 발표. 24. 검찰, 인혁당 사건 재수사 착수.	
10월	9. 辛수파 부녀, 14년 만에 동경에서 상봉. 28. 서울형사지법, 6·3 한일회담 반대운동 주동자 선고공판. 31. 국군파월에 관한 韓越협정 체결.	10. 직업총동맹 중앙위원회 제11차 전원회의 개최. 12. 사로청 중앙위 상무위원회 확대회의
11월	6. 김형욱 중앙정보부장, '남북교류론'의 근거 색출하겠다고 언명. 26. 민정·자민 양당통합 선언.	1. 수하르노 인도네시아 대통령, 북한 방문. 29. 북한·베트남 간 경제기술원조협정 체결.
12월	6. 박정희 대통령, 서독방문. 31. 탄핵심판법 공포.	3. 『로동신문』, 중국의 교조주의노선 추종 압력에 대한 간접비난 사설 게재. 20. 북한·캄보디아 간 국교 관계 수립 공동성명.

	10. 사회당, 공산당, 총평 등 137단체, 베트남 전쟁 반대집회 개최.
2. 赤城 日本農相, 閣議에서 韓國側이 漁船 체포를 계속하면 韓日會談을 中斷하겠다고 보고. 29. 한일회담 제20차 수석대표간 비공식회의 개최. 30. 일본외무성 배포한 '오늘의 일본'에 독도가 일본영토로 되어 있어 물의.	1. 東海道 新幹線 개통. 10. 제18회 올림픽 東京大會 개최.
14. 한국정부, 한일회담 전면재개를 계획. 14. 일본정부, 나포어부 석방 조건부로 한일회담 연내 재개를 통고. 27. 한일회담 수석대표에 金東祚 駐日大使 임명.	9. 佐藤榮作내각 성립. 12. 미국 원자력잠수함 씨드래곤, 사세보항에 입항. 공명당 결성.
3. 제7차 한일회담 개최. 15. 한국정부, 일본商社에 입찰자격 정지처분. 16. 북한·일본 간 민간통상협정 체결. 17. 조달청, 일본과 비료 70만 톤 구매계약 체결.	

1965년	대한민국	조선민주주의인민공화국
1월	4. 1964년도 수출실적 1억 2073만 달러. 5. 정부, 2차 경제개발 5개년계획안 수립. 25. 제2한강교 개통. 26. 베트남에 국군공병단 파견동의안 국회 통과.	
2월	5. 파월한국군 군사원조단 결단. 10. 춘천댐 수력발전소 준공. 13. 국제결혼 격증, 1956년 140건에서 1964년 1625건.	
3월	4. 중앙정보부, 방송작가 김정욱을 반공법위반혐의로 구속(방송극「송아지」). 12. 수출산업공업단지 기공(구로동). 15. 국회 政淨法 전면해제 건의안, 여야 만장일치로 통과, 행정부 이를 완전 묵살. 22. 단일 변동환율제 실시.	19. 「미제의 침략을 반대하며 베트남 인민의 정의의 투쟁을 지지 성원하는 평양시 군중대회」. 25. 농업로동자동맹 창립대회 진행, 규약 채택(~27일). 27. 한·일회담 반대 배격 평양시 군중대회.
4월	8. 중앙정보부, 『경향신문』 간부진을 간첩혐의로 체포. 9. 한독무역협정 조인.	14. 김일성 수상, 인도네시아의 알리 아르함 사회과학원에서 강의, 「조선 민주주의 인민공화국에서의 사회주의 건설과 남조선 혁명에 대하여」(3대국제혁명역량론 역설).
5월	3. 민중당 창당. 7. 국립과학수사연구소, 시판 진통제 속에서 마약 메사돈을 검출. 16. 박정희 대통령, 방미.	11. 조선과학기술협조위원회 회의 개막. 18. 인민군 고사포 부대, 「불법침입한 미제 침략군 L-19형 정찰기 1대를 격추」 보도.

한일관계	일본(昭和 40)
7. 高杉 한일회담 일본수석대표, 5월엔 한일양국 국교 실현 등 언명. 18. 제7차 한일본회담 개막. 18. 高杉 한일회담 일본측 대표, 7일의 중대 실언을 해명('한국지배 20年 더 했어야'라고 발언).	11. 문무 대신의 자문 기관인 중앙교육심의회, 「기대되는 인간상」의 중간 초안을 발표함.
12. 한일회담 수석대표, 서울외상회담에 합의. 13. 대일굴욕외교반대투위, 한일회담 타결 앞서 黑幕 공개를 주장. 17. 椎名悅三郎 일본외상 내한 20. 한일기본조약 서울서 가조인.	10. 사회당 岡田春夫 중의원 의원, 예산위원회에서 방위청의 극비문서를 폭로하여 정부에 자료 제출을 요구.
20. 서울운동장에서 對日굴욕외교 성토대회 이후 전국에서 성토대회 계속.	
3. 한일관계 3대 현안 합의요강 가조인 (請求權·어업·법적 지위에 일단락). 13. 서울시내 대학생 4000여명, 굴욕외교반대시위, 고대생 플래카드「제2의 을사보호조약 즉시 철회하라」. 17. 효창공원에서 鬪爭委 주최 굴욕외교반대 시민궐기대회, 시위군중 파출소 점거.	
	17. ILO87호 조약 승인.

		20. 최고인민회의 제3기 4차 회의 개막.
		29. 북한·헝가리 간 과학기술협조에 관한 협정안 조인.
6월	8. 成業公社 발족(대출 회수 전담).	23. 북한·루마니아 간 호상협조에 관한 협정 체결.
	21. 전국 13개 대학과 서울 58개 고등학교에 방학 및 휴교 조치.	29. 노동당 중앙위 제4기 11차 전원회의(~7월 1일).
7월	19. 이승만 전대통령 사망, 국립묘지에 가족장.	16. 북한·베트남 간 경제적 및 기술적 원조를 제공할 데 관한 협정 체결(평양).
8월	13. 야당불참 속에 전투사단 파월안 국회통과. 25. 무장군인, 고대난입. 26. 서울지구에 위수령 발동. 6사단 병력 서울진주. 27. 예비역장성 11명, 군의 정치적 중립호소.	1. 아시아축구 가네포 개막(평양, ~8월 11일 폐막). 12. 소련 친선대표단, 북한 방문(단장 소련 부수상 아엔 쉘레펜, ~19일). 27. 북한·베트남 친선협회 창립.
9월	6. 서울대 상대생, 軍靴화형식. 7. 폭파 및 테러사건 연발. 16. 판문점에 자유의 집 건립. 18. 경부선 복선 개통. 21. 대법원, 인혁당사건 상고기각. 都禮鍾등 13명 피고 전원에게 유죄판결 확정. 25. 맹호부대 제1진 베트남에 도착.	2. 민주여성동맹 제3차 대회 개막(~4일).
10월	4. 맹호부대 강재구 대위, 부하살리고 수류탄 덮쳐 순직. 9. 청룡부대 베트남 캄란만에 상륙.	4. 북한·시리아 간 통상 및 지불협정에 관한 협정 조인.

15. 李東元 외무장관, 독도문제는 한일회담과 무관이라고 언급. 22. 한일기본조약, 관계 4협정 정식 조인 23. 북한 외무성 한·일조약에 반대, 배상요구권리 보유성명. 24. 한일공동성명 발표.	12. 도쿄교육대학 교수 家永三郎, 교과서 검정을 위헌이라 하여 국가에 배상청구권 소송 제소(교과서검정 제1차 소송). 22. 사회당·총평·전학련 등 46개소에서 일한기본조약 항의 집회.
1. 韓景職 등 목사 100여명, 한일협정을 반대하는 성토대회를 열고 5개항의 성명을 발표. 9. 력사학회·在京문인 82명, 한일협정비준 반대성명을 발표. 14. 김홍일 등 예비역장성 11명, 한일협정 반대성명. 16. 김정렬 등 예비역장성 103명 한일협정 지지성명.	4. 제7회 참의원 선거. 22. 제49회 임시국회 소집.
12. 야당의원 61명, 한일협정에 반대, 총사퇴. 18. 야당 불참 속에 한일협정 비준동의서 국회 통과. 22. 서울·지방의 대학·고교생 등 1만여 명 批准無效化 데모.	3. 同和對策審議會, 동화대책을 수상에게 답신. 19. 佐藤 수상, 전후 수상으로서 처음으로 沖繩 방문.
	9. 8명의 沖繩 주민, 沖繩 현민을 일본국 헌법 아래 평등하게 취급하라고 東京 지방재판소에 제소.
5. 佐藤 수상, '한일협정은 남한에 국한, 평화선은 사실상 소멸, 독도는 앞으로 해결'이라는 공식태도 표명.	10. 遠山茂樹 등, 교과서검정제소를 지원하는 전국연락회 결성. 21. 朝永振一郎, 노벨물리학상 수상.

408 근현대 한일관계 연표

11월	1. 강경파 탈당으로 민중당 분당. 8. 키 베트남총리 내한. 20. 새나라차 말썽 끝에 신진공업에 불하.	1. 북한·중국 간 과학기술협조에 관 한 의정서 조인(평양). 15. 노동당 중앙위원회 제4기 제12차 전원회의 개최(~17일).
12월	16. 국회, 6대 후반기 의장단 개선. 22. 김구 살해범 안두희 피습. 24. 공화당, 항명혐의로 김용태·민관 식 의원에 6개월 정권, 害憲혐의 로 신동식·김종갑 의원에 경고 조치. 25. 혁신계 56명 특사출감.	28. 북한·알바니아 간 영사조약 조인 (평양).

6. 일본 자민당, 중의원 일한특별위에서 한일조약 강행 체결. 9. 일본 사회당·공산당계 단체 한일조약 분쇄통일집회. 일본 중의원 본회의, 의장직권으로 개회. 12. 일본 중의원 본회의, 한일조약 가결 13. 일본 참의원 본회의, 의장직권으로 개회. 자민당·민사당, 일한특별위원회 설치를 강행 체결. 18. 丁一權 總理, 獨島周邊 日船 漁撈禁止.	19. 각의, 전후 처음으로 적십자 국채 발행 결정.
4. 참의원 일한특별위원회, 한일조약 강행 채택. 18. 서울에서 한일조약 비준서 교환식.	10. 국제연합 총회, 일본을 안전보장이사회 비상임이사국으로 선출.